Читайте романы
примадонны иронического детектива
Дарьи Донцовой

Сериал «Любительница частного сыска Даша Васильева»:

1. Крутые наследнички
2. За всеми зайцами
3. Дама с коготками
4. Дантисты тоже плачут
5. Эта горькая сладкая месть
6. Жена моего мужа
7. Несекретные материалы
8. Контрольный поцелуй
9. Бассейн с крокодилами
10. Спят усталые игрушки
11. Вынос дела
12. Хобби гадкого утенка
13. Домик тетушки лжи
14. Привидение в кроссовках
15. Улыбка 45-го калибра
16. Бенефис мартовской кошки
17. Полет над гнездом Индюшки
18. Уха из золотой рыбки
19. Жаба с кошельком
20. Гарпия с пропеллером
21. Доллары царя Гороха
22. Камин для Снегурочки
23. Экстрим на сером волке
24. Стилист для снежного человека
25. Компот из запретного плода
26. Небо в рублях
27. Досье на Крошку Че
28. Ромео с большой дороги
29. Лягушка Баскервилей
30. Личное дело Женщины-кошки
31. Метро до Африки
32. Фейсконтроль на главную роль
33. Третий глаз-алмаз
34. Легенда о трех мартышках
35. Темное прошлое Конька-Горбунка
36. Клетчатая зебра
37. Белый конь на принце
38. Любовница египетской мумии
39. Лебединое озеро Ихтиандра
40. Тормоза для блудного мужа
41. Мыльная сказка Шахерезады
42. Гений страшной красоты
43. Шесть соток для Робинзона
44. Пальцы китайским веером
45. Медовое путешествие втроем
46. Приват-танец мисс Марпл
47. Самовар с шампанским

Сериал «Евлампия Романова. Следствие ведет дилетант»:

1. Маникюр для покойника
2. Покер с акулой
3. Сволочь ненаглядная
4. Гадюка в сиропе
5. Обед у людоеда
6. Созвездие жадных псов
7. Канкан на поминках
8. Прогноз гадостей на завтра
9. Хождение под мухой
10. Фиговый листочек от кутюр
11. Камасутра для Микки-Мауса
12. Квазимодо на шпильках
13. Но-шпа на троих
14. Синий мопс счастья
15. Принцесса на Кириешках
16. Лампа разыскивает Алладина
17. Любовь-морковь и третий лишний
18. Безумная кепка Мономаха
19. Фигура легкого эпатажа
20. Бутик ежовых рукавиц
21. Золушка в шоколаде
22. Нежный супруг олигарха
23. Фанера Милосская
24. Фэн-шуй без тормозов
25. Шопинг в воздушном замке
26. Брачный контракт кентавра
27. Император деревни Гадюкино
28. Бабочка в гипсе
29. Ночная жизнь моей свекрови
30. Королева без башни
31. В постели с Кинг-Конгом
32. Черный список деда Мазая
33. Костюм Адама для Евы
34. Добрый доктор Айбандит
35. Огнетушитель Прометея
36. Белочка во сне и наяву
37. Матрешка в перьях

Сериал «Виола Тараканова. В мире преступных страстей»:

1. Черт из табакерки
2. Три мешка хитростей
3. Чудовище без красавицы
4. Урожай ядовитых ягодок
5. Чудеса в кастрюльке
6. Скелет из пробирки
7. Микстура от косоглазия
8. Филе из Золотого Петушка
9. Главбух и полцарства в придачу
10. Концерт для Колобка с оркестром
11. Фокус-покус от Василисы Ужасной
12. Любимые забавы папы Карло
13. Муха в самолете
14. Кекс в большом городе
15. Билет на ковер-вертолет
16. Монстры из хорошей семьи
17. Каникулы в Простофилино
18. Зимнее лето весны
19. Хеппи-энд для Дездемоны
20. Стриптиз Жар-птицы
21. Муму с аквалангом
22. Горячая любовь снеговика
23. Человек-невидимка в стразах
24. Летучий самозванец
25. Фея с золотыми зубами
26. Приданое лохматой обезьяны
27. Страстная ночь в зоопарке
28. Замок храпящей красавицы
29. Дьявол носит лапти
30. Путеводитель по Лукоморью
31. Фанатка голого короля
32. Ночной кошмар Железного Любовника
33. Кнопка управления мужем
34. Завещание рождественской утки
35. Ужас на крыльях ночи

Сериал «Джентльмен сыска Иван Подушкин»:

1. Букет прекрасных дам
2. Бриллиант мутной воды
3. Инстинкт Бабы-Яги
4. 13 несчастий Геракла
5. Али-Баба и сорок разбойниц
6. Надувная женщина для Казановы
7. Тушканчик в бигудях
8. Рыбка по имени Зайка
9. Две невесты на одно место
10. Сафари на черепашку
11. Яблоко Монте-Кристо
12. Пикник на острове сокровищ
13. Мачо чужой мечты
14. Верхом на «Титанике»
15. Ангел на метле
16. Продюсер козьей морды
17. Смех и грех Ивана-царевича
18. Тайная связь его величества
19. Судьба найдет на сеновале

Сериал «Татьяна Сергеева. Детектив на диете»:

1. Старуха Кристи – отдыхает!
2. Диета для трех поросят
3. Инь, янь и всякая дрянь
4. Микроб без комплексов
5. Идеальное тело Пятачка
6. Дед Снегур и Морозочка
7. Золотое правило Трехнудовочки
8. Агент 013
9. Рваные валенки мадам Помпадур
10. Дедушка на выданье
11. Шекспир курит в сторонке
12. Версаль под хохлому
13. Всем сестрам по мозгам
14. Фуа-гра из топора
15. Толстушка под прикрытием
16. Сбылась мечта бегемота
17. Бабки царя Соломона

Сериал «Любимица фортуны Степанида Козлова»:

1. Развесистая клюква Голливуда
2. Живая вода мертвой царевны
3. Женихи воскресают по пятницам
4. Клеопатра с парашютом
5. Дворец со съехавшей крышей
6. Княжна с тараканами
7. Укротитель Медузы горгоны
8. Хищный аленький цветочек
9. Лунатик исчезает в полночь

А также:

Кулинарная книга лентяйки. Готовим в мультиварке
Кулинарная книга лентяйки
Кулинарная книга лентяйки-2. Вкусное путешествие
Кулинарная книга лентяйки-3. Праздник по жизни
Простые и вкусные рецепты Дарьи Донцовой
Записки безумной оптимистки. Три года спустя. Автобиография
Я очень хочу жить. Мой личный опыт

Дарья Донцова

Магия госпожи Метелицы

роман

эксмо
Москва
2015

УДК 821.161.1-312.4
ББК 84(2Рос=Рус)6-44
Д 67

Оформление серии художника *В. Щербакова*

Иллюстрация на обложке художника *В. Остапенко*

Донцова, Дарья Аркадьевна.

Д 67 Магия госпожи Метелицы : роман / Дарья Донцова. — Москва : Эксмо, 2015. — 320 с. — (Иронический детектив).

ISBN 978-5-699-77529-3

Я, Виола Тараканова, тружусь в школе и терпеливо сею разумное, доброе, вечное, вот только всходов пока не дождалась... Спрашиваете, как меня сюда занесло? Очень просто — постарался влюбленный в меня Иван Зарецкий, новый владелец издательства, где печатаются мои книги. На самом деле я — участница телепрограммы, в которой звезды устраиваются на работу в непафосное место и пытаются избежать разоблачения. Меня занесло в храм образования, и я — основной претендент на победу! Вот только реалити-шоу неожиданно приняло криминальный оборот — убили директрису, а следом за ней библиотекаршу. Зарецкий мигом смекнул, как воспользоваться этим печальным обстоятельством, и уговорил теленачальство усложнить мою задачу: я должна раскрыть это преступление! Но он, похоже, переоценил мои силы, ведь вести расследование в женском коллективе все равно что прыгнуть в корзинку со змеями!

УДК 821.161.1-312.4
ББК 84(2Рос=Рус)6-44

ISBN 978-5-699-77529-3

Глава 1

«У женщин есть день рождения, но года рождения нет».

Я оторвалась от планшетника и посмотрела на мальчика, сидящего за столом у окна.

— Что ты сказал, Эдик?

Ребенок подпер кулаком подбородок.

— Я прочитал в инете: «Сегодня певица Раиса Бастрыкина отмечает юбилей, тридцатилетнюю годовщину своего появления на свет. Когда Раиса сорок пять лет назад впервые вышла на сцену, она и предположить не могла...» Я удивился, получается, тетка начала петь задолго до того, как родилась, решил, что в статье ошибка, полез в Википедию, а там прочел: «Раиса Бастрыкина родилась двадцатого декабря, с юных лет пела в ресторане...» Почему они год не указывают? Когда в поисковике рылся, я на уроке сидел, спросил у Нины Максимовны, а она отмахнулась: «Обозов, тебе нужно думать об отметках, а не о глупостях! У актрис и певиц года рождения нет. Но тебя это интересовать не должно. Лучше скажи, когда доклад про семейную жизнь хомяков сдашь?»

Я постаралась сохранить серьезный вид. Семейная жизнь хомяков! Нина Максимовна Федотова, учительница биологии, на редкость стыдлива. Когда ей приходится объяснять детям раздел «Размножение», она нервничает, краснеет, потеет и называет процесс спаривания «семейной жизнью». Если урок проходит в младших классах и речь идет о белках, зайцах и прочих представителях фауны, Федотова еще как-то сохраняет лицо, но рассказать выпускникам про половую жизнь человека Нина Максимовна не способна. Она стоит перед большим плакатом и еле слышно лепечет:

— Ребята! Сегодня вы узнаете о том, откуда берутся дети. Но поскольку вы все бегло читаете, то вот брошюра, изучите ее самостоятельно и законспектируйте. Дома напишете доклад по этой теме, сдадите мне и получите заслуженные пятерки.

Думаете, ученики перешептываются и хихикают? Вовсе нет, Нину Максимовну дети любят, она добрая, не вредная, всегда готова прийти на помощь. Федотову легко разжалобить, нужно лишь заплакать на ее глазах, тогда она сразу начнет утешать ученика, угощать его на редкость противными самодельными конфетами из сухофруктов с какао и приговаривать:

— Ну, ну, успокойся. Почему ты рыдаешь? В четверти выходит тройка? Дружочек, сейчас исправим отметку, напиши-ка мне докладик на любую тему вот из этого списка, и я выставлю тебе твердую четверку.

— И почему у них года рождения нет? — продолжал недоумевать третьеклассник Обозов.

— Эдик, чем ты занимаешься? — спросила я.

— Сто раз пишу слово «нашёл», как вы велели, Виола Лебединовна, — заныл мальчик, — надоело.

— Зато ты хорошо усвоишь, что у этого глагола после буквы «ш» пишется «ё», а не «о», — не сдалась я. — Вот у меня перед глазами твое сочинение, здесь повсюду «нашОл».

— Вот же тупость! — воскликнул Эдик. — Ведь когда говоришь, там «ё» нет. Скоро пятый урок начнется! Шестой у нас инглиш, я должен к нему подготовиться.

— Эдик, быстро сделай задание — и свободен. Не задерживай сам себя, — посоветовала я. — Кстати, пятого урока у вас нет. Вместо него окно.

— Русский мне вообще не нужен будет никогда! — в сердцах воскликнул Эдик. — Мне без разницы, «ё» или «о» надо писать.

— Ты живешь в России, — сказала я, — и обязан хорошо знать родной язык.

— Скоро мы с папой отсюда далеко-далеко уедем! — сообщил Эдик. — Вот глупость ручкой писать! На компьютере удобнее.

— Если ты с родителями отправишься за границу, там придется заниматься английским! — заметила я. — И вдруг все ноутбуки в мире сломаются, а ты не знаешь, как писать от руки?

— В той стране по-английски не болтают, — продолжал глупый спор Обозов, — там говорят... не знаю, на каком... папа еще не объяснил, куда мы подадимся. Это секрет от всех.

Я заметила телефон, который лежал перед пареньком на парте.

— Эдик! Ты забыл, что на уроки нельзя приносить мобильные, айпады и другие гаджеты?

— Но вы меня дополнительно оставили, — возразил ученик. — Это не считается уроком!

— Ты же знаешь, что гаджеты прячут перед началом учебного дня, — сказала я, — не надо нарушать правила.

— Ну зачем я тут сижу? — надулся Эдик.

— Лучший способ запомнить трудное слово, это написать его сто раз, — менторски заявила я.

— Ну, Виола Лебединовна, — застонал грамотей, — отпустите.

— Отложи телефон, не ройся в Интернете, перестань болтать, быстро выполни упражнение — и ты свободен, — не сдалась я. — Мне тоже хочется пойти попить чаю.

Наверное, следовало в очередной раз напомнить Эдику, что мое отчество «Ленинидовна», но какой от этого толк? В колледже даже некоторые учителя не могут запомнить имени нового педагога по русскому языку и литературе. Как я, писательница Виола Тараканова, оказалась в роли учительницы? В эту авантюру меня втянул Иван Николаевич Зарецкий, новый владелец издательства «Элефант», выпускающего книги Арины Виоловой. Если кто не знает, это мой псевдоним. Зарецкий богатый и невероятно активный человек, он мой страстный фанат, кроме того, я нравлюсь издателю как женщина. Нет, нет, нас не связывают близкие отношения, Зарецкий несколько раз предлагал мне стать его женой, но слышал от меня в ответ:

— Иван Николаевич, я считаю вас прекрасным отзывчивым человеком. Давайте останемся друзьями.

Было бы логично закончить эту фразу словами: «Думаю, мне лучше перейти в другое издательство». Но я не могу этого сказать. Почему? Купив «Элефант», Зарецкий получил оптом и всех писателей, которые подписали договоры с Гариком, прежним его владельцем. А я, неразумная, как бабочка, в свое время подмахнула, не глядя, контракт, по которому обязывалась приносить рукописи только в «Элефант» в течение десяти лет.

Отказавшись в первый раз стать госпожой Зарецкой, я испугалась. А ну как обиженный владелец издательства решит отомстить и перестанет выпускать мои книги? Что мне тогда делать? Но Иван

Николаевич оказался интеллигентным человеком, он сделал вид, будто и не было разговора о моем замужестве. Более того, Зарецкий собрался превратить меня в самого популярного автора России и взялся за дело со всем присущим ему пылом. Он начал широкомасштабное продвижение моих детективов, и я распрощалась с тихой размеренной жизнью. Мне начали звонить журналисты всех мастей, посыпались предложения выступать в телепрограммах. Я тратила много времени, объясняя редакторам, почему не хочу участвовать в ток-шоу, посвященном спасению популяции сороконожек, живущих в навозных кучах пингвинов ЮАР, и по какой причине отказалась от приглашения в радиопрограмму, где будут обсуждать, имеет ли право певица Иванова спать с мужем балерины Петровой. Я честно говорила:

— Извините, ни с поп-исполнительницей, ни с танцовщицей я не знакома, а сороконожек боюсь до беспамятства, если они вымрут, я от горя рыдать не стану.

Но редакторы не отставали, я нервничала, не сдала вовремя рукопись, и в конце концов Зарецкий сказал:

— Виола, дорогая, вам нужен пресс-секретарь, он будет отказывать малозначимым СМИ, договариваться с нужными людьми. Не царское это дело самой общаться с журналистами и редакторами телепрограмм. Не волнуйтесь, я подыщу подходящего человека, а пока его нет, сам временно буду исполнять обязанности вашего помощника.

— Огромное спасибо, — обрадовалась я.

И что получилось? Иван Николаевич не сумел найти грамотного специалиста, которому мог с легким сердцем меня доверить. Он стал сам заниматься моим расписанием, сделался моей чрезвычайно заботливой нянюшкой, администратором, решающим, на какие съемки мне можно ехать, будильником, никогда не забывающим вовремя разбудить ленивую писательницу, стилистом, подсказывающим, что лучше надеть на то или иное мероприятие, психологом, ежедневно восклицающим: «Виола, дорогая, вы гениальны», — диетологом, следящим за моим питанием...

Сегодняшнее утро началось со звонка Зарецкого.

— Дорогая, — заботливо произнес он, — на улице сильно похолодало, не надевайте коротенькую курточку, лучше накиньте новую шубку и непременно угги.

— А... — начала я.

Но Зарецкий не дал мне высказаться.

— Виола, милая, не спорьте. Знаю, вы не любите сапожки из овчины, но они идеальны для московского декабря.

Иван Николаевич на секунду умолк, и мне удалось вставить слово:

— Непременно надену австралийские валенки, а вот шуба останется в шкафу.

— Чем она вам не нравится? — изумился издатель. — Натуральный мех, сшита на заказ. Знаю вашу щепетильность в отношении дорогих подарков, но манто не мой презент! Это честно заработанная вами награда за победу в соревновании.

Я промолчала. Одно время Зарецкий пытался украсить меня кольцами, ожерельями, приобрел мне агрессивный внедорожник, но я всегда вежливо отказывалась от подарков, и в конце концов Иван Николаевич понял: максимум, что я приму из его рук, это коробку конфет и букет, ну ладно, еще могу взять плюшевого зайчика. Поэтому роскошную шубу издатель всучить мне не пытался, он схитрил. В сентябре на международной книжной ярмарке издательство «Элефант» объявило конкурс «Кумир». Всем посетителям предлагалось написать на бумажке имя своего любимого автора и бросить ее в здоровенный пластиковый ящик. В последний день конкурса урну вскрыли, там оказалась тьма листков с моим именем. Скажу честно, было очень приятно получить диплом победительницы, к которому прилагалась шикарная шуба. Правда, я не ношу мех, но не отказываться же от приза? Вот только радость длилась недолго. На следующий день я приехала в издательство и увидела, как Анастасия, секретарь Зарецкого, запихивает в мешок гору бумажек.

— Чем ты занимаешься? — спросила я.

— Ох уж эти девчонки из пиар-отдела, — сердито ответила Настя, — зачем-то приволокли сюда листки, которые народ для голосования использовал, теперь надо их выбросить и...

Договорить она не успела, прозвенел звонок, и помощница, забыв обо всем, помчалась в кабинет начальника. Я решила помочь Анастасии, начала укладывать цидульки в пластиковый мешок и увидела: подавляющее большинство бюллетеней заполнено одним хорошо знакомым мне почерком. Победа Арины Виоловой была подстроена Иваном. Я обомлела, потом чуть не заплакала, ну и дура я, на самом деле поверила, что стала любимицей читателей. В расстроенных чувствах я уехала домой, и лишь тогда мне в голову пришла мысль: а почему шуба, приготовленная для победителя конкурса, оказалась женской? Среди писателей много мужчин. И по какой причине она идеально мне подошла? Прекрасно знаю дам, которые пишут книги для «Элефанта», я среди них самая миниатюрная.

— Так чем плохо манто? — повторил свой вопрос Зарецкий.

— Оно замечательное, — покривила я душой. — Но может ли его себе позволить скромная учительница? Чтобы не проиграть в шоу, мне лучше надеть пуховик.

Вы опять ничего не понимаете? О каком шоу я веду речь?

Глава 2

Некоторое время назад телеканал «Семейный TV» предложил мне поучаствовать в развлекательной программе «Чужой среди своих». Суть проекта проста. Несколько знаменитостей переодеваются и под видом обычных людей устраиваются на работу в непафосное место. Они должны слиться с общей массой, чтобы коллеги не узнали в них звезд. А вот эти самые коллеги должны вычислить засланного казачка. Программа «Чужой среди своих» рассчитана на девяносто дней. Та звезда, которая окажется неразоблаченной, победит. Сотрудники, вычислившие знаменитость, приглашаются в эфир и рассказывают, как они поняли, что в их офисе работает певец, писатель или артист.

Мне эта идея показалась донельзя глупой, но Иван Николаевич воодушевился.

— Виола, дорогая, вот увидите, программа окажется на вершине рейтинга, вы одержите победу, станете мегапопулярной.

Я принялась отказываться от участия в шоу.

— Не люблю соревнований, всегда оказываюсь на последнем месте.

Зарецкий был настойчив и в конце концов победил.

В конце ноября шесть участников шоу собрались в телестудии. На мой взгляд, назвать их звездами было никак нельзя. Певица Кикки, актер Никита, тележурналист Светлана, спортсмен Роман, диджей Олег и я. Своих соперников я никогда ранее не видела, а они ничего не слышали обо мне. Нас выстроили перед черной урной, и ведущий Федор предложил нам по очереди вытаскивать из нее бумажки, на которых указаны наши новые профессии.

— Там много чего лежит, — ухмылялся Федор, — я умру со смеху, если Кикки вытащит жребий «слесарь» или «водитель «КамАЗа».

Вот тут я испугалась, но отступать уже было поздно. Диджей должен был стать дворником, певица — поваром, актер — продавцом обуви, девушка из телевизора — горничной в дешевом отеле, гимнаст — диспетчером на автобазе, а я — учительницей русского языка и литературы. В первый момент я обрадовалась, но потом поняла, что меня разоблачат в один момент. Я не помню никаких грамматических правил, не умею общаться с детьми и даже не представляю, что читают современные школьники.

Но первой через день после старта проекта из него вылетела певица. Кикки совсем не умела готовить и сразу насторожила шеф-повара, который в студии рассказал дивную историю:

— Сначала я велел новой помощнице проверить готовность картошки, она спросила: «А как это сделать?»

Зрители и ведущий расхохотались, а шеф продолжил:

— Я решил, что она прикалывается, прикидывается дурой, сказал: «Потычь в клубни вилкой». Спустя полчаса спросил: «Яйца для салата готовы? Вкрутую сварила?» А новенькая взяла вилку, постучала ею по скорлупе и ответила: «Нет, еще твердые, не прокалываются». Вот тут до меня доперло: идиотка-то из шоу.

Тележурналистка продержалась неделю, на восьмой день она треснула подносом по голове постояльца отеля, который, получив вместо заказанного в номер кофе минералку без газа, велел ей исправить ошибку. Гимнаст и диджей тоже выбыли из игры. Основными претендентами на победу стали артист Никита и я. Меня почему-то до сих пор не вычислили, хотя педагог из меня, как из мартышки балерина. И разумное, доброе, вечное я сею под своим настоящим именем. Любой человек, вбивший в поисковик «Виола Ленинидовна Тараканова», мигом увидит, что я автор детективных романов Арина Виолова. У меня не самая благозвучная фамилия, не очень распространенное имя, а уж об отчестве я вообще промолчу. Но никто из сотрудников школы пока ничего не заподозрил. Я попала в частную гимназию, где педагогам велено не травмировать ребят строгими требованиями, не нагружать их, не нервировать, не поощрять дух соревнования.

— Давайте сохраним детям детство, — постоянно повторяет директриса, она же владелица заведения, Полина Владимировна Хатунова, — у нас упор на здоровый образ жизни, на духовное развитие.

Ученики тут воспитанные, ни одного хама-грубияна мне не попалось, все вежливо здороваются, на уроках сидят тихо. Если ребятам делается скучно, они просто засыпают. Школьное расписание не перегружено, занятия пять раз в неделю, и даже у выпускников больше шести уроков в день не бывает. После окончания учебного процесса многие плавают в бассейне, занимаются йогой, ушу, айкидо, есть и традиционные кружки: вязание, кулинария, шитье мягких игрушек, работает самодеятельный театр. Школьная столовая намного лучше той, что в издательстве «Элефант», еда очень вкусная, разнообразная и полезная. Шоколадных батончиков, чипсов, энергетических напитков, конфет-жвачек вы в буфете не найдете. Но я бы в такое заведение своего ребенка не отдала. Почему?

Уж не знаю, чем руководствовалась Полина Владимировна, формируя коллектив, но, похоже, фундаментальные знания предмета и владение навыками детской педагогики не являются сильными сторонами местных преподавателей. Хатунова подобрала тетушек, похожих на добрых нянечек. Не так давно, проходя мимо открытой двери кабинета математики, я услышала голос завуча Карелии Алексеевны Линьковой:

— Катюшенька, не плачь, золотце.

— Да-а-а, — всхлипнула девочка, — у меня по контрольной два-а-а!

— Заинька, не расстраивайся, — принялась утешать ее Карелия, — двоечка поставлена карандашом. Смотри, опля! Ее уже нет. Клеточка в журнале чистая. Садись, кисонька, за парту, вот тебе задание, решай спокойно, если не получится, я помогу. Мы с тобой живенько исправим плохую отметку.

Катя перестала рыдать, девочка была очень довольна, но получила ли она знания? Хотя большинство выпускников школы поступает в коммерческие вузы, а там, похоже, профессура исповедует те же правила, что и Хатунова, не желая травмировать психику студентов, ставит им незаслуженные «хорошо» и «отлично». Стоит ли удивляться, что у нас теперь встречаются врачи, не способные отличить глаз от ноги, психологи, никогда не читавшие Фрейда, Юнга, Адлера, журналисты, произносящие: «Наш гость приехал с Воронежу». Прекрасно, когда ученику в школе комфортно, но гимназия или вуз не

СПА-центр, а место, где следует усердно учиться, а не расслабляться.

— Виола Лебединовна, — заныл Эдуард, — у меня уже рука отсохла!

— Сколько раз ты написал глагол? — спросила я.

— Семь! — ответил грамотей. — Осталось девяносто три.

— Ладно, — сжалилась я, — еще тринадцать, и можешь быть свободен.

— Ура!!! — завопил Обозов.

Дверь кабинета открылась, появилась Нина Максимовна.

— Простите, Виола Лабиринтовна, что помешала, выйдите на минуточку.

Я молча выполнила ее просьбу, Федотова схватила меня за руку.

— Никак не могу Полину Владимировну разбудить. Может, у вас получится?

— Директор спит в своем кабинете? — удивилась я. — Подождите секундочку.

Я приоткрыла дверь в класс и сказала Эдику:

— Отойду ненадолго, если выполнишь задание, а я не вернусь, можешь взять на моем столе свой дневник и уйти.

— Иес! — заликовал Обозов. — Супер! Спасибо, Виола Лебединовна.

Федотова схватила меня за руку и потащила по коридору.

— Вы не похожи на сплетницу, поэтому доверю вам тайну. Вчера Полина ходила к косметологу, колола средство от морщин. Только никому не говорите об этом. Сегодня она мне сказала: «Что-то с самого утра глаза открыть не могу, обычно легко пробуждаюсь, а сейчас веки слипаются». Я ей посоветовала зеленого чая выпить, в нем содержится больше кофеина, чем в арабике. Лена, секретарь Хатуновой, гриппом заболела, утром позвонила, сказала, что температура высокая. Поэтому Полина сама шкаф в приемной открыла, хотела чашку взять, а там! Бардак! Ложки рассыпаны, набора чашек нет, остались одна кружка, разрисованная собачками, пара тарелок, чайник для заварки, все разномастное, заварник в цветах, печенье раскрошено... Я увидела, какое лицо у директрисы стало, и предложила: «Полина Владимировна, давайте я живенько порядок наведу и вам сенчу заварю». А она схватила телефон и Елене позвонила!

Нина Максимовна закатила глаза.

— Не один год знаю Хатунову, она очень сдержанный человек, голос крайне редко повышает, а тут прямо заорала: «Где наши чашки?» И видно, случайно на громкую связь трубку включила, поэтому я ответ девицы услышала: «Ой, ой, Полина Владимировна, мне очень плохо еще вчера стало, знобило сильно, руки тряслись. Понесла посудку мыть вечером, уронила поднос! Извините, простите! У вас в шкафчике кружечка есть хорошенькая, с собачками-кошечками, пользуйтесь ею. Я скоро поправлюсь и за свой счет сервиз в школу куплю. Только не сердитесь, не виновата я, от гриппа слабость у меня возникла!» «Ты уволена!» — объявила Полина. Я прямо ахнула! Ну и ну! Хотя это правильно. Давно лентяйку пора вон гнать. Я предложила Хатуновой: «Посидите, заварю вам чаек». А она: «Это не ваша работа, сама чайник поставлю. Надеюсь, после пары чашек зеленого чая в себя приду, успокоюсь, и голова болеть перестанет».

Федотова толкнула дверь, мы миновали приемную и очутились в просторном кабинете, где в центре стоял огромный старинный письменный стол.

На столешнице, смахивающей на взлетную полосу, справа высились стопки книг, рядом стояло фото покойных родителей Хатуновой, лежали какие-то бумаги и зеркальце. Слева я увидела чашку с изображением котят и щенят, в ней на самом дне осталась жидкость бледно-зеленого цвета, тут же громоздился пузатый заварочный чайник, разрисованный розами, рядом находилась открытая коробочка пастилы с несколькими пустыми ячейками. Белые крошки на тарелке с цветочным орнаментом говорили о том, что Хатунова лакомилась пастилой. Я перевела взгляд на владелицу гимназии, которая сидела в монументальном кожаном кресле с высокой спинкой. Полина Владимировна невысока ростом, весит она чуть больше пуделя, но всегда ходит с идеально прямой спиной, на каблуках, поэтому не кажется крошечной. Сейчас же она съежилась, голова свесилась на грудь.

— Уж я трясла ее, трясла, — запричитала Федотова, — а Полина никак не очнется.

Я наклонилась над директрисой и поняла: она не дышит. В первую секунду я хотела отпрыгнуть в сторону и закричать: «Помогите!» — но живо взяла себя в руки.

— Может, ей водичкой в лицо брызнуть? — суетилась Нина.

— Не стоит, — пробормотала я, отходя от покойницы.

Взгляд упал на часы, сейчас идет четвертый урок, педагоги в классах, ученики под их присмотром, никто по коридорам не бегает.

— Хорошо, что у вас занятия закончились, — частила Нина, — остальные на уроках, я прямо растерялась: куда бежать? А потом вспомнила, что вы говорили: «Сразу домой не пойду, позанимаюсь с Обозовым». Эдик милый мальчик, но учение ему никак не дается. Вы с ботоксом когда-нибудь дело имели? Не знаете, случайно, инъекция может женщину в глубокий сон погрузить? Хатунова словно в наркозе, а мне надо, чтобы она подписала открыточку для физрука, той пятьдесят исполнилось.

— Нина Максимовна, поздравление может подождать, — пробормотала я, оттесняя Федотову к двери, — я сейчас вызову своего приятеля, он сомнолог.

— Кто? — заморгала училка.

— Специалист по сну, — объяснила я, — он Полиной Владимировной займется.

— Оооо! А мне консультацию даст? — обрадовалась Федотова. — Правда, с деньгами у меня не густо, ипотеку выплачиваю и еще...

Я вытолкнула болтунью в приемную и спросила:

— Можете принести воды?

— Конечно, — засуетилась Нина, — из-под крана или из кулера?

— Из крана, — уточнила я, быстро сообразив, что до туалета Федотовой за одну минуту не добежать.

— Лечу! — заявила Нина Максимовна.

Не успела дверь за ней захлопнуться, как я схватила со стола зеркало, поднесла его к носу Полины и потом, выйдя в приемную, набрала номер Зарецкого.

— Умерла? — вскрикнул Иван Николаевич. — Виола, вы уверены?

— Она не дышит, пульс на шее не бьется, выглядит мертвой, — объяснила я, — ничего в кабинете я не трогала, Федотову временно услала. Надо звонить в полицию.

— Нет! — отрезал Зарецкий. — Только не сейчас! Вы еще не знаете, но сегодня актер Никита, работавший в отделе обуви, выбыл из шоу, у него во время новогодних распродаж сдали нервы, начал в покупателей туфли швырять и орать на них. Виола, вам надо выстоять до конца! А полицейские приедут, начнут копать, и вас разоблачат.

Я рассердилась.

— Предлагаете оставить труп Полины в кабинете до тех пор, пока не истечет время, отведенное для дурацкого представления?

— Это не получится, — протянул Зарецкий, — я решу проблему, дайте секундочку. Ну, конечно! Виола, дорогая, вы же знаете моего приятеля Андрея Платонова?

Знаю ли я Андрюшу? С другом Зарецкого я познакомилась на дне рождения Ивана Николаевича, а потом, когда снимала дачу в Павлинове и попала в неприятную историю, обратилась к нему за помощью. С тех пор у нас сложились дружеские отношения, вчера мы с ним обедали в кафе.

— Сядьте, выдохните, сейчас примчится Андрей, — пообещал издатель и отсоединился.

Не прошло и минуты, как позвонил Платонов:

— Что у тебя?

— Труп, — вздохнула я, — директриса гимназии скончалась.

— Так и знал, что идея участвовать в шоу добром не закончится, — пробурчал Андрей. — Встань у двери и никого не пускай внутрь. Не переживай, я все улажу.

— Кто умер? — взвизгнул за спиной женский голос.

Я обернулась и увидела Нину Максимовну с пластиковым стаканчиком в руках.

— Кто умер? — повторила она, роняя стакан. — Полина?

Мысленно ругая себя за то, что забыла про отправленную в туалет Федотову, и бормоча:

— У Хатуновой, похоже, инфаркт, — я попыталась вытеснить учительницу биологии в коридор.

— Скончалась! — взвизгнула Нина. — Ужас! Горе! Беда!

— Тише, не кричите, — попросила я, вытолкнув ее, наконец, в коридор.

Федотова зарыдала, по ее лицу потекла тушь с ресниц.

— Что случилось? — спросила библиотекарь Вера Борисовна Соева, спускаясь по лестнице.

Я понизила голос до шепота.

— Полина Владимировна умерла в своем кабинете. Наверное, это инфаркт, Нине Максимовне плохо, я отведу ее в учительскую и вернусь. Кабинет Хатуновой открыт, нельзя, чтобы туда случайно заглянул какой-нибудь ученик. Можете посторожить у двери? Я прибегу через минуту, полиция уже едет.

Произнеся эту тираду, я тут же пожалела о сказанном. Сейчас Соева, как и Федотова, зарыдает, ударится в истерику. Вилка, где твоя голова? Вон же на стене кнопка вызова охраны! Нужно было нажать на нее.

— Нет проблем, — неожиданно спокойно ответила Вера и исчезла за дверями приемной.

Я поразилась самообладанию библиотекарши, ткнула в красную кнопку, утащила Федотову в туалет и помогла ей умыться.

Когда мы с учительницей биологии вернулись в коридор, я увидела парня в черной форме, который входил в вестибюль.

— Охрану вызывали? — спросил он.

— Да, да, — закивала я, держа дрожащую Федотову под руку, — идите срочно в кабинет директора, отпустите Веру Борисовну и дождитесь там появления полиции, она уже в пути.

* * *

Когда Андрей появился в приемной, я кинулась к нему со словами:

— Как хорошо, что ты так быстро приехал.

Платонов не успел ничего ответить, из-за его спины показался Иван Николаевич, который мигом спросил:

— Вы на «ты»?

— Не выкать же человеку, с которым вместе работали, — удивился Андрей и повернулся ко мне. — Ты после вчерашнего обеда нормально себя чувствуешь?

— Да, — кивнула я, — но я слопала только овощи на пару, от них беды не будет.

— А у меня жуткая изжога, — пожаловался приятель, — зря креветки заказал.

На лице Зарецкого появилось выражение удивления, но быстро исчезло.

— Виола, дорогая, вам надо отдохнуть, Андрей без вас справится, потом расскажете ему, что видели. Можете уйти, или еще есть уроки?

— Нет, я закончила занятия, но надо зайти в кабинет русского языка, там осталась моя сумка. Заодно проверю, выполнил ли Обозов задание, — ответила я, ощущая, как дрожат ноги.

Со мной так всегда, в трудную минуту я собираюсь, действую разумно, и кое-кто думает, что я малоэмоциональный, даже черствый человек. Не так давно ко мне в квартиру ворвалась соседка по лестничной клетке Оля Терехина. Она рыдала во весь голос, и я с трудом поняла, что ее муж занимался мелким ремонтом и упал со стремянки. Я пошла к Терехиным, увидела, что у ее супруга сломаны обе ноги, вспомнила про пробки, решила, что «Скорая» доберется не меньше, чем через два часа, и начала действовать: нашла крепких парней, которые отнесли несчастного в мою машину, отвезла его в больницу, где работает мой приятель-травматолог, позаботилась об отдельной палате. И все это под аккомпанемент неутихающих стенаний Ольги:

— Сереженька умирает, как же я одна ипотеку выплачу.

Толку от Терехиной никакого не было, мне приходилось отвлекаться от Сергея, успокаивать ее. В конце концов сосед был прооперирован, уложен в кровать, а я вернулась домой еле живая от усталости. Через два дня, стоя у лифта, я случайно услышала громкий голос Ольги, доносившийся из-за запертой двери ее квартиры.

— Да, Тараканова помогла, думаешь, надо ей конфет купить? Ну ладно, раз ты так считаешь. А вот здесь ошибаешься, она не переживала, не нервничала, просто какой-то робот! Ни разу ни Сергея, ни меня не пожалела, я-то вся извелась от страха за мужа. Виоле же по барабану наши страдания, на удивление равнодушная баба.

В первый момент я испытала желание позвонить к Терехиной и сказать: «Я не автомат. Просто, в отличие от тебя, понимаю, что впадать в истерику, когда кому-то плохо, преступно. В такой момент надо сконцентрироваться, наступить на горло своим эмоциям и думать, как помочь человеку. У меня после того, как вернулась домой, долго тряслись ноги, пришлось выпить литр чая с вареньем, чтобы успокоиться. Я нервничала не меньше тебя, просто не позволила эмоциям взять верх над разумом». Вот и сейчас, не желая, чтобы в школе началась паника и дети узнали о смерти директрисы, я не вылетела из кабинета Хатуновой с воплем: «Умерла! Помогите». Нет, я позвонила кому надо, а теперь у меня дрожит все тело.

— Я с вами, — быстро произнес Зарецкий.

Когда мы вошли в класс, там было пусто. Я приблизилась к столу и увидела листок бумаги, на котором корявым почерком было нацарапано «нашел, нашел, нашел» и так девятнадцать раз. И тут у Эдика терпение иссякло, и мальчик удрал.

— Хорошо хоть столько сделал, — пробормотала я, — может, чуть грамотнее станет.

Иван Николаевич засмеялся.

— Виола, дорогая, обратите внимание на доску. Вам там послание.

Я оторвалась от работы Обозова и прочитала сделанную мелом надпись: «ВЕола ЛИбидинАвна я напЕсал задание про глагол нашёл. Я нашОл на вашем столе свой дневник. Эдик».

— Похоже, грамотею нужно выучить ваше имя, отчество и глагол «написать», — развеселился Иван Николаевич. — Поколение, воспитанное в эпоху сенсорных гаджетов не любит читать, отсюда и проблема. Одевайтесь и едем в «Элефант».

Глава 3

Платонов позвонил часа через три, Зарецкий включил на телефоне громкую связь, и голос полицейского разлетелся по кабинету:

— Точно пока сказать не могу, но похоже на отравление.

— Ядом? — воскликнул Иван Николаевич. — Каким?

— Анализы еще не готовы, — терпеливо объяснил Андрей, — но наш эксперт редко ошибается.

— Значит, план «Б»! — заявил Зарецкий.

— Советую подождать до завтра, после обеда будет ясно, — сказал Андрей.

— Ладно, — с неохотой согласился издатель.

— О чем идет речь? — налетела я на Ивана. — Что вы придумали?

Издатель поднял руку.

— Виола, дорогая, не нападайте. Когда жизнь подбрасывает шанс, не грех им воспользоваться. Пока я ехал в школу, обдумывал ситуацию. Если директриса умерла от инфаркта-инсульта, то никакой активности проявлять не стоит, дело обычное, интереса не вызовет. Но если совершено преступление... Я позвонил на канал, сообщил о неожиданных обстоятельствах, поделился своей идеей, продюсер пришел в восторг!

— Может, и меня посвятите в свои планы? — вкрадчиво спросила я.

— Виолова станет победительницей проекта. После истерики, устроенной Никитой, всем понятно, кто на первом месте. Но вы не только окажетесь на пьедестале почета, вы еще станете сыщиком. Убийство в гимназии! Вот это поворот в шоу!

— С ума сойти, — подпрыгнула я. — Поисками отравителя должна заниматься полиция.

— Совершенно с вами согласен, — не стал спорить Иван Николаевич. — Платонов побежит по одной тропе, вы по другой. На стороне Андрея криминалистическая лаборатория, обученные сотрудники, а у вас лишь ваш мозг, интуиция и доброе сердце.

— Уши, лапы и хвост, — пробормотала я. — Здоровская идея.

— Вам нравится? — спросил Зарецкий.

— Нет, — отрезала я, — совершенно не нравится.

Но Иван Николаевич не захотел услышать мои слова.

— Устроители программы в восторге. Теперь

только надо подождать, чтобы экспертиза установила насильственную смерть директрисы, и вперед. Шоу слегка изменит формат. Сначала вы получите приз, а потом, когда зритель расслабится, решит, что все интересное завершилось, его огорошат сообщением: «Писательница не только обошла всех в конкурсе, она еще раскрыла убийство. Шоу «Чужой среди своих» продолжается, оставайтесь с нами!» И вы, Виола, дорогая, станете главной героиней еще нескольких программ. Рейтинг попрет вверх ракетой!!! Огромная удача!

У меня неожиданно заболела голова. Ничего себе огромная удача — смерть Полины Владимировны. На мой взгляд, в произошедшем нет ни малейшего повода для радости.

— Виола, дорогая, вы побледнели, — забеспокоился Иван.

Я попыталась улыбнуться.

— Все в порядке, но в кабинете душно.

Зарецкий встал и приоткрыл окно.

— Виола, дорогая, вы расстроились, когда я сказал про огромную удачу? Извините дурака, я проявил редкостную толстокожесть. С директрисой я знаком не был, ее кончина для меня не трагедия, увидел возможность задержать вас на телевидении и обрадовался. Фу, сам себе противен.

— Иван Николаевич, к вам посетитель, — раздался из селектора голос секретарши.

— А ну иди сюда! — приказал босс.

— Здрассти, Арина, — прочирикала помощница Зарецкого, появляясь в кабинете.

— Привет, Танечка, — улыбнулась я.

— Кто сюда рвется? — недовольно спросил Иван.

— Прозаик Рогов-Ростовский, — отрапортовала Татьяна.

— Их двое? — спросил Иван.

Секретарша хихикнула.

— Нет! Фамилия двойная.

— У нас есть такой автор? — удивился Зарецкий. — Не помню что-то.

— Вы ж не можете всех в голове удержать, и не надо, а то мозг треснет, — вздохнула Таня. — Она представилась, как прозаик, написавший много бестселлеров. Сказала, хочет обсудить очень важный для издательства вопрос.

— Ясно, — поскучнел Иван, — сейчас начнет денег просить. Отфутболь его.

Таня попятилась.

— Не получится, она настырная, хуже мухи. Я не один раз повторила: «Зарецкого нет», — а она: «Ничего, я подожду», — и сидит. Лучше с ней минутку поговорить. Она вас все равно поймает, выйдете из кабинета, а баба тут как тут.

— Татьяна, перестань меня путать, — рассердился шеф. — Кто в приемной?

— Женщина! — отрапортовала секретарь.

— Тогда почему ты сказала: «Прозаик Рогов-Ростовский»? — вопросил Зарецкий.

— Тетка — его представитель, — внесла ясность Танюша, — липучка — рубль штучка. Мой вам совет с ней поговорить, в противном случае она у вас под дверью заночует.

Я встала.

— Иван Николаевич, я поеду домой.

Зарецкий хотел что-то сказать, но в этот момент створка приоткрылась, и в кабинет всунулась толстая дама в очках.

— Разрешите? Я прозаик Ногов-Архангельский.

— Прошу вас, — сухо отозвался Иван Николаевич.

Литагент сделала шаг, увидела меня. Прищурилась и воскликнула:

— Арина Виолова?

Я кивнула.

— Рада встрече, — и стала обходить посетительницу, но та, вместо того чтобы посторониться, указала на меня пальцем и тоном самодержца, беседующего с холопом, заявила:

— Виолова! Жди меня в приемной. Освобожусь, и мы побеседуем.

Последние слова прозвучали угрожающе, и Зарецкий, прекрасно понявший это, побагровел.

Мы с Таней вышли в холл.

— Похоже, мадам ку-ку, с приветом, — повертела пальцем у виска секретарша. — Сейчас ей босс коротенечко объяснит, как с Виолой Ленинидовной общаться надо. Вот же коза с претензиями!

— Ты вроде назвала ее Рогов-Ростовский, а она Ногов-Архангельский, — улыбнулась я.

— Города перепутала, не Ростов, а Архангельск, — не стала отрицать Таня.

— И рога с ногами тоже перепутала, — захихикала я.

— Да тут с ума сойдешь, — махнула рукой секретарша.

Я поболтала пару минут с Танечкой, вышла из «Элефанта» и позвонила Платонову с вопросом:

— Знаешь, что придумал Зарецкий? Хочет, чтобы я изображала частного детектива.

— Тебе не впервой, — отозвался Андрей, — и ты всегда проделываешь это с большим удовольствием.

— Не имею желания работать Шерлоком Холмсом для телепрограммы, — рассердилась я. — Да, иногда я ввязываюсь в расследование и потом пишу о нем книгу. Но делаю это исключительно по собственному желанию, а не для показа на экране.

— Ты же знаешь Ивана, — попытался остудить меня приятель, — если он чего вбил себе в голову, то умрет, но сделает.

— Зарецкий умный человек, он понимает, что иногда лучше дать задний ход, — заспорила я. — Не думаю, что ему захочется вступать в конфронтацию с твоим начальством. Сделай одолжение, звякни Ивану и объясни: твое руководство будет недовольно активностью писательницы...

— Не получится, — перебил меня Андрей, — Ваня оказался расторопнее, он уже связался с моим шефом, а тот пришел в экстаз, захлопал крыльями, затряс нимбом: «Отличная идея, надо рассказывать всем, как успешно работает полиция, легко раскрывая сложные преступления. Перед нами свыше поставлена задача создать положительный образ полицейского. Участие в шоу поможет ее выполнить. Пусть писательница ковыряется, как умеет, ничего у нее не выйдет, только насмешит народ, а наши профи окажутся на высоте». Мне придется топать в студию и вещать о том, как вел расследование. Извини, Вилка, рад бы помочь, да сам в костер угодил. У Вани родитась плохая идея — ты облажаешься, а мне придется прилюдно о твоих ошибках говорить. Наш босс хочет показать, что у него под началом работают асы, а любителям нечего лезть в расследование.

— Иван верит в мой ум, — засмеялась я, — предполагает, что я тебя умою. Кислый вид на финальной программе может быть у тебя. И ты не понял замысел Ивана Николаевича и телевизионщиков, не допер, что они затеяли.

— Сделать тупую программу, — ответил Платонов. — О чем еще тут думать?

— Нет, — усмехнулась я, — продюсеру нужен скандал, он привлекает зрителей. Иван это прекрасно знает. Основная задача режиссеров шоу поссорить нас с тобой.

— Зачем? — удивился Андрей. — Если в команде разлад, положительного результата не жди.

— А он им и не нужен, — мрачно сказала я. — Зарецкий спит и видит, как мои книги бьют по тиражам Смолякову. Без разницы, смогу я найти преступника или нет, главное, чтобы я подольше оставалась на телеэкране. Писателей сейчас пруд пруди, заходит человек в магазин, у него глаза разбегаются: кого купить? Книги недешевы, жаль выкинуть несколько сотен рублей на некачественное чтиво. Поэтому люди предпочитают авторов, чье имя на слуху. Массовый читатель наивно полагает: если писатель светится на экране, значит, он хорошо пишет, плохого в эфир не позовут. Начнет человек рыться на полках: Иванов, Петров, Сидоров... О! Виолова! Я видел ее в шоу! Возьму детектив Арины, она известный человек. Вот зачем надо подольше мельтешить в телевизоре, чтобы тебя запомнили, выделили из общей массы. Ну а дальше все зависит от тебя, если ты интересно пишешь, тираж пойдет вверх. Если из-под твоего пера выходит тягомотная нудятина, тогда ничего хорошего не получится. Никакая реклама не спасет того, кто не может увлечь читателя. Кстати, зритель больше сочувствует проигравшему, чем победителю, последний часто вызывает зависть. Телевизионному начальству же не нужен успех следователя, как-то сладко получится, мужик быстро раскрыл дело, фу, неинтересно. Вот если он запутается, спасует, тогда можно вволю поглумиться, создать еще пару программ под названием «Неудачник из полиции». Если мы с тобой объединимся в команду, то, вполне вероятно, сумеем вычислить преступника, и скандала не будет. Поэтому сейчас меня и тебя пытаются развести по разные стороны баррикады. Андрюша, нам надо быть хитрее. Давай изобразим, что поругались, терпеть друг друга не можем, а сами будем работать в паре.

— Неплохая идея, — обрадовался Андрей, — мне нужен информатор в школьном коллективе. Работаем сообща. Ты бежишь по следу в гимназии, я копаю в других местах.

— Узнал что-нибудь про Полину Владимировну? — поинтересовалась я. — Кому она могла насолить?

Глава 4

Андрей издал странный звук, потом закашлялся.

— Извини, подавился, — объяснил он. — О Хатуновой я не узнал ничего особенного. По образованию она хирург. Окончила с отличием институт, потом работала в больнице, характеристики безупречные. Полина была у академика нейрохирурга Разгонова в помощниках, сама не оперировала, но ассистировала профессору. В Интернете есть фанатская группа, где благодарные пациенты до сих пор оставляют восхищенные отзывы о Разгонове, называют его чуть ли не Богом. Среди этих хвалебных сообщений немало посвященных Полине: умница, очень внимательна, переживает за больного, быстро ставит его на ноги. После смерти хирурга не один год миновал, а Разгонова до сих пор помнят и чтут его память. Когда академик умер, Полина не захотела работать с другим начальником и вскоре ушла из профессии, одно время она преподавала в召институте, потом, похоже, ей это надоело. Пару лет

Полина Владимировна была домашней хозяйкой, благо ее муж Григорий Пенкин весьма обеспечен. Знаешь, кто он?

— Пенкин? — переспросила я. — Что-то знакомое. Аааа! Певец! Замечательный у него голос, недавно по радио слышала.

— Нет, — возразил Андрей, — конечно, такой исполнитель есть, но его зовут Сергей. Григорий Пенкин одиозный политик, начинал карьеру в конце восьмидесятых, всплыл на волне перестройки. Едва в России начались перемены, он основал партию под названием «Сила народа», очень хотел попасть во власть, стать влиятельным политиком. Свою карьеру Пенкин строил на ненависти к гомосексуалистам, сделал несколько громких заявлений о необходимости расстреливать всех лиц нетрадиционной ориентации, но быстро понял, что на этой ниве ему хорошего урожая не собрать, и метнулся в сторону антисемитизма. В эфире одной популярной тогда, а сейчас уже всеми забытой радиостанции милый Гриша сказал ведущему: «Необходимо ввести для евреев черту оседлости, запретить им получать высшее образование. У нас куда ни плюнь, повсюду жиды сидят: врачи, юристы, академики. Как простому русскому ребенку из Курской области поступить в московский вуз? Экзамены у него будут принимать всякие там Абрамовичи-Мандельштамы-Зенненхунды. Конечно, они своим пятерки поставят, а Ване одни двойки».

Заявление наделало много шума, в эфир стали звонить люди, одни поддерживали Григория, другие называли его мерзавцем. Ведущий потирал руки от радости, программа явно удалась, и тут в радийное пространство прорвалась женщина со словами:

— Господин Пенкин, меня зовут Анна Яковлевна Николаева, в девичестве Цукерман. Лозунг «Бей жидов, спасай Россию!» в нашей стране существует давно, не одно поколение политиков сделало карьеру на антисемитизме. Замечу вскользь, что ненависть к евреям присуща не только россиянам, но и европейцам, американцам, гражданам других государств. Неприятие человека по национальному признаку говорит не только о плохом воспитании и моральном убожестве, оно свидетельствует о его никчемности, неумении отвечать за свои ошибки. Почему я не поступил в институт? Надо бы честно ответить: потому что плохо учился в школе, не подготовлен к экзаменам. Но признание собственной вины удел сильного человека, готового сделать вывод из своих ошибок и впредь их не повторять. Слабым людям комфортнее обвинять в своих неудачах врага. «Почему я не поступила в институт? Потому что профессор еврей поставил пятерку абитуриенту-иудею». Но я звоню не для того, чтобы говорить на всю страну элементарные вещи. Я нарушу закон и сделаю это сознательно. Отлично понимаю, что завтра меня за звонок на радио выгонят с работы, но иначе поступить не могу. Я заведующая Домом младенца. Тридцать пять лет назад к нам поступил мальчик, здоровенький, без каких-либо патологий. Ребенка подкинули, он был завернут в пеленки и теплое одеяльце, на шее на шнурке висел золотой медальон в виде звезды Давида. Та, что подбросила крошку к дверям моего интерната, волновалась, как бы новорожденный не простудился, положила его на две резиновые грелки, наполненные горячей водой, позвонила в дверь и убежала. Дело было в районе полуночи. Когда дежурный врач вышла на крыльцо, матери и след простыл. При малыше нашли записку: «Его зовут Гриша». Спустя месяц ко мне приехала пятнадцатилетняя Роза Вайншток, разрыдалась и рассказала, что родила от одноклассника Давида Гольдфедера сына. Сегодня беременная школьница никого не удивляет и не шокирует. Но у советских людей был другой менталитет. Розу и Давида могли исключить из комсомола, заклеймить позором. Розе удалось скрыть свое положение от взрослых, девочка тайком от всех разрешилась мальчиком и подбросила его на крыльцо приюта.

— Пожалуйста, разрешите мне иногда навещать Гришеньку, — плакала она в моем кабинете, — я окончу школу, университет, напишу кандидатскую диссертацию и заберу сына!

Я объяснила ей, что жизнь в детдоме не сахар, пройдет не менее десяти лет, пока она выполнит намеченный план. Зачем ребеночку мучиться? Пусть он попадет к хорошим людям, будет считать их своими родителями, а она выйдет замуж, у нее появятся другие дети.

Девочка забилась в истерике, еле успокоилась и попросила:

— Пожалуйста, сохраните медальон, разрешите Гришеньке его носить. Он принадлежал моей прабабушке, пусть оберегает мальчика от беды. Вы правы, моему сыну лучше обрести хороших родителей. Вы же постараетесь, чтобы они были на самом деле замечательными?

Подкидыш попал к Алексею и Валентине Пенкиным, прекрасным людям, ученым-физикам, работавшим на оборону. К сожалению, Алексей получил во время эксперимента большую дозу радиации, и врачи настоятельно не рекомендовали супругам заводить детей. Доктора опасались, что ребенок родится с генетическими дефектами. Первое, на что я обратила внимание, увидев Пенкиных в своем кабинете, это на схожесть приемной матери и Розы. У обеих были большие, чуть выпуклые карие глаза и кудрявые каштановые волосы. Я даже подумала, что в жилах Валентины есть доля семитской крови, но потом выяснила, что ее дед армянин. Алексей выглядел антиподом жене: блондин с голубыми глазами. Внешность потенциальных родителей меня порадовала, если Гриша будет брюнетом, станут считать, что сын удался в мать, если мальчик вырастет светловолосым, значит, он копия отца. Пара прекрасно зарабатывала, жила в громадной квартире, имела благоустроенную дачу, дом в Крыму. Никакой отрицательной информации о Пенкиных не нашли, всем бы таких родителей. Перед тем как отвести Валентину и Алексея посмотреть на младенца, я показала им звезду Давида и сообщила:

— Медальон нашли вместе с малышом, можно предположить, что он еврей. Вас это не отталкивает?

Пенкины переглянулись и хором спросили:

— Какая разница, кто он по национальности?

И я со спокойной душой отдала им Гришу, попросив сохранить мальчику имя. О биологической матери Розе Вайншток я приемным родителям не доложила. Через год Роза опять навестила меня, стала просить адрес семьи, которая усыновила ее Гришу, но я солгала:

— Извини, милая, нам никогда не сообщают такую информацию. Гриша понравился нескольким парам, а уж кому он достался, директору Дома малютки не сообщили.

Григорий Алексеевич, я, если пожелаете, готова предоставить вам вашу младенческую медкарту, вы можете сделать анализ крови и убедитесь, что Пенкины не являются вашими биологическими родителями.

Сейчас, выступая в радиоэфире, я назвала вашу

настоящую мать Розой Вайншток, в действительности ее звали иначе, по понятным соображениям я никогда не назову ее имя и фамилию. Но все данные у меня имеются, приезжайте, дам вам телефон родной матери. Напоследок мне хочется выразить вам, еврею по крови и антисемиту по менталитету, глубокое неуважение. И, кстати, вы упомянули в начале эфира семитские фамилии Абрамович-Мандельштам-Зенненхунд. Две первые на самом деле довольно часто встречаются в паспортах иудеев. А вот с Зенненхундом вы ошиблись, это название породы собак.

— Да уж! — пробормотала я. — И как поступил Пенкин?

— Сначала он растерялся, потом опомнился, сказал, что евреи готовы что угодно выдумать, лишь бы опорочить человека, который честно говорит об их воровской сущности. На следующий день после радиопрограммы в прессе поднялся гвалт, на Пенкина налетели все, кому не лень, но Григорий никак не реагировал. В субботу у него планировался очередной антисемитский митинг, но его отменили в связи с болезнью лидера партии. Гриша исчез с политической арены, поговаривали, что он на краю смерти, лечится в Германии, называли разные диагнозы, потом шум утих, о Пенкине стали забывать, на трибунах появились другие люди со своими призывами и лозунгами.

Потом вдруг Пенкин вынырнул из небытия. Еврейскую тему он закрыл, антисемитские гадости не выкрикивает, черные рубашки не носит, перестал брить голову. У Гриши появилась модная стрижка и имидж простого россиянина, живущего на маленькую зарплату, главным его врагом стал Арам Асатрян, владелец нескольких вещевых рынков.

Пенкин стал лидером движения агрессивных русофилов под названием «Дайте русским россиянам работу», он опять потрясал кулаками на трибуне и кричал в микрофон:

— Русских людей теснят выходцы из Средней Азии. Куда ни глянь, повсюду они! Азиаты отнимают рабочие места у нас, у русских граждан. Почему иностранцы из ближнего зарубежья получают огромные зарплаты? Знаете, сколько имеет в месяц продавец на рынках Арама Асатряна? И попробуйте найдите среди торговцев человека по фамилии Петров! Нет, там все из кишлаков и аулов. Русскому человеку Асатрян даже унитазы мыть не разрешает. А кто у него покупатели? Понаехавшие из других государств. Может наша российская бабушка купить своей внучке платье за пять тысяч? Почему у нас русский человек стоит в очереди в поликлинике, почему для русских людей нет мест в садиках и школах? Все урюки заняли! Жируют на наши с вами налоги! Вот на кого деньги, отчисленные с зарплат русского народа, идут!

И на сей раз мерзавец Пенкин собирал во много раз большую аудиторию, чем во время своих антиеврейских акций. Толпа легко заводится, кто-то бросил клич: «Выгнать Асатряна!» — и народ кинулся громить рынки.

После этого Арам Ашотович выступил по телевидению:

— Мы платим большие налоги, предоставляем людям рабочие места, — говорил Арам, — торгуем качественными товарами с минимальной наценкой. И да, у нас трудятся узбеки, таджики, армяне, евреи, русские, башкиры, удмурты, немцы. Мне все равно, какой национальности человек, главное, какой он работник. Пьяницу-азербайджанца выгоню взашей, но и алкоголика-русского выставлю за ворота, прогульщика-таджика уволю, но и Ване под зад коленом за лень дам. Кстати, моя родная сестра замужем за русским Николаем Костюковым, и мы с зятем больше друзья.

Пенкин, услышав речь врага, пришел в неистовство, и его соратники начали поливать грязью семью Асатряна в прямом и переносном смысле слова. В прессу выбрасывались разные гадости про Арама, его жену, сына, невестку, братьев, племянников. Кто-то вылил на капот машины дочери Асатряна ведро цемента. Арам нанял охрану, которая, пару раз побив вандалов, сдала их милиции. А потом случилось несчастье, на Николая Костюкова, мужа сестры Асатряна, напали вечером бандиты, избили его железным прутом и оставили умирать в безлюдном месте. И полиция, и близкие покойного не сомневались, что нападение спровоцировано выступлениями Григория. Но доказать, что Пенкин причастен к гибели зятя, Араму не удалось. Мерзавцев, лишивших жизни мужа сестры, не нашли. Спустя несколько месяцев Григория тяжело ранили, случилось это тридцать первого декабря.

Глава 5

Пенкин всегда передвигался в кольце охраны, но в последний день уходящего года в одиннадцать вечера он отпустил своих секьюрити, они довезли его до ресторана, где он собирался праздновать Новый год, проследили, как хозяин вошел в трактир, и помчались к своим семьям. В шесть утра парням надлежало вернуться за шефом.

Как потом установило следствие, Григорий в начале первого пошел в туалет. Мужской и женский клозеты ресторана находились в разных концах длинного коридора. В полпервого в дамскую комнату направилась Полина Хатунова. Молодая женщина пролила на праздничное платье бокал красного вина и помчалась замывать пятно. Она не дошла до туалета. Сойдя с лестницы, Полина увидела в конце коридора лежащего на полу мужчину. Большинство женщин, учитывая, что идет празднование Нового года, не пошло бы смотреть на парня, валявшегося на ковре, решив, что кто-то из гостей переусердствовал со спиртным. Но Хатунова врач, поэтому она приблизилась к незнакомцу, увидела, что тот ранен в голову, попыталась оказать ему первую помощь, и тут из мужского туалета вышел Дед Мороз. У артиста во время выступления прихватило живот. Полина осталась около Григория, «дедушка» кинулся к метрдотелю. «Скорая» приехала на изумление быстро, медики увидели в коридоре управляющего трактиром, Пенкина, Хатунову и некоего Юрия Глотова, одного из посетителей ресторана. Врач пыталась поддержать жизнь жертвы, местный начальник суетился рядом, Глотов глазел на происходящее. Несмотря на Новый год, на хвосте машины с красным крестом примчались папарацци из «Желтухи», и выяснилось, что Юрий, который прибежал из зала якобы помочь, является корреспондентом этого издания. Это он вызвал фотографа. У Глотова при себе не было камеры, только диктофон, и он записал, как Полина героически спасала Пенкина. Хатунова велела фельдшерам ехать в клинику к академику Разгонову, оторвала профессора от праздничного стола, тот успешно провел операцию. В общем, Хатунова спасла Пенкину жизнь и помогла пострадавшему реабилитироваться.

Спустя год после нападения Полина и Пенкин без всякого шума сочетались браком. Жена благотворно повлияла на Гришу, тот больше не лез в политику, прекратил нападки на Асатряна, основал банк и сейчас не испытывает ни малейших финансовых затруднений. Это Григорий открыл для жены гимназию, в которой учатся в основном дети-балбесы, отпрыски богатых родителей.

— Интересная история, — заметила я, когда Андрей замолчал. — Думаешь, смерть Полины Владимировны связана с прошлым ее мужа?

— Возможно — да, возможно — нет, — осторожно ответил Платонов, — обрати внимание, в кабинет директора постороннему человеку проникнуть трудно.

— Он расположен на первом этаже, — возразила я, — окно в нем забрано мелкой решеткой. У двери, как правило, сидит секретарша, но сейчас ее нет, заболела гриппом. Зато к хозяйке гимназии постоянно забегала Нина Максимовна, учительница биологии. Сегодня она здорово надоела Полине, та ее выставила, наврала, что мучается мигренью, хочет выпить крепкого чая и полежать полчасика на диване.

— Возможно, у директрисы на самом деле болела голова, — сказал Андрей.

— Федотова невероятная болтунья, — усмехнулась я. — Она на редкость приставучая, каждое утро Нина в подробностях рассказывает, как собирает на работу сына. Цитирую ее сегодняшнюю речь: «Накормила мальчика геркулесовой кашей, он отказывался, но я в него умудрилась десять ложек впихнуть, потом велела в туалет сходить. Он не послушался, мы повздорили. И он никак не хотел шапку надевать, я за ним до лифта шла, упрашивала: «Борюнчик, не глупи, отморозишь ушки, заболеешь, отит переползет в бронхит, примет хроническую форму. Вот вырастешь, заведешь девушку, придешь к ее матери руки дочери просить, закашляешь, а потенциальная теща скажет: «Не нужен нам в семье туберкулезник». А в чем корень проблемы? В ненадетой меховой ушанке!» И все это безостановочно, с причитаниями и оханьем. Представляю, до чего она довела Полину.

— Сколько лет сыну Федотовой? — поинтересовался Андрей.

— Двадцать семь, — хихикнула я.

— Мда, — крякнул Платонов, — он у нее до сих пор в памперсах ходит?

— Наверное, — хмыкнула я. — С улицы в гимназию тоже не просто войти. Дети после занятий одеваются в гардеробе, там у центрального входа дежурит охрана. Самые маленькие заходят в зал ожидания, где толпятся няни, водители, иногда бабушки и мамы. Старшеклассники же выходят на улицу.

— Взрослый человек не может пройти даже на первый этаж гимназии? — удивился Андрей.

— Исключено, — отрезала я, — у вертушки дежурят два охранника, и это не трясущиеся от старости дедушки, а молодые, бдительные парни с оружием. Если родителям надо поговорить с кем-то из педагогов, они могут позвонить учителю. Погоди, у меня второй звонок!

— Больше мне сказать тебе нечего, завтра на работе постарайся разузнать побольше информации о Хатуновой, — попросил Платонов.

— Але! — закричал пронзительный голос. — Дайте к трубке Виолу Леопардовну.

— Виола Ленинидовна слушает, — ответила я.

— Почему дети козлов лепят?

— Простите, не поняла вопроса, — удивилась я.

— Русским языком спрашиваю: чего дети козлов лепят?

— Не могли бы вы представиться? — попросила я.

— Че, непонятно, с кем говорите? Не слышите, что ли?

— У меня прекрасный слух, — заверила я незнакомку.

— И че тогда выпендриваешься? Такое бабло отдаем за хреновую гимназию, обещали ваще полное образование, а они козлов лепят!

— Вы мать ученика, — осенило меня.

— И че ваще непонятно? Кто еще вас хотеть станет? — разозлилась тетка.

Я попыталась докопаться до сути.

— Как зовут вашего ребенка?

— Ну ваще! У нас не ребенок!

— А кто? — поразилась я.

— Наследница самого Венедиктова! — торжественно заявила собеседница.

Я мгновенно вспомнила симпатичную первоклашку, чьи маленькие ушки оттягивали серьги со здоровенными бриллиантами, и воскликнула:

— Нюсенька!

— Не смей звать девочку крестьянским именем, — взвизгнула женщина в трубку. — Она Анна Никитична! А вы у ей классная руководительница. Немедленно отмените лепку козлов. Надоело! Уже все прям излепились! Я старалась, две няни пыхтели, управляющий, шоферы, а теперь че? Где итоги-то конкурса?

Пока мать Венедиктовой изливала свой гнев, я перелистала айпад, нашла список учеников первого класса и пропела:

— Уважаемая Елена Ивановна, пожалуйста...

— Ваще! Я вам не девка из деревни, — пошла

вразнос мамаша, — сколько денег с нашей семьи отжали! Не фига тут, понимаешь, когти веером растопыривать! Заберу наследницу из тупой гимназии, средства назад потребую. Поняла? Меня зовут Элен!

Я предприняла новую попытку наладить с ней контакт.

— Уважаемая Элен Ивановна...

— О!.. — взвизгнула мать Нюси. — Запиши у себя на лбу: я Элен Джоновна! Нас принимают в своих замках графья Англии. Вы бывали у графьев в Лондоне?

— Никогда, — честно ответила я, — они меня не приглашают.

К Венедиктовой вернулось хорошее настроение.

— Оно понятно почему, рылом не вышла.

— Хочу понять, что это за история с козлами, — спросила я.

Елена начала сыпать фразами. Минут через десять я с большим трудом выловила из словесного мусора нужную информацию. Учительница труда, домоводства и рисования Ангелина Максимовна с сентября дает первоклашкам одно и то же задание на дом: дети должны лепить из пластилина козлов, причем каждый раз им предлагают темы, которые меня здорово удивили. «Козел на рыбалке», «Козел в машине», «Козел со свиньей в кафе», «Козел в фитнесе»... Рогатое животное должно быть наряжено в разную одежду и ботинки, а на морде у него всегда должны присутствовать очки.

— Не, ну ваще! Офигеваю прямо! Когда она потребовала дома слепить козла в кресле, моя домработница связала ему свитер, — плевалась огнем Елена. — Потом ваша училка задала козла на рыбалке, шофер ему плащ смастерил, сапоги из какой-то мути сляпал. Но очки! Охреневшая преподша хочет их тока в черепаховой оправе! Да я скупила всех очкастых Кенов в магазинах игрушек, чтобы козлу их подобрать! Да я ваще! С ума сошла! Не, ну и че вышло-то? Обещала преподша конкурс провести среди козлов, типа чей лучший. Натрепала, надо их ваще рожать до тридцатого декабря, потом жюри работы оценит, победителей назовет. Мы все до соплей исстарались, хотели, чтобы Анна первой стала. Не, ну и че? Прекратила баба соревнование! Уже давно козлов не требует, заткнулась, сопит в тряпочку! Блин! Ваще!

— Простите, — не выдержала я, — вы недовольны, что дети лепили поделки, или, наоборот, расстроены, что их больше лепить не надо?

— Не умничай, — взвизгнула собеседница, — Анна должна получить за старания золотую медаль! Чего ваша училка, ваще! Зря мы пыхтели? А? Отвечай!

— Пожалуйста, успокойтесь, — попросила я разъяренную мамашу, — завтра побеседую с Ангелиной Максимовной и выясню, что происходит.

— Ну гляди, я тебя на примете держу, — пригрозила Венедиктова и отсоединилась.

Я потрясла головой. У некоторых детей странные родители. Елена сейчас разговаривала со мной таким тоном, словно я ее раба. Но, с другой стороны, ее можно понять. Если бы вся моя семья по вечерам на протяжении длительного времени лепила козлов в очках в надежде получить приз, а потом бац, и конкурс приостановили, я, наверное, тоже потеряла бы самообладание.

Телефон снова зазвонил.

— Виола Кариатидовна, — сказал вкрадчивый голос.

— Здравствуйте, Карелия Алексеевна, — воскликнула я, сразу узнав завуча Линькову, только она произносит мое отчество таким образом.

— Григорий Алексеевич Пенкин назначил меня временно исполняющей обязанности директора гимназии, — сообщила Карелия. — Конечно, это лестно, но я как подумаю, почему получила повышение, плохо становится.

— Вы не виноваты в смерти Полины Владимировны, — попыталась я успокоить завуча.

— Ну... может, и так, — промямлила она, — на душе кошки скребут, но ведь нельзя отсрачить дела, которые валятся.

Я вздрогнула. Карелия Алексеевна преподает математику, она владеет предметом, умеет вложить в головы учеников зачатки знаний, но с русским языком у Линьковой проблемы, она выдает дивные перлы. «Отсрачить»! Ну и как мне поступить? Поправить коллегу, сказать, что правильно произносить «отсрочить», а еще лучше «отложить», но както неудобно, она обидится. Позавчера «химичка» Мария Геннадьевна услышала, как Карелия в холле объясняла десятиклассникам, какой должна быть спортивная форма: «Школа не настаивает, чтобы вы ходили одетыми одинаково, как яйца, можете носить на физкультуру, что пожелаете, но только не трусья». Дети дружно засмеялись.

— Что веселого я сказала? — осерчала Карелия.

— Они просто представили, как выглядят яйца в трусах, — пояснила Мария. — Говоря «трусья», вы ведь имели в виду белье? Забавное слово, до сих пор я знала только вариант «труселя».

Ну и что? Линькова теперь на Машу дуется.

— Виола Кариатидовна, — продолжала завуч, — вы мне очень-очень симпатичны, совсем не похожи на остальных, не выпендриваетесь, не сплетничаете, своими мужиками не хвастаетесь, ведете себя достойно, поэтому хочу предупредить: завтра к нам припрутся проверяющие из района. Прямо не знают, чего еще придумать, чтобы нам мозг сожракать! К вам на урок они явятся первыми. Уж постарайтесь поинтереснее его провести. По моим сведениям, у одной из чиновниц дочь в кукольном театре работает, и матери нравится, когда учителя представления устраивают с игрушками. Дети у вас должны сидеть так тихо, чтобы было слышно, как мышь пролетит.

— Поняла вас, спасибо за предупреждение, — поблагодарила я, представляя, как по кабинету парят вместо мух грызуны. — Сейчас куплю что надо и завтра не ударю в грязь лицом.

Глава 6

Когда я утром вошла в свой кабинет, две проверяющие уже сидели на последней парте. Я посмотрела на незнакомых теток и вздрогнула. В мире все меняется, научно-технический прогресс не остановишь. Первоклассница Тараканова мечтала о ручке с секретом, которую одной из девочек привез из заграницы отец. Если покрутить у нее колпачок, то в пластмассовом корпусе открывались окошки, в них появлялись нарисованные зайчики, белочки, кошечки. Современных семилеток эта чепуха в восторг не приведет, у них есть планшетники всех видов и размеров, сенсорные телефоны, и в моем классе не черная доска с мелом и противно воняющей тряпкой, а огромный экран, на котором пишут специальными разноцветными стержнями. В мое время дети ходили на уроки с похожими друг на друга коричневыми портфелями, у современных учеников цветные ранцы невиданной красоты. Я бежала на занятия через пустынный парк, экономила три копейки, которые Раиса выдавала мне на трамвай, а сейчас у гимназии теснятся дорогие иномарки с шоферами. Но одно осталось неизменным, это проверяющие из высших инстанций. Две тетки в темно-синих костюмах, с начесами на макушках и злыми лицами выглядят точь-в-точь, как те женщины, которые частенько входили в класс, где зевала от скуки ученица Тараканова. Может, это они и есть? Вероятно, чиновницы владеют эликсиром бессмертия.

Я поежилась, приблизилась к столу, поставила сумку на пол у стула и сказала:

— Здравствуйте, ребята!

— Доброе утро, Виола Канделябровна, — звонко ответила староста, — сегодня отсутствующих нет, даже Сергеев на месте.

— А чего на меня наезжаешь? — мигом разозлился толстый мальчик, сидевший у окна в левом ряду. — Сама такая.

— Давайте не ссориться, — попросила я, — у нас тема урока: «Русские народные сказки». Чтобы вы не заскучали, я пригласила на наш урок двух жаб!

Произнеся вступление и думая, что заинтригована детей, я села, полезла под стол, покопалась в торбе, вытащила оттуда двух кукол-лягушек, надела их на руки и забасила:

— Дети, сейчас вы увидите страшных жаб!

— Мы их уже видим, — закричал нестройный хор ребячьих голосов.

Я удивилась, подняла руки, вынырнула из-под стола, хотела начать представление и замерла. Весь класс, сидя ко мне спиной, смотрел на проверяющих.

— Виола Канделябровна, — зашептала Алена

Сиротина, оборачиваясь ко мне, — они очень-очень жуткие и злые. Настоящие жабищи! Сейчас сожрут!

Дети завизжали и залезли под парты. Я на секунду потеряла дар речи, потом быстро заговорила:

— Ребятки, вы не поняли, я хочу вам показать сказку, у меня в руках милые куколки-лягушечки, вылезайте скорей.

— У нас есть гарантии, что сказанное вами является истиной? — деловито спросил из-под парты Олег Никитин, сын известного юриста. — Какие доказательства достоверности вышесказанного вы готовы предоставить?

Я нажала на одну игрушку, раздалось громкое кваканье. Любопытство победило остальные эмоции, первоклассники заняли свои места за партами. Далее урок потек без сучка и задоринки. Когда прозвенел звонок, проверяющие с каменными лицами вскочили и ринулись к двери. Я поняла, что произвела на них самое отвратительное впечатление, и, решив хоть немного исправить положение, громко сказала:

— Ребята, давайте попрощаемся с гостями. Что надо сказать?

— До свидания, тети жабы, — хором грянул класс.

* * *

Войдя в учительскую, я столкнулась с Ниной Максимовной, та незамедлительно схватила меня за руку.

— Слышала? Карелию назначили директором.

— Временно, — уточнила я.

— Это просто формальность, — со слезами в голосе воскликнула Федотова, — ее навсегда начальницей сделают.

— Вас это пугает? — улыбнулась я. — Думаете, Линькова окажется плохим руководителем?

— Почему она? — голосом, полным отчаянья, продолжала биологичка. — В кресле директора должна сидеть я. Это будет справедливо!

— Карелия завуч, логично, что Пенкин пока выбрал ее, — попыталась я утешить Федотову. — Сейчас ему не до административных перестановок, у него скончалась жена. Григорий Алексеевич занимается похоронами, через некоторое время он придет в себя и...

— Навечно оставит Карелию у руля, — всхлипнула Нина. — Виола Лукьяновна, вы у нас работаете недавно, а я со дня основания знаю Линькову, от кожуры очищенную. Она только внешне розовая собачка, душа у нее как лужа нефти. Могу рассказать, как она заведующей учебной частью стала! Да только вам это неинтересно, и урок скоро начнется.

Я открыла сумку и вынула пакет с пирожками, которые купила рано утром в круглосуточном супермаркете.

— У меня окно, я отработала первый урок, а потом только на шестой пойду. Старшеклассники уехали на стадион, сегодня наша футбольная команда участвует в чемпионате. Полина Владимировна разрешила детям поболеть за своих.

— Действительно, — пробормотала Нина, — совсем забыла. Значит, и мне нечего делать, то-то в учительской никого нет, все, у кого уроков нет, по своим делам разбежались. Странно, что Карелия не отменила распоряжение покойной и не стала сразу свою власть демонстрировать. Вы ее приказ видели?

— Какой? — удивилась я.

Нина Максимовна показала на доску, висевшую под портретом Макаренко.

— Ознакомьтесь.

Я подошла к ней и начала читать текст, набранный крупным шрифтом. «Приказ по гимназии. 1. Учителям, которые пользуются туалетом, не бросать туда бумагу. Вот забьются унитазы, где тогда умываться детям? 2. За вызов слесаря, устраняющего забив толчка, будет платить лицо, которое в него бумаги напихало. 3. Учителям следует за неделю предупреждать учеников, если они хотят дать детям неожиданно и внезапно контрольную. 4. 28 декабря мы ждем в гости делегацию педагогов из Минска. Учащихся надо предупредить о явлении на занятия в парадной форме. Девочки и мальчики обязаны быть в белых рубашках и темных юбках. ВРИО директора гимназии Линькова К. А.»

— Мощный документ, — еле сдерживая смех, пробормотала я, — в особенности меня порадовали мальчики в юбочках и водные процедуры в унитазе.

— Поняли, да? Она теперь с нами при помощи письменных указаний общаться будет, — заныла Федотова. — Уже царицей себя считает. Сегодня запретила туалетной бумагой пользоваться, а что ей завтра в голову придет? Велит нам не дышать?

Я открыла пакет с выпечкой.

— Угощайтесь, Нина Максимовна.

— Спасибо, Виола Бурундуковна, — поблагодарила коллега.

Я не выдержала и рассмеялась.

— Лучше обращайтесь ко мне просто по имени, отчество у меня сложное, запомнить его никому не удается.

— Отлично, — обрадовалась Федотова, хватая румяную кулебяку, — значит, мы с вами дружим. А раз так, то сейчас расскажу вам про всех. Виолочка, вы попали в гадюшник.

— Вроде народ тут милый, — подначила я учительницу биологии.

Нина направилась к подоконнику, на котором стоял чайник.

— Змеюки ангелами прикидываются. Возьмем Ангелину Максимовну, учительницу труда и рисования. Страшна, как атомная война, выглядит на шестьдесят с гаком, а ей едва сорок исполнилось! Ноги как бутылки, талии нет, задница размером с танк, руки-окорока, на голове воронье гнездо. Она неудачливая художница, все пыталась свои картины продать, по выходным на вернисаже в каком-то парке стояла, но охотников на ее мазню не находилось. Теперь она малевать уродство бросила, нанимается в свободное время людям еду на праздниках готовить. Педагогического образования у Жориной нет. Угадайте, почему она к нам на работу попала?

Я изобразила удивление.

— Даже предположений нет.

Нина взяла чашку.

— Ангелина стучала Полине, обо всех разговорах в учительской докладывала, Хатунова ее для этого на работу взяла, хотела знать, какие в коллективе настроения. У меня давно подозрения насчет Жориной зародились. Не успеем мы о своем в учительской побалакать, а директриса уже в курсе дела. Ежу понятно, кто-то ей в уши нашептывает, ну я и решила вычислить ябеду.

— И как вы это сделали? — поинтересовалась я.

Федотова облизнула жирные пальцы.

— С каждой из училок с глазу на глаз пошепталась и всем наврала, что получила предложение выйти замуж, совета прошу. Жених иностранец, стоит ли с ним семью строить? А дальше каждой назвала разную национальность суженого. Карелии сообщила, что он американец, Ангелине про араба из Марокко насвистела, Марии Геннадьевне про китайца придумала, ну и так далее. После уроков меня Полина Владимировна в кабинет позвала, усадила, кофейком угостила и завела: «Нина, не глупи! У арабов практикуется многоженство, превратишься в обитательницу гарема, работать он тебе не разрешит, запрет в доме. В Марокко жара...» Ну и так далее. Вот так Ангелина и спалилась, про мусульманина я только ей натрепала. Очень непорядочная женщина Жорина. А еще у нее муж молодой! Безобразие просто! Самой сорок с хвостом, а супругу и тридцати не исполнилось. Растлительница малолетних! Как вам такое?

— Мда-а! — протянула я, роясь в шкафчике с посудой.

— Что ищете? — проявила любопытство биологичка.

— Свою кружку, — ответила я, — куда-то она испарилась.

— Ваша чашечка как выглядела? — спросила Федотова. — С рисунком?

— Нет, просто белая, — ответила я. — Купила ее специально, чтобы в школе чай пить, на дне с внешней стороны нарисована чем-то темным цифра сто. Думала, она отмоется, но нет, как ни терла губкой цифру, та не исчезла.

Нина Максимовна открыла банку с растворимым кофе.

— Такую никто не сопрет, вот если б на ней были собачки-кошки-птички, Вера Борисовна утянула бы.

— Библиотекарь? — уточнила я. — Она нечиста на руку?

Собеседница поджала губы.

— Деньги никогда не тронет, но, если увидит нечто с принтом в виде животных, вмиг утянет.

Правда, если сказать: «Вера, верни мою собственность», — она беспрекословно отдаст.

— Полина Владимировна тоже любила посуду с изображением животных, — заметила я.

— С чего вы взяли? — удивилась Федотова. — Хатуновой было все равно, из чего пить.

— Я видела вчера на ее столе фарфоровый бокал, разрисованный то ли пуделями, то ли терьерами, — ответила я, — и еще на нем вроде котята были.

— Да, — протянула Нина, — он в шкафу стоял, когда я туда заглянула. Секретарша косорукая опять посуду грохнула. У девицы убойная сила в руках! Уж на что Полина была не вредной, никогда ни на кого не кричала, но неделю назад к Хатуновой приезжал мужчина, ну очень богатый, влиятельный, к тому же, вот странность, интеллигентный человек. Сам пришел просить, чтобы его сына посреди учебного года в нашу гимназию взяли. Полина велела Ленке кофе подать, та явилась с подносом, а на нем! Кружка с трещиной, чашка без блюдца... Позорище! Только олигарх уехал, Хатунова начала секретаршу убивать. Орала так, что в учительской стены дрожали: «Где сервиз, который для гостей купили? Ах, ты его разбила! Подала барахло, которое под руку попалось?! Уволена!!!» Лена зарыдала, прибежала ко мне, я пошла к Полине, та уже успокоилась, опять вызвала на ковер Елену и строго ей приказала: «Скажи спасибо Федотовой за защиту. Можешь продолжать работать, но, если я узнаю, что ты разбила даже граненый стакан, выгоню вон без выходного пособия». Довела Елена начальницу до ручки. И что? Сделала балбеска выводы? Нет! Я вам уже рассказывала, как вчера утром Полина шкаф открыла, а там! Бардак! Лена новый сервиз разбила, сунула на полку дурацкую кружку с собачатами-котятами! За дело секретаршу директриса выгнала. Лена вечно все роняла и портила, ухитрилась даже обычный консервный нож испортить. Как можно согнуть железный крючок, приделанный к деревяшке, а? Между прочим, дурочка ухитрилась потерять ключи от кабинета директора, и не только свой комплект, но и запасной. Все собирались новые сделать, но не успели. Правда, Полина никогда двери не запирала, но разве секретарь может быть такой растяпой? Что-то вы, Виолочка, напутали, Полина к животным равнодушно относилась. Вот у Веры Борисовны, у той прямо зоопарк. Вы в нашу библиотеку заглядывали?

— Пока не довелось, — ответила я.

— Пойдите туда, получите сильное впечатление, — пообещала биологичка, — повсюду плюшевые игрушки, пыль столбом, постеры с кисками на стенах, портретов великих писателей нет. И Соева дикая лентяйка, ничего для детей не делает. А Полина Владимировна, которая всех учителей за работу шпыняла, к Вере не придиралась. Шитова директрисе сто раз на Веру жаловалась, а Хатунова не реагировала.

— Преподавательница химии? — уточнила я. — Что они с библиотекаршей не поделили?

Глава 7

Нина Максимовна округлила глаза.

— Голубей. Вера обожает птичек, кормит их, насыпает в кормушку на окне семечки, крошки. А что творят пернатые, когда жрут? Простите за откровенность, срут! Какашки летят вниз и пачкают стекла в кабинете Маши. Раньше у нас библиотекарем была Люся Мусина. — Федотова показала рукой на окно. — Видите дом?

— Желтый, трехэтажный? — спросила я. — Симпатичный, облицован красивыми панелями.

Федотова покосилась на пирожки, но удержалась, не взяла очередной.

— Интересная у него история! Когда я на работу в гимназию нанялась, это был жуткий клоповник, без слез и не взглянуть. Жили там алкоголики, маргиналы, вели они себя соответственно. Я человек открытый, прямой, поэтому один раз спросила у директрисы: «Полина Владимировна, у нас элитная гимназия для детей из обеспеченных семей, не очень-то удачное соседство убогий барак. Родители платят большие деньги за обучение детей, они могут претензии предъявить, что ребята на пьянчуг любуются». Начальница поморщилась. «Вы правы, я тоже не в восторге от жителей клоаки, сейчас Григорий Алексеевич ищет пути решения проблемы. Сложность состоит в том, что развалюха не муниципальная, принадлежит военным, продать ее они то ли не могут, то ли не хотят. Ну, ничего, мой муж рано или поздно разберется с этим безобразием». И точно! Пенкин купил дом, но снести его ему не разрешили. Он не сдался, отремонтировал здание, выселил оттуда маргиналов и предоставил просторные, прямо шикарные квартиры нормальным людям. Обратите внимание на второй этаж, на окна с геранями.

— Вижу, — кивнула я, — много горшков с цветущими растениями.

— Там Люся Мусина живет, — зачастила Федотова. — У нее трое детей, муж профессор, он немного получает, вторая зарплата семье не помешает, но Людмила надолго из дома уйти не может, сыновья внимания требуют. Мусиной сидеть на службе с девяти до шести нельзя, вот она и попросилась в нашу библиотеку. Очень удобно, ехать далеко не надо, отправила своих мальчиков в школу, отсидела до четырех дня в библиотеке, и свободна. Людмила аккуратная, исполнительная, дети ее любили, а Полина Мусину уволила.

— За что? — удивилась я.

Нина Максимовна развела руками.

— Понятия не имею, и никто не знает. Утром Поля вошла в учительскую в сопровождении незнакомой женщины и сказала: «Знакомьтесь, Вера Борисовна Соева, новый библиотекарь». Авдотья Громушкина, психолог наш, жутко невоспитанная, сразу спросила: «А Люся куда денется?» «Людмила Игоревна уволилась по собственному желанию», — соврала Хатунова.

— У Мусиной много детей, возможно, она поняла, что совмещать работу и воспитание ребят трудно, поэтому и ушла. Зачем Полине лгать коллективу? — возразила я.

Федотова отхлебнула кофе.

— Нет, она сказала неправду. Через некоторое время после смены библиотекарши я Люсю встретила в магазине. Смотрю, идет Мусина в новой норковой шубке, очень симпатичной, светло-серой, пуговицы-стразы, недешевое манто. Вот уж я удивилась. Мы с Люсей приятельствуем до сих пор, я к ней после уроков иногда забегаю. Квартира у них многокомнатная, с хорошим ремонтом, уютненькая, но видно, что у хозяев больших денег нет. Одевалась Людмила однообразно, у нее была пара юбок и несколько блузок. Незадолго до увольнения Люси, дело зимой было, Ангелина Максимовна приперлась в новой шубе. Жорина удивительно бестактный человек, вошла в учительскую и давай хвастаться: «Вон что мне муж преподнес! Манто из соболя». Наши дурочки заахали, заохали, начали обновку ощупывать, примерять, галдеж поднялся. Одна Люся бочком, бочком, и в библиотеку. Я за ней поспешила, вижу, она слезы вытирает. Мне ее жалко стало, начала глупышку утешать: «Не завидуй. Шуба не из соболя, а из кошки сшита, на следующую зиму развалится, а то и один сезон не переживет. И Ангелина врет не только насчет манто. Мужик у нее неудачный, денег не зарабатывает, живет за счет жены. Он альфонс, женился, чтобы супруга его содержала, артист неудачливый. Жорина утверждает, что муж в разных театрах выступает, но когда ее просят контрамарки принести, сразу в отказ: «Ну, сейчас супруг из одного коллектива ушел, в другой оформляется». Один раз я красавчика видела, Полина Владимировна нас в театр повела, всем по два билета подарила, вот Жорина мужа и показала. Мордатый холеный мужик в очках, глупо шутил, комплиментами сыпал, шампанским всех в буфете угостил. Наши дурочки им очаровались, млели от его тупых шуток. Но меня-то не обмануть. Я давно поняла, тянет парень из немолодой дуры средства, сам весь день на диване лежит. Встретит он богатую, вмиг от Жориной слиняет, и ребенка Ангелина не родила, думаю, ее пиявка не хочет детей. Шубу из кошки Жорина сама купила, небось кредит взяла. А у тебя муж прекрасный, семья для него главное, сыновей он обожает. У тебя намного лучше шубейка будет». Мусина носом шмыгнула: «Интересно, откуда она возьмется? Живу по остаточному принципу, деньги на детей и мужа трачу, а что осталось, мне достается». Я ей посоветовала: «Сэкономь на хозяйственных расходах, дал твой профессор сумму на питание, треть себе заначь. На суп вместо говядины бери курицу, на завтрак кашу вари, она полезней, и крупа копейки стоит». Люся печально так ответила: «Спасибо, Нина Максимовна, уж я зажалась, лишнюю картофелину не куплю. Но в одном вы правы, рыдать не стоит, от слез денег в кармане не прибавится. Никогда у меня шубка не появится, даже мечтать о ней не надо». И вдруг! Идет мне навстречу Людмила в норке, да не в полушубке скромном, а подолом пол подметает. Я ее остановила, давай расспрашивать, шубу нахваливать, она прямо покраснела от удовольствия и пояснила: «Свекровь умерла, оставила мне свое манто в наследство, она его совсем не носила». Но я-то вижу, врет многодетная мамаша! Я недавно книгу одного американского психолога прочитала, в ней написано: если человек во время беседы глядит налево, он брешет. Ну, потом она сказала: «Прости, времени совсем нет, надо покупки сделать». И ушла. А я отправилась посмотреть, что сыну на день рождения подарить. Кругом народа! Море-океан, пропихиваюсь сквозь толпу и слышу знакомый голос: «Что от тебя Федотова хотела?» Гляжу, а впереди меня Люся с Полиной Владимировной идут. То-то я удивилась! Почему они вместе? Когда Люся у нас работала, я не замечала, чтобы библиотекарь и директриса дружили. А сейчас как близкие люди общаются, Мусина Хатунову под руку держит.

— Она мою шубу нахваливала, — ответила Люся, — спрашивала, сколько та стоит, где купила.

— Что ты ей сказала? — занервничала владелица гимназии.

— Правду. Норку мне Полина Владимировна подарила за уход по собственному желанию, чтобы она Веру могла на мое место взять, — сказала бывшая библиотекарша.

Хатунова остановилась.

— Господи! Я же тебя просила молчать!

Люся обняла ее.

— Поля! Прости, я глупо пошутила! Придумала, будто обновка мне в наследство от покойной свекрови досталась.

— Вот же повезло тебе с Федотовой столкнуться! — в сердцах воскликнула директриса. — Что ее в этот магазин занесло! Чего она на другой конец Москвы поехала? Еще, не дай бог, сейчас с ней столкнемся, не надо, чтобы она нас вместе видела!

— Не нервничай, — успокоила бывшую начальницу Мусина, — Нина хороший человек, она уже забыла, что меня встретила, торговый центр огромный, Федотова на другом этаже шастает. Давай в обувной бутик заглянем.

Я поняла, что они налево свернут, и бочком-бочком в какой-то отдел ввинтилась. Понимаешь, да?

Я прикинулась дурочкой.

— Полина Владимировна попросила Людмилу написать заявление по собственному желанию и подарила ей за это дорогую шубу. Но зачем она это сделала?

Федотова снисходительно похлопала меня по плечу.

— Виола, это же элементарно. Полина решила взять в гимназию Веру Борисовну, ей это зачем-то надо было. Хатунова новую библиотекаршу опекала, хотя толку от нее никакого. Людмила активно с детьми работала, диспуты по произведениям классиков устраивала, клуб книголюба открыла, приучала ребят к чтению. А Соева сидит совой, только книги выдает с недовольным видом, и все. Ребят она не любит, морщится, когда на переменах они шумят. С коллегами нелюбезна. Вчера я к ней в читальный зал заглянула, попросила: «Сдайте, пожалуйста, тысячу на Новый год, мы в буфете стол накроем». Думаете, Вера поинтересовалась, что мы купить собираемся, предложила свою помощь? Сунула мне купюру и съязвила: «Надеюсь, Ангелину не попросите пироги печь, они у нее ужасные». Здорово, да?

— Не очень вежливо, — поддакнула я.

— Вот и мне так показалось, — нахмурилась Нина. — Вышла я в коридор, наткнулась на Полину Владимировну, ну и не сдержалась, сказала ей: «Вера Борисовна очень вредная и злая. Неудивительно, что дети теперь в библиотеку не спешат. Вот Мусина замечательная была, ее школьники и учителя обожали». Директриса покраснела и заявила: «Уважаемая Нина Максимовна, меня, как руководителя, Соева устраивает целиком и полностью. Если вы недовольны Верой Борисовной, не желаете с ней бок о бок работать, то можете уволиться». И унеслась! Я прямо онемела, никогда Хатунова ни с кем в таком тоне не говорила. Потом я вспомнила, как Полина на сторону Веры в конфликте с голубями встала, и до меня с опозданием дошло: Соева для нее особенный человек. Вот вы как поступите? Представьте, что являетесь директором, прибегает к вам в кабинет Мария Геннадьевна и просит: «Пожалуйста, запретите библиотекарше кормить птиц, дерьмо падает прямо на окна моего кабинета. Мне приходится каждый день их мыть. Неприятно любоваться на гуано, и голуби заразу разносят, а у нас дети, подхватят орнитоз, беды не оберемся, санитарная инспекция на гимназию штраф наложит».

— Ну, — протянула я, — наверное, я бы вежливо поговорила с Верой Борисовной, объяснила ей, что сизари часто являются переносчиками опасных инфекций, школа несет ответственность за учащихся, и приказала прекратить приманивать пернатых.

Федотова скривилась.

— Это реакция умного человека. А Полина отчитала Машу за нелюбовь к живой природе, велела ей думать о работе, а не пялиться во время урока в окно, заявила: «Я не могу исполнять капризы коллег. Сегодня вам не нравятся птицы, завтра вы потребуете убрать аквариумы с рыбками, хомячка и морских свинок из живого уголка. Что дальше? Будете настаивать на увольнении коллег? Это моя гимназия, и порядки в ней устанавливаю я. Не согласны с решениями директора? Дверь на улицу открыта. На ваше место через пять минут сто претенденток примчится. Вы свободны». Во как она Шитову, словно первоклассницу, на место поставила! На что угодно спорить готова, Хатунову и Соеву связывали какие-то отношения...

Разговор прервал звонок.

— Урок закончился, — засуетилась Нина. — Виола, спрячь пирожки, сейчас Ангелина придет, увидит их и вмиг слопает, у Жориной пищевая распущенность, что видит, то и жрет. Не зря у нее такая фамилия. Ой, Ангелиночка, здравствуй, как у тебя дела? Выглядишь усталой!

Глава 8

Оставив Федотову и Жорину пить чай с оставшимися пирожками, я поднялась на третий этаж и вошла в библиотеку. В нос ударил специфический запах старых книг, пыли и каких-то знакомых духов. Сидевшая за стойкой женщина подняла голову и вопросительно глянула на меня.

— Здравствуйте, Вера Борисовна. Мы с вами до сих пор встречались только в учительской и в буфете. Вот, заглянула посмотреть, какие книги тут есть, — начала я разговор, оглядывая помещение.

Надо признать, Нина Максимовна была права, рассказывая про странный интерьер библиотеки. Помещение смахивает на офис Гринписа, зоопарка или ветеринарной клиники, на храм книг оно мало похоже. На стенах множество постеров с изображением котят-щенков, на подоконниках лежат плюшевые Барсики и Полканы, на столах, где дети могут читать книги любимых писателей, стоят дешевые статуэтки китайского производства. Угадайте, кого они изображают?

— Фонд хороший, есть литература как по школьной программе, так и по внеклассному чтению, — пояснила Соева. — К сожалению, ребята сюда не забегают, они предпочитают телевизор и компьютер.

— Вот поэтому я и пришла, — обрадовалась я удачному повороту беседы. — Давайте сделаем совместное мероприятие, диспут, например, или...

— Уважаемая Виола Ленинидовна, — остановила меня библиотекарь, — с завтрашнего дня я тут больше не работаю, меня уволили. Велено отработать положенные по закону дни и уматывать. Если не подам заявление по собственному желанию, выгонят со скандалом.

— Кто? — оторопела я. — Почему?

По лицу Веры Борисовны скользнула тень улыбки.

— Одна из первых акций Карелии Алексеевны на новом посту: гнать Соеву в шею. Мне даже лестно. Не думала, что являюсь столь значимой для Линьковой личностью.

— Что плохого вы совершили? — продолжала я удивляться.

— Я не педагог, — вздохнула Вера Борисовна, — специального образования не имею, в школе никогда не работала, но наивно считала учителей грамотными людьми, они обязаны изъясняться на правильном русском языке.

Соева открыла ящик стола и вынула оттуда блокнот.

— Сейчас зачитаю вам перлы, которые выдает Карелия Алексеевна. На собрании коллектива она всем объявила: «Внимание! Многие дети стараются удрать с уроков в сортир. Вчера Обозов четыре раза на математике руку тянул и ныл: «Мне выйти надо». Неделю болел, вернулся на занятия и сразу в туалет захотел. Значит, так! Теперь вы пускаете учащихся младших классов в клозет только с большим желанием на лице. А старшим детям объясните: в выпускном классе в туалет ходить стыдно!»

Я засмеялась. Вера Борисовна укоризненно щелкнула языком.

— Тц, тц, тц. Совсем не смешно. Могу продолжить, вот обращение завуча к детям перед началом торжественной линейки по случаю окончания учебного года: «Всем построиться в верхнем правом углу коридора!»

Соева перевернула листок.

— Цитировать Линькову можно бесконечно. «Удача повернулась к вам задом моего лица». Это она заявила, сказав десятиклассникам про контрольную: «На оси координат крестиками проставьте кружочки». Я долго удивлялась, слушая Линькову, а потом показала свои записи Хатуновой и задала справедливый вопрос: «Может ли абсолютно безграмотная баба работать с детьми?» Полина Владимировна была человеком добрым, ответила: «Карелия Алексеевна прекрасный завуч, любит детей. Я с ней поговорю, попрошу следить за речью». Через день после беседы, когда я вошла в учительскую, Линькова демонстративно встала и, громко сказав: «В присутствии особо грамотных людей мне находится не хочется», — демонстративно покинула помещение. С той поры она начала ко мне придираться, делала массу замечаний не по делу, а теперь, заняв кресло начальницы, решила избавиться от меня. Но я, Виола Ленинидовна, о своем поступке не жалею. Педсостав молчит, не хочет с Линьковой отношения портить, а я лицемерить не приучена.

— Вы единственная здесь, кто правильно произносит мое отчество, — похвалила я ее. — Слышала много разных вариантов: Леопардовна, Лебединовна, Канделябровна...

Вера развеселилась.

— Последняя модификация нравится мне более всего. Кто ее автор? Карелия?

— Нет, староста первого «А», — уточнила я.

— Дети очень креативны, — кивнула Соева, — а взрослые невнимательны, и, как правило, им есть дело только до собственных проблем. Вашего отца звали Ленинид, что расшифровывается как «Ленинские идеи». На мой взгляд, Сигизмундовна или Вячеславовна намного труднее произнести.

Я села на стул, стоящий у стойки.

— Вы меня узнали!

Вера Борисовна открыла ящик стола и достала мой новый роман в бумажной обложке.

— Некоторые считают ваши книги пустым чтением, нет в них философских размышлений о смысле жизни, но я их люблю.

— Не обещала своим читателям таких произведений, — пробормотала я, — пишу детективы. Литература делится на жанры, только идиот считает, что все писатели обязаны строчить одинаковые романы и заставлять людей думать о мировых проблемах. Я развлекаю человека, предоставляю ему возможность отдохнуть, отвлечься от проблем. И давно вы знаете, кто я на самом деле?

— Увидела вас первый раз в коридоре и сразу поняла, что в гимназии появилась Арина Виолова, — чуть понизив голос, ответила Вера Борисовна.

— Но вы ни с кем не поделились своей догадкой? — предположила я.

— Друзьями в школе я не обзавелась, здесь симпатичных людей нет, — сказала Вера Борисовна. — А вот вы мне, в отличие от местной публики, приятны. Нет ни малейшего желания мешать вам бежать по следу. Читала про вас в Интернете, там в разных материалах рассказывается, что Арина Виолова сначала расследует преступление, а уж потом, опираясь на факты, пишет книгу. Вы старательно загримировались!

— Всего-навсего слегка изменила прическу, челку отстригла, — объяснила я, — и посадила на нос очки с простыми стеклами. Зрение у меня на самом деле прекрасное.

Вера Борисовна поплевала через левое плечо.

— Тьфу, тьфу, пусть оно таковым и остается, никогда не хвастайтесь здоровьем при посторонних. Вы же меня совсем не знаете. Вдруг я позавидую, пробью в вашей ауре дыру, через нее энергия утечет!

— Вы не похожи на злобную завистницу, — возразила я.

— Верно, — согласилась собеседница, — но в школе полно таковых. Например, Нина Максимовна сюда многократно забегала и выведать пыталась, какие отношения нас с Полиной Владимировной связывают, так и эдак подъезжала, но я непонимающей прикидывалась, под идиотку косила. И всякий раз, когда разочарованная Федотова из библиотеки уходила, со стены портрет шпица в шляпе падал. Нина бесилась, что ничего не выяснила, ее эмоции веревку пережигали, и плюх! Черная женщина.

— Спасибо, что не позвонили на телевидение, — поблагодарила я, — у вас был шанс стать звездой шоу. Кстати, он до сих пор еще в силе.

— Не понимаю, о чем вы говорите, — удивилась Вера. — Я редко включаю телевизор, не чаще раза в месяц. И не смотрю дурацкие программы, меня интересуют только рассказы о животных, птицах. Как вы догадались, что Полина скончается?

Я сначала не поняла вопроса, но потом сообразила, что имеет в виду библиотекарша.

— Что вы! Мое появление в гимназии никак не связано с кончиной Хатуновой. Издательство предложило мне поучаствовать в телепроекте «Чужой среди своих», я очутилась в школе только по этой причине. Объяснить вам суть шоу?

— Мне интересно все, что связано с вами, — ответила библиотекарша.

Выслушав мой короткий рассказ, Вера Борисовна пару секунд помолчала, потом воскликнула:

— Но теперь-то вы будете искать убийцу Хатуновой?

Я насторожилась.

— Откуда вам известно, что владелица гимназии умерла не своей смертью? Сотрудникам школы сообщили про сердечный приступ.

Вера растерялась, а я продолжала:

— Вы были близки с Хатуновой. Чтобы принять вас на работу, Полина выгнала из школы Людмилу Мусину. Кстати, преподаватели считают, что Люся работала лучше вас, она занималась с детьми, приучала их к чтению, школьники толпились в читальном зале. А вы просто выдаете тома, вид у вас неприступный, ученики опасаются к вам лишний раз подойти.

Вера Борисовна рассмеялась.

— Похоже, вы пообщались с Карелией Алексеевной. Эта дама нелепа во всем, начиная с имени, которое она получила в честь места рождения своего отца, республики Карелии. Завуч хотела пристроить на службу в гимназию Настю, свою дочь-неудачницу. Девице вот-вот тридцать стукнет, а она нигде не работает, потому что с трудом окончила школу и не получила высшего образования. Анастасия патологически глупа, ей не удалось освоить ни одну, даже примитивную профессию. Обычно такие курицы выходят замуж, рожают троих-четверых детей и становятся домашними хозяйками. Но Настя еще и патологически ленива, она не умеет даже чайник вскипятить. Полина Владимировна не хотела брать дочь Линьковой, я просто подвернулась ей в нужный час под руку. Карелия явилась к Хатуновой после уроков и попросила оформить на работу Анастасию. А я заглянула в гимназию рано утром, прочитала объявление в Интернете о вакансии библиотекаря. Директриса меня выслушала, но ничего не пообещала, сказала дежурную фразу: «Рассмотрю заявление и свяжусь с вами». И, вот уж странно, она соединилась со мной в районе шестнадцати, велела поторопиться в гимназию, чтобы без промедления оформиться на службу. Хатунова решила, что лучше уж незнакомая Соева, чем Настя, и придумала, как отказать Карелии. Начнет та дочь на должность пропихивать и услышит: «А я уже оформляю человека на работу, извините, вы опоздали с просьбой». Мусина уволилась по собственному желанию, она многодетная мать. Не стоит верить сплетням, которые ходят по гимназии. Женский коллектив, здесь вам еще не то расскажут! Уши завянут.

Я взяла со стола книгу в яркой обложке.

— Так приятно, что вы читаете мои романы, я всегда стараюсь закрутить сюжет. Но вот конкретно этим произведением недовольна. Может, следовало сделать главную героиню блондинкой? Пошутить насчет ее глупости?

— Образ безмозглой блондинки — шаблонный ход, — снисходительно заметила Вера Борисовна. — Не переживайте, детектив у вас, как всегда, получился захватывающим.

— Вам понравилось, что сюжетом является история непокорной брюнетки? — обрадовалась я. — Женщина-вамп в качестве преступницы показалась вам оригинальной?

— Она очень убедительна, — кивнула Соева, — действие лихо закручено.

Я вернула книгу на место.

— Вера Борисовна! Роман, который мы с вами только что обсуждали, на самом деле необычный. В нем впервые главным действующим лицом является мужчина, а не роковая темноволосая дама. Я вовсе не являюсь вашим любимым автором. Вы умный человек и понимали, что я рано или поздно загляну в библиотеку, поэтому подготовились, приобрели у метро мою книгу. Чтобы принять вас на службу, Полина Владимировна попросила Мусину уволиться, а за это купила ей дорогую шубу. Какой вывод можно сделать из всего вышесказанного? Либо вы близко дружили с Хатуновой, либо она была вам чем-то обязана, либо вы ее шантажировали. Сейчас вы не сомневаетесь, что Полину Владимировну убили. Вопрос: вы знаете, кто хотел причинить зло жене Пенкина?

— Да, — воскликнула Соева, — и могу сообщить имя этого человека. Но не бесплатно. Деньги мне не нужны. В письменном столе Полины есть тайник, он в левой тумбе. Если присядете перед ней на корточки, то увидите в центре изображение медведя. Надо нажать сначала на левый глаз, потом на правый, на нос, и откроется небольшой ящик, в котором лежит папка. Принесите ее мне и получите необходимые сведения. Вы правы, я не читаю литературу, в жанре которой вы успешно работаете. Мне требовалось расположить вас к себе, чтобы получить папку. Я не смогу войти в кабинет Хатуновой, не привлекая внимания, а у вас это получится.

— Мне тоже будет трудно незамеченной туда проникнуть, — возразила я. — Кто-нибудь из педагогов может заметить, что я заходила в кабинет директора, пойдут разговоры.

Вера сложила руки на груди.

— Виола Ленинидовна, сейчас дверь в кабинет Полины опечатана полицией. Полагаю, вскоре ее откроют, и там воссядет Карелия, тогда к папке будет очень трудно подобраться. Я бы могла сама подождать часов до шести, когда в гимназии никого не будет, и зайти в кабинет, но мне придется разорвать бумажку с печатью. Непорядок завтра непременно заметят, выяснится, что я оставалась допоздна на работе, а мне это не свойственно, поднимется шум. Не хочу привлекать к себе внимание, поэтому демонстративно покину библиотеку, как только содержимое тайника окажется в моих руках. Если хотите выяснить правду о Полине Владимировне, начинайте действовать. Мне без разницы, что вы придумаете, чтобы выполнить мое условие. Времени у вас в обрез. Папку надо принести до окончания последнего урока.

Я облокотилась о стол и слегка сдвинула локтем стопку книг.

— Где у меня гарантия, что, получив ее, вы расскажете мне нечто интересное? Вдруг вы меня обманете? И сообщение о тайнике в столе звучит странно. Зачем Хатуновой что-то прятать в кабинете? Ценные бумаги люди держат в банках. Вероятно, вы посылаете меня в кабинет начальницы, чтобы спровоцировать скандал. Или еще по какой-то непонятной мне причине.

Вера поморщилась.

— Сделайте одолжение, уберите руки. Я люблю строгий порядок и красоту.

Я отодвинулась от стола.

— Едва войдя в библиотеку, я поняла, что вы педант. Тут все лежит аккуратными стопочками, предметы расставлены по ранжиру, и вы любите красоту. Ручки в стакане одинаковые, а не разномастные. На тумбочке у стены чайные принадлежности, чашки с блюдцами с цветочным нежным рисунком, очень красивые, ложечки, похоже, серебряные, печенье лежит не на тарелке, а в корзиночке, заварочный чайник оригинальный, у него крышка в виде розы. Кружка на вашем столе из дорогого фарфора, с принтом в виде собак-кошек.

Соева выровняла случайно сдвинутые мной книги.

— Любовь к порядку похвальное качество. Доброе отношение к животным — тоже. И я в отличие от Марии Геннадьевны приемлю всех божьих тварей. Шитова злая баба, она ненавидит голубей. Ну да бог ей судья. Вернемся к папке. Стол для кабинета Полина привезла из дома, ей его подарил отец, он сделан по спецзаказу, тайник в нем соорудили, чтобы сделать приятное девушке, которая любила с детства все прятать. Я знаю о Полине много. Вы ахнете, когда услышите имя ее убийцы и узнаете, почему Хатунову лишили жизни. Несите папку, и тайна откроется.

Я развернулась и молча пошла к двери.

Глава 9

Прежде чем пересечь большой холл, через который можно попасть во владения директрисы, я внимательно осмотрелась. Старшеклассники уехали на футбольный матч, и большинство учителей отправились с ними. Дети помладше сидели на уроках, никто по первому этажу не носился. А вот из учительской доносились голоса, свободные от занятия педагоги что-то бурно обсуждали. Я втянула голову в плечи, в два прыжка очутилась около двери приемной, толкнула ее, влетела в предбанник перед кабинетом и перевела дух.

Бумажную ленту с печатью, украшавшую косяк, я разрывать не стала, очень аккуратно поддела ее тонкой линейкой, найденной на столе секретарши, и проникла в помещение.

Присев около левой тумбы письменного стола, я сразу увидела медальон с изображением медведя, нажала на левый глаз Топтыгина, раздался тихий скрип, и я удивилась, тайнику пока рано открываться, но тут же сообразила, что звук не имеет ни малейшего отношения к секретному отделению, это кто-то вошел в кабинет. Меня, сидящую на корточках за громоздким столом, человек не заметил, судя по звуку, он открыл шкаф у стены.

Я осторожно высунулась из укрытия и увидела школьника лет девяти-десяти. Он был одет в форму гимназии. Лица я не рассмотрела, мальчик находился ко мне спиной, и он действительно рылся на полках. Я молча наблюдала за пареньком. Что он ищет? Проще всего было встать и задать вопрос вслух, но я не могла этого сделать, потому что сама тайком сюда проникла. Надо подождать, пока гимназист обернется, запомнить его и посмотреть, что он возьмет. Словно услышав мои мысли, он вытащил одну папку, открыл ее, достал желтый пакет, выудил из него лист бумаги... Теперь парнишка повернулся боком, я наблюдала, как он внимательно изучает документ, но лица его опять разглядеть не сумела, оно было повернуто к стене. Вдруг мальчик всхлипнул, вернул документ в пакет, вложил его в папку, поставил ее на полку... и тут в моем кармане оглушительно затрезвонил мобильный. Я живо отключила звук, но поздно. Школьник покачнулся, схватился рукой за ряд скоросшивателей, свалил их и опрометью кинулся в предбанник. У меня от сидения в неудобной позе затекли ноги, поэтому я не смогла быстро подняться, а встав, не сразу побежала. Когда я наконец-таки вывалилась в большой холл, безобразника и след простыл, а я столкнулась с Ангелиной Максимовной. Телефон в кармане брюк завибрировал, но мне было не до него, я налетела на учительницу труда и рисования.

— Видели мальчика?

Жорина вытянула губы трубочкой.

— Гимназиста?

— Да, да, да, — закивала я.

— В форме? — процедила Ангелина.

— Верно, — подтвердила я.

— В нашей? — тянула Жорина.

Мне захотелось схватить тетку, найти у нее переключатель скоростей и перевести его в спортивный режим.

— На ребенке были голубая рубашка, вишневая

трикотажная жилетка и такого же цвета брючки. Это точно наш мальчик.

— В соседней школе, расположенной на улице Лаврентьева, дети ходят в похожей, — бубнила Ангелина. — Полина Владимировна рассердилась на их директрису Зою Федоровну. Та сама ничего придумать не способна, вечно обезьянничает, слизывает наработки Хатуновой. Наша директриса лично разработала дизайн одежды учащихся, использовала свои любимые цвета. А Зоя просто украла чужую интеллектуальную собственность. Полина...

Жорина закрыла глаза ладонью.

— Как мы без нее будем? Гимназия развалится, все безработными станем! Вы, случайно, не заметили, какой герб у парнишки спереди на жилетке вышит? Если двуглавый голубой орел с книгами в лапах, то ученик наш. А почему вы спрашиваете?

— К сожалению, видела только спину мальчика, — призналась я и начала врать. — Я зашла в приемную, хотела взять там пару листов чистой бумаги, увидела, что на двери кабинета Хатуновой бумажка с печатью отклеена, решила заглянуть туда, а оттуда выскочил мальчик и удрал так стремительно, что я его разглядеть не успела. Он набезобразничал в кабинете, пошвырял на пол папки с личными делами. Знаю, что в нашей гимназии запрещено делать ученикам замечания, но это же событие из ряда вон! Хулигана нужно отругать.

— Совершенно с вами согласна! — кивнула Жорина. — Пойдемте в учительскую.

— Нет, — возразила я, — лучше скажите: кто здесь только что пробегал?

— Давайте попьем чаю, — занудила Ангелина, — вы такая бледная. Заварю вам чудесный напиток, поговорим в спокойной обстановке.

Но я не собиралась двигаться с места.

— Гимназист должен был с вами столкнуться! Он вылетел из приемной минуту назад.

Ангелина поджала губы.

— Я только что со второго этажа спустилась, отдышаться не успела. Внешность какая у хулигана? Толстенький или щупленький? Цвет волос? Может, родинка на щеке была? Шрам на лбу? Уха нет?

— Здесь учится мальчик с таким дефектом? — удивилась я. — Ни разу не видела тут школьника без уха!

Жорина вскинула подбородок.

— У нас таких нет, высокая плата за обучение не позволяет переступать порог элитного заведения лицам из неблагополучных семей. Вот у Зои Федоровны учится всякая шваль, в ее школе большие проблемы, ученики вечно дерутся, там и ухо, и нос, и ногу оторвать могут. Если нарушитель дисциплины, которого вы заметили, не имел глаза или руки, то он точно подопечный Зойки. У наших деток полный комплект частей тела.

Вероятно, Полина Владимировна была прекрасным руководителем, но где она подбирала сотрудников? Ангелину Максимовну нельзя назвать светочем разума, Нину Максимовну тоже, у Карелии Алексеевны восхитительный лексикон. Преподавательница химии Мария Геннадьевна милая, приветливая, но очень странно одевается, на ней всегда обтягивающие, явно меньшего, чем надо, размера платья. И ни о чем, кроме как о реставрации мебели, Шитова говорить не может. Один раз, проходя мимо ее кабинета, я услышала, как «химичка» говорила ученикам: «Сегодня у нас новая тема. Серная кислота. Знаете, это волшебная жидкость, если добавить малую ее толику в придуманный мной мебельный лак, то, покрыв им, предположим, комод, получим эффект так называемого белого пятна. Состав удивительного лака я нашла в старых книгах, долго сидела в архивах...» Далее училка начисто забыла про серную кислоту и начала объяснять детям, как она реанимирует скамеечку для ног, которая принадлежала Оливеру Кромвелю[1].

— Нашла этот уникум на блошином рынке у Белорусского вокзала, — щебетала Шитова, — наткнулась случайно, бродила в поисках ручек для бюро, которое тогда являлось объектом моего интереса. И вдруг! Продавец показал подножницу, шепнул, что это раритет! Дети, понимаете? Это собственность самого Кромвеля! Великого человека!

— Да, — нестройно отозвались гимназисты, для которых фамилия англичанина являлась пустым звуком.

Вот скажи Шитова, что табуретка принадлежала Шреку или Симпсонам, ученики бы пришли в восторг. Мария не поняла, что ребят охватила тоска, она продолжала рассказывать, в каких фолиантах отыскала сведения о разных лаках, как улучшала их, называла химические вещества, которые использовала.

Дверь в мужской туалет, возле которого стояли мы с Ангелиной, приоткрылась, оттуда высунулась чья-то голова.

— Она ушла? Да? Ой! Простите. Ангелина Максимовна. Здрассти, Виола Людвигувна.

— Обозов! — всплеснула руками Жорина. — Почему ты не на уроке? А ну вылезай из сортира!

---

[1] Оливер Кромвель (1599–1658 гг.) — английский государственный деятель и полководец, руководитель Английской революции в 1653–1658 гг., лорд-протектор Англии, Шотландии и Ирландии.

Мальчик вышел в холл и опустил голову.

— Зовись мой папа Людовиком, то отчество бы звучало как Людовиковна, Людвигувна вариант от Людвигуб. Слышал хоть про одного мужчину с таким именем? — улыбнулась я.

Обозов покачал головой.

— Не-а!

— Можешь обращаться ко мне Виола Леонидовна, — предложила я.

— Ну уж нет, — рассердилась Ангелина, — ученик обязан выучить имя-отчество преподавателя. Запиши на бумажке: Виола Лампадовна и повторяй, пока в мозгах занозой не застрянет.

— Хорошо, — покорно согласился Обозов.

— Что ты делал в туалете? — продолжила допрос Ангелина.

— Живот заболел, — заныл Эдик, — скрутило жуть как! Еле добежал.

— Иди на занятия, — приказала учительница труда.

— Постой, — задержала я его, — выглянув из двери, ты спросил: «Ушла?» Что ты имел в виду и к кому обращался?

— Любому понятно, что Эдуард не один решил урок прогулять, — быстро ответила вместо ребенка Жорина. — Он не впервые с занятий сбегает. Знаю, как дело обстояло. Обозов с дружком удрали, когда учитель начал домашнее задание проверять, хотели где-то заныкаться, есть в гимназии укромные местечки, куда редко заглядывают педагоги. Но они увидели, как я спускаюсь по лестнице в холл. Обозов догадался шмыгнуть в туалет, а приятель куда-то убежал.

Я перестала сверлить взглядом Эдика и уставилась на Ангелину Максимовну, а та заливалась соловьем.

— Обозову надоело прятаться, вот он и решил выяснить, ушла я или еще тут расхаживаю. Так? Можешь не отвечать, отлично знаю, что не ошибаюсь, немедленно ступай на занятия.

— Погоди, — опять остановила я готового удрать Эдика, — сначала скажи, ты заходил в кабинет Полины Владимировны?

Жорина снова не дала ребенку открыть рот.

— Конечно, нет. Что ему там делать? Когда я шла по лестнице, видела, как он через холл бежал. Поэтому и подошла к туалету, сразу смекнула, опять Обозов безобразничает. Он у нас главный затейник. Эдуард! В класс!

Ребенок со скоростью спринтера-африканца бросился в левый коридор.

Я рассердилась.

— Он очень похож на того, кто разбойничал в кабинете директора. А вы не дали ему слова сказать.

Ангелина Максимовна уперла руки в боки, боднула лбом воздух и взвизгнула:

— Это что? В чем вы меня обвиняете? Конкретно изложите свои странные претензии! На что намекаете? Говорите откровенно! Высказывайте недовольство в лицо, а не за глаза!

— Вы не позволили Обозову ответить на мои вопросы, — отчеканила я.

В голосе Жориной появились визгливые нотки.

— Нет, только посмотрите на нее! Нашлась самая умная! Откуда ты взялась на нашу голову? С кем в министерстве образования спишь, что тебя сюда в середине учебного года взяли? Каким местом карьеру прокладываешь? Наезжаешь на лучшего преподавателя гимназии! Поосторожней с нападками! А то, несмотря на покровителя, очутишься на помойке, где таким самое место. Подумала, что у твоего хахаля жена есть? На чужом несчастье счастья не построишь! Тьфу!

Плюнув мне под ноги, Ангелина бросилась наутек, наверное, она понеслась в кабинет труда.

Я крикнула ей вслед:

— А вы только и умеете, что приказывать детям лепить из пластилина козлов в очках.

Не успели слова вылететь изо рта, как мне стало стыдно. Вилка! Ты с ума сошла? Зачем опустилась до уровня Жориной?

Очень недовольная собой я вернулась в кабинет Хатуновой.

Глава 10

Скоросшиватели, которые свалил Эдик, попрежнему валялись на полу. Я безо всяких проблем открыла тайник в письменном столе и достала оттуда необычный предмет. Черная папка была сделана из какого-то материала, напоминавшего тонкую сталь, или это один из суперсовременных пластиков, которые сейчас применяются где угодно. В центре верхней крышки торчал небольшой диск, наподобие тех, что в годы моего детства я видела на телефонных аппаратах. Чтобы просмотреть содержимое папки, надо набрать код. Но я о нем понятия не имею, а подбирать шифр из десяти цифр — это задача для компьютера, мне с ним и за двадцать лет не справиться. Конечно, если отдать находку Платонову, его люди живо ее вскроют каким-нибудь инструментом, но я должна принести ее в целости и сохранности Вере Борисовне, иначе она не расскажет то, что знает о Полине Владимировне. Понятно теперь, почему Соева не боялась, что я засуну нос в папку и увижу спрятанные там документы.

Выходить из кабинета Хатуновой, держа в руках свой трофей, не хотелось. Я огляделась по сторонам — у каждой женщины в запасе непременно есть парочка полиэтиленовых пакетов. А вот и он, мирно лежит на подоконнике. Спрятав находку, я сфотографировала разбросанные на паркете скоросшиватели, а потом присела около них на корточки. Сразу стало понятно, что это личные дела учеников третьего «А». Я начала просматривать скоросшиватели, из одного с надписью «Эдуард Обозов» выпал тот самый желтый конверт. Я открыла его, вытащила лист бумаги, изучила текст и снова спрятала документ. Так вот в чем дело! В личном деле Эдика хранится информация об усыновлении. Мать родила его от своего первого мужа, с которым разошлась, когда младенец еще не научился сидеть. Эдика усыновил второй ее супруг, богатый бизнесмен Константин Эдуардович Обозов. А вот и личная карточка гимназиста. «Обозов Эдуард, дата рождения шестое сентября, полных девять лет. Отец — Константин Эдуардович Обозов, владелец «Мосросдобычи», мать Обозова Светлана Валерьевна, актриса. Успеваемость плохая, поведение среднее, контакта с одноклассниками не установил, рекомендовано посещение школьного психолога, необходима беседа с родителями». Второй листок назывался «Отчет психолога гимназии о беседе с учеником третьего «А» Эдуардом Обозовым. «Мальчик трудно идет на контакт, плохо сосредоточен, постоянно глупо шутит. Его успеваемость в последнее время стала еще хуже. Классный руководитель Ангелина Максимовна им недовольна. Обозов не имеет авторитета у одноклассников, в детском социуме исполняет роль клоуна, над которым все смеются. Может нарочно упасть в столовой и опрокинуть поднос с едой, чтобы повеселить окружающих. Все предметы одинаково не любит. Из педагогов контакт с ним сумела установить только Жорина. Ангелина Максимовна в прямом смысле слова прикормила мальчика, она его угощает домашними пирожками, тортами, бутербродами и т.д. Жорина связала Эдуарду перчатки, он говорит, что это был лучший подарок на его день рождения. На вопрос: «Неужели родители никак не отметили твое девятилетие?» последовал ответ: «Они организовали праздник, пригласили много гостей, приехали клоуны, в саду накрыли столы, все ели и танцевали. В восемь вечера начался концерт, играла моя любимая группа «Модерн Айс», папа ее из Америки пригласил. Сначала музыканты пели, потом ужинали с нами. Их фронтмен Стюарт посадил меня на плечи, и мы так фотографировались, а еще он подарил мне один из своих браслетов, снял с руки и сказал: «Держи, Эдди! Круто быть сыном богатых родителей, тебе не надо, как мне в детстве, в бакалейной лавке работать, чтобы матери помочь. И ты не маленький негр, которого за цвет кожи белые одноклассники в унитазе топили. Но мы, черномазые, из нищеты поднявшиеся, стойкие, нас ни словом, ни кирпичом не убить. А вас, богатых детей, из седла ерунда вышибает. Мой двенадцатилетний сын пытался отравиться, он думал, что я его не люблю, потому что никогда с ним на бейсбол не хожу, барбекю не жарю. Чувак, я бабки заколачиваю, чтобы семья в бакалейной лавке полы не мыла. И не хочу, чтобы сына в толчке макали. Люби своего отца, он ради тебя на все готов. Я это точно знаю».

Вопрос: Как к тебе относятся мама и папа?

Ответ: Хорошо. Они мне покупают все, что захочу.

Вопрос: У тебя три с минусом по английскому. Как же ты понял Стюарта?

Ответ: Я не знаю грамматику, не умею правильно писать, делаю много ошибок, поэтому получаю низкие отметки. Я с мая по сентябрь живу в нашем имении под Лондоном, там русских нет, все слуги англичане и дети в летней школе искусств тоже. Я научился свободно говорить по-английски.

Вопрос: Что вы делаете вместе с родителями?

Ответ: Летаем на папином самолете в разные страны отдыхать и за покупками. Мне это нравится, мы с папой в пути играем в шахматы, а мама сидит рядом.

Вопрос: А в Москве как вы проводите вечера?

Ответ: Папа всегда на работе, мама на съемках, у нее много подруг, она к ним в гости в свободное время ездит.

Вопрос: С кем же ты остаешься дома?

Ответ: С няней Джоанной, она англичанка.

Вопрос: Что ты любишь больше всего делать?

Ответ: Играть один в комнате.

Вопрос: Ты сидишь в Интернете?

Ответ: Да. Но Джоанна в девять вечера его выключает, я ужинаю, принимаю душ и ложусь.

Вопрос: Неужели ты такой послушный? Только честно.

Ответ: Я под одеялом с мини-айпадом лежу. Главное — успеть его выключить и спрятать, если Джоанна ночью в спальню заходит, чтобы проверить, как я сплю.

Заключение психолога: Дефицит внимания. Депрессия. Ощущение собственной никчемности. Требуется регулярное посещение психолога. Родители вызваны в школу.

Особая отметка. Отец с матерью в гимназию не явились.

Особая отметка. Семья предупреждена о проблемах Эдуарда. Специалист поговорил с матерью по телефону, она ответила: «Отстаньте. Не лезьте к моему ребенку, чтоб вы так жили, как он. У Эдика есть все, включая любовь родителей».

Особая отметка. Обозовы оформили запрет на общение Эдика со школьным психологом.

Особая отметка директора. Школьному психологу А. И. Громушкиной категорически запрещается проводить любые беседы с Э. Обозовым. А. И. Громушкиной предписывается держаться на расстоянии от школьника. Классному руководителю А. М. Жориной не разрешается ругать Эдуарда, ей нужно хвалить мальчика, а если он совершил неблаговидный поступок, позволительно его ласково пожурить, вести воспитательную беседу следует мягко, например: «Ты очень хороший мальчик, мы тебя все любим». Этой же фразой необходимо завершить разговор.

Я положила листки на место. Да уж! Интересно, как бы отреагировала моя классная руководительница Валентина Никитична, получи она от директора подобные распоряжения в отношении ученицы Виолы Таракановой? Наша «классуха» имела прозвище «жаба» и ненавидела детей, чьи родители не дарили ей подарков. В любимчиках у нее состояли дочь директора продовольственного магазина и сын директора мебельной фабрики. Я занимала в рейтинге почетное предпоследнее место. Моя мачеха Раиса вручала Валентине Никитичне на Новый год, Восьмое марта и в День учителя небольшую коробочку шоколадных конфет. Классная оглядывала презент с кислым лицом, засовывала в сумку и цедила сквозь зубы:

— У меня из-за вас диабет начнется.

Но мне нужно быть благодарной «жабе» из-за ее вечных придирок, насмешек: «Назвали чучело Вилой, но оно от этого ни умнее, ни красивее не стало», я захотела доказать всем, и себе в первую очередь, что являюсь очень умной девочкой, и стала учиться на одни пятерки.

Дверь кабинета приоткрылась, появилась Ангелина Максимовна.

— Виола Лампадовна!

Я поднялась.

— Давайте обойдемся без отчества!

— Простите меня, — прошептала Жорина, — я сорвалась на вас. Знаете...

Ангелина закрыла руками лицо и заплакала. Я подошла к ней, погладила ее по плечу и пробормотала:

— Все хорошо! Я не сержусь на вас. У каждого человека иногда сдают нервы. С моей стороны было очень бестактно кричать вам в спину про козлов из пластилина.

— Нет, нет, — прошептала Жорина, — вы правы. Пожалуйста, давайте пойдем в мой кабинет, я все объясню.

Я попыталась избавиться от ненужной беседы.

— Ангелина Максимовна...

— Мы же решили общаться без отчества, — шмыгнула носом учительница.

— Да, конечно, — спохватилась я, — вам лучше... э... попить чаю с конфетами...

— У меня в кабинете припрятана коробочка рахат-лукума, — оживилась Жорина.

Я посмотрела на часы.

— Простите, я не могу составить вам компанию! Надо подготовиться к уроку.

— Только два слова, — взмолилась Ангелина, — коротенько, про козлов. Меня бросил муж! Вот! Я смогла это сказать! Фу-у! Намного легче стало.

Глава 11

Я смутилась, услышав откровенное признание. Что сказать Ангелине? Сочувствую? Мне очень жаль? Не переживайте, вы встретите другого мужчину?

Жорина схватила меня за руку.

— Представляете? Жили мы хорошо, не ссорились, никаких особых проблем у нас не было! Квартира своя! Правда, маленькая, двушка со смежными комнатами, но ведь без соседей или родственников. Я хорошая хозяйка, у меня каждый день и завтрак, и обед, и ужин, кругом чистота, порядок, ни пылинки, ни соринки, постельное белье поглажено. Степа артист, но его на съемки не берут, в театре он не служит. Я его ни разочка за безденежье не укоряла, себе никогда ничего не требовала. У меня спокойный характер, скандалов, истерик не устраиваю, супруга не пилю. Родители мои умерли, теща с тестем Степу не обременяли. Перед тем как сделать мне предложение, Рукавишников сказал: «Я был единственным ребенком в семье и хочу таковым всегда оставаться, если ты намерена размножаться, то без меня. Или у нас детей не будет, или я не женюсь». Я не стала спорить, мне в школе общения с ребятами хватает! А в начале осени он ушел! Ничего не объяснил! Я отправилась за покупками, искала подарки ему на день рождения, хотела приобрести свитер недорого. С деньгами у нас напряженка. Муж написал сценарий, отнес на студию, но нигде его не брали, а потом в одном месте сказали: «Сейчас на рынке сложное положение, если хотите снимать кино, платите нам». И такие деньги заломили! Нереальные! Степан расстроился ужасно, даже заплакал. Виола, видеть слезы любимого невыносимо, я помчалась в банк, вымолила там кредит, дали небольшую сумму... Степа отнес деньги на студию, сказал владельцу: «Сценарий мой гениальный, когда режиссеры о нем узнают, в очередь встанут, чтобы фильм снять. Я сам исполню главную роль. Давайте начинать работу, часть денег есть, остальные найдутся в процессе. Вот увидите, на нас дождем польются предложения от спонсоров». Но генеральный продюсер не согласился: «Прекрасно! Когда соберете всю сумму, ждем вас с нетерпением». Степан расстроился, велел мне взять частных учеников, но я преподаю труд-рисование, по этим предметам никому репетиторы не нужны. Поломала голову, дала объявление в Интернете: «Готовлю еду для праздников из ваших продуктов. Недорого», — и принялась бегать по заказчикам.

Ангелина закрыла лицо руками.

— Времени на ведение своего хозяйства не стало... Степочка начал жаловаться на заброшенность... И... и... и... Возвращаюсь домой, а там записка: «Наш брак потерял актуальность. Прощай». Вещей мужа нет, коробка, где деньги лежали, пуста, колечки-сережки, которые мне от мамы достались, исчезли. Мобильный отключен, где Степа живет, я понятия не имею. У него в Москве собственного жилья нет, Рукавишников приехал в столицу из Омска, до женитьбы снимал комнату в коммуналке... Господи, мне так плохо было! Ужасно! Всю ночь проплачу, зову Степоньку, утром в школу прихожу никакая! Руки-ноги трясутся, тошнит. Однажды зашла после занятий в магазин, мне там плохо стало, продавцы вызвали «Скорую», приехала очень внимательная докторша, я ей правду выложила, и она совет дала: «Дорогая, забудьте мерзавца. Он козел! Вы преподаете труд и рисование, можете с детьми из пластилина лепить? Если да, то велите ученикам лепить козлов, чтобы внешне походили на вашего мужа. Заберите поделки, а когда ребята уйдут, уничтожьте их. Поверьте, сразу отпустит». Я сделала, как врач советовала, и мне полегчало, но ненадолго. Часа два хорошо было! Потом снова слезы полились! Пришлось опять задание про козлов давать. Растопчу рогатых-бородатых-очкастых, и отпускает! Через какое-то время мне совсем хорошо стало. Я Степочку не забыла, но плакать и терзаться перестала, без пластилиновых козлов обхожусь.

Я, понимая, что Жорина сильно нервничает, постаралась не засмеяться. Вот почему дети, их родители, няньки-мамки-шоферы вдохновенно ваяли рогатых в очках! Степан, наверное, близорук. Оригинальный, однако, способ решения своих душевных проблем: собрать пластилиновые поделки, прообразом которых является бросивший тебя муж, и растоптать «козла в очках». Похоже, врач «Скорой», подсказавшая пациентке, как надо поступить, просто дедушка Фрейд и папа Юнг в одном флаконе.

Ангелина понизила голос до шепота:

— Ох, Виола, если б вы знали, в какую ситуацию я попала, нервничаю постоянно, но назад дороги нет, страшно мне, вот и сорвалась на вас. Умоляю, никому не говорите, что я вам сейчас рассказала. Господи, зачем я с посторонним человеком поделилась? Мне так страшно. Пожалуйста, никому, никому...

— А-а-а-а! — полетел из холла истошный вопль.

Я вырвалась из рук цепко державшей меня Ангелины, выбежала из кабинета Полины Владимировны и увидела орущую во всю глотку Авдотью Игоревну. Из учительской выскочили другие педагоги, окружили психолога и стали задавать бестолковые вопросы:

— Ты заболела?

— Где пожар?

— Гимназию закрывают?

— Нам урезали зарплату?

Авдотья всхлипнула и замолчала.

— Что случилось? — спросила я.

— Она таракана увидела, — высказала свою версию Ангелина Максимовна.

— Я их всех вывела, — возмутилась Мария Геннадьевна, — сама убойный яд придумала и всех прусаков извела! За один раз передохли! Рецепт нашла в старинной книге.

— У нас в гимназии нет никаких животных, кроме законно проживающих в живом уголке хомячка и морской свинки, — вспыхнула подоспевшая на шум Карелия Алексеевна. — Жорина, объявляю вам выговор за клевету на санитарное состояние вверенной мне школы.

— Вера Борисовна, — прошептала психолог, — она... в библиотеке, коробка конфет лежит, рядом чайник...

Я, не дослушав Громушкину, бросилась к лестнице, ведущей на второй этаж, поскользнулась и упала, больно стукнувшись коленями о пол. Теперь все, позабыв про психолога, кинулись ко мне.

— Вам больно?

— Сломали ноги?

— Ой, ой, скорей принесите желудочные капли! Они мне от всего помогают.

— Спасибо, не волнуйтесь, — пробормотала я, вставая, — глупо получилось.

— Не бегайте так, — заботливо посоветовала Карелия.

— Виола Лабиринтовна помчалась на помощь Вере Борисовне, — пояснила Нина Максимовна.

Повисла тишина.

— Библиотекарше плохо, — пробормотала Авдотья, — она не шевелится.

— Пусть ее наш врач осмотрит, — подсказала Ангелина Максимовна.

— Она уехала с детьми на стадион, — напомнила Нина Максимовна, — ступайте вы, Карелия Алексеевна.

— Почему я? — испугалась Линькова.

— Вы теперь директор, на вас лежит основная ответственность, — пояснила Федотова.

— Я осуществляю общее руководство, — запаниковала Карелия. — Руковожу в целом, не могу покинуть пост. Мария Геннадьевна, идите в библиотеку, проверьте, что с Соевой.

— Почему вы поручаете это Шитовой? — удивилась Громушкина.

— Она преподает химию, значит, почти врач, — сделала гениальный вывод Карелия.

— Марии нет, — сообщила Ангелина.

— Она же только что тут стояла, — заморгала Линькова.

— Ушла, — вздохнула Жорина.

— Нина Максимовна, ступайте в читальный зал, — приказала Карелия. — Вы биологию преподаете, вам и кастрюлю в руки.

Федотова попятилась.

— Нет, я боюсь!

Я обвела взглядом перепуганных женщин.

— Оставайтесь тут, я проверю, что с Соевой, и вернусь, — сказала я всем и поковыляла к лестнице.

Ушибленное колено сильно болело, ступеньки я преодолела не сразу, но наконец добралась до библиотеки и распахнула дверь.

Внутри стояла тишина, ни одного ученика, решившего взять книгу, не было. К запаху пыли и старых книг примешивался другой, лекарственный, очень знакомый, но понять, что это за медикамент, я не смогла.

Вера Борисовна по-прежнему сидела на стуле, но теперь ее голова лежала на раскрытой книге. Чуть поодаль стояли заварочный чайник, разрисованный цветами, из одного сервиза с ним тарелочка, коробка шоколадных конфет. Чашки на столе не было. Похоже, отправив меня за папкой, Соева решила побаловаться чайком, заварила его, открыла ассорти, вон, в корзинке валяется смятая слюда, в которую была заламинирована коробка... Я наклонилась над Верой, увидела ее широко открытые глаза, отвисшую нижнюю челюсть и отшатнулась. Вынув телефон, я заметила на экране сообщение о десяти не принятых звонках от Зарецкого и соединилась с Платоновым.

— Еду, — коротко ответил Андрей.

* * *

Около шести вечера, сидя в кафе над тарелкой с салатом, я услышала писк мобильного, меня разыскивал Зарецкий. Он воскликнул:

— Наконец-то! Весь день никак не мог дозвониться! Что происходит?

— Стараюсь убедительно исполнять роль учительницы, поэтому во время занятий не пользуюсь телефоном, — объяснила я, — на переменах дети с вопросами подходят, коллеги рядом крутятся. Если заведу с вами разговор, кто-нибудь догадается, что училка Тараканова не та, за кого себя выдает.

— Дорогая, вы очень умны, — восхитился

Иван. — Я стал нервничать, испугался, вдруг вы лежите с нервным срывом после вчерашнего ужасного события.

— Прекрасно себя чувствую, — заверила я.

— Физически, — подчеркнул Зарецкий. — А морально?

— Не могу сказать, что мне весело, — призналась я, — но ведь находя каждый день по трупу, не станешь петь и танцевать.

Иван Николаевич ойкнул.

— Кто-то еще умер?

— Вы же не знаете, — спохватилась я, — сегодня умерла библиотекарь Вера Борисовна Соева.

— А с ней что? — спросил Зарецкий.

— Понятия не имею, — вздохнула я, — скончалась, как Полина Владимировна, на рабочем посту. Оба происшествия очень похожи. И директриса, и библиотекарь выпили чаю и умерли.

— Представляю, какое это потрясение для вас, — перебил меня издатель. — Виола, дорогая, езжайте в медицинский центр «Пятое дыхание», адрес сейчас пришлю, вас встретит академик Борис Анатольевич Краснов.

— Что мне там делать? — удивилась я.

Зарецкий пустился в объяснения.

— Борис лучший специалист в России по выводу из посттравматического шока. Он психологически реанимирует военных, участвовавших в боевых действиях, освобожденных заложников, помогает брошенным женам пережить развод, справляется с проблемами подростков. Им создана уникальная методика, всего два часа в его клинике — и вы снова огурец-молодец! Виола, дорогая, Борис вас с нетерпением ждет, можете приехать сегодня в любое время, хоть в полночь.

Я изумилась.

— Иван Николаевич, я никогда не сидела в окопе с винтовкой, не имею мужа, поэтому не могу впасть в уныние из-за его ухода, мой пубертатный возраст остался в далеком прошлом. Назовите хоть одну причину, по которой я должна спешить в клинику?

— Спешить? — повторил Зарецкий. — Конечно, нет. Езжайте медленно.

— Зачем мне обращаться к Борису Анатольевичу? — недоумевала я.

— Дорогая, вам необходимо подпитать нервную систему, — занудел Зарецкий. — Краснов обожает вас, он мне часто о своей любви к вашим детективам говорит и всегда отмечает: «Арина не только на удивление талантливая писательница, но и очень красивая женщина». Но вчера он позвонил в тревоге, начал расспрашивать: «Иван, что случилось у Арины? Я смотрел программу «Болтать не вредно», она там в жюри сидела, очень бледная, исхудавшая, глаза ввалились. Виолова пребывает в сильном стрессе, отправь ее срочно к нам!» Дорогая, умоляю вас! Всего одна процедура!

— Привет! — сказал Андрей, подходя к столику.

Я быстро приложила палец к губам и продолжила:

— Доктор ошибся.

— Нет, нет, Борис видит то, что недоступно другим, — отстаивал свою позицию Зарецкий, — он может предсказать заболевание.

— Прямо экстрасенс, — съязвила я, — не хочу терять два часа попусту.

— Виола, дорогая, я не отстану от вас, — воскликнул Зарецкий.

Я взглянула на Платонова и неохотно выдавила из себя:

— Хорошо. Сбросьте адрес, поеду.

— Сегодня, — уточнил Иван.

— Поняла.

— В любое время.

— Усекла.

— Дорогая Виола, вы умница, — похвалил меня Зарецкий и наконец-то повесил трубку.

— Кто тебя донимал? — спросил сидевший напротив Андрей.

Я отмахнулась.

— Ерунда. У Ивана очередной приступ заботливости, предложил проехать в клинику «Пятое дыхание», где меня за два часа избавят от тяжелого стресса, в котором я якобы пребываю.

— Рассказывай, что знаешь, — велел Платонов.

Я пересказала ему нашу беседу с Соевой и замолчала.

Глава 12

Андрей взял меню.

— Во сколько ты ушла из библиотеки?

Я призадумалась.

— Когда спустилась на первый этаж, часы в холле показывали начало первого. А в тот момент, когда раздался вопль Авдотьи Громушкиной, на том же табло горели цифры: тринадцать сорок пять. Я нервничала, Соева велела побыстрее принести папку. Мне бы удалось справиться с заданием намного раньше, но сначала помешал Эдик, который полез в шкаф в кабинете директора, а затем ко мне с рассказом про козлов прилипла Ангелина Максимовна.

— Про козлов? — с недоумением повторил приятель.

Я начала выковыривать из салата креветки.

— Забудь! Ни малейшего отношения детские поделки из пластилина к кончине Полины и Веры не имеют.

— Соева скончалась вскоре после того, как отправила тебя в кабинет покойной директрисы, — резюмировал Андрей. — Мы имеем временной промежуток от начала первого до без пятнадцати два. Ты не ешь креветки?

— Не люблю морепродукты, — призналась я. — Один раз попробовала устрицу и едва удержалась, чтобы ее не выплюнуть, осьминог мне кажется похожим на резиновый сапог. Кальмары еще ничего, но их часто переваривают, они делаются жесткими. Мне нравятся мидии, но недавно я прочитала о них статью, узнала, чем они питаются, и брр... Не надо мидий! Креветки же очень противные, по вкусу напоминают ластик.

Платонов замер с вилкой в руке.

— Ракообразные тебе напоминают по вкусу ластик? Хочешь сказать, что ты пробовала канцелярские принадлежности?

— У моей соседки по парте Нюси Великановой отец был пилотом, летал за границу, — улыбнулась я. — Один раз он привез дочери розовый ластик, он пах лучше конфеты, и я не выдержала, дождалась, пока Нюся уйдет в коридор, и откусила от него половину. Было совсем невкусно, а Великанова устроила скандал, пообещала найти, кто съел папин подарок, и подбить класс объявить истребителю ее собственности бойкот. Я жуть как перепугалась, три дня не ходила на уроки, но меня не поймали.

Андрей разрезал помидор.

— Один слепок зубов, и преступление раскрыто.

Я вытащила из салата очередную креветку.

— Слава богу, Нюся до этого не додумалась.

Андрей нацелил вилку на морских гадов, отложенных мной на край тарелки.

— Зачем тогда ты заказала закуску?

Я вытащила еще одно ракообразное.

— Так в меню сказано, что она из овощей и брынзы. Может, вернемся к Соевой? Полагаю, Вера отправила меня на первый этаж, заварила чай, распаковала конфеты и решила насладиться напитком. Я не открывала чайник, но твой эксперт явно засунул в него нос. Что он там обнаружил?

— Чуток заварки на дне, — ответил Платонов.

— Вот! — подпрыгнула я. — Вера съела конфету, выпила чаю и умерла. А теперь вспомни, что находилось на столе у покойной Полины? Коробка пастилы, кружка, в ней на дне осталась заварка. Делаю поспешный вывод: либо они обе отравились чаем, либо сладким. Когда я разговаривала с Верой Борисовной, та выглядела на зависть здоровой, и Полина Владимировна в день кончины тоже больной не казалась. Я не подъезжаю к школе на машине, оставляю ее на парковке у супермаркета, далее иду пешком. А Хатунова, естественно, парковалась во дворе гимназии. Вчера, когда она приехала на работу, я как раз шла от ворот и видела, как Полина выскочила из джипа и, перепрыгивая через две ступеньки, ринулась в школу. При этом на ней были туфли на высоком каблуке. Поверь, незадолго до кончины она была здоровее многих.

Андрей потянулся к корзинке с хлебом.

— Хатунову отравили. Чем, непонятно, наш эксперт не сумела определить яд, все, ей известные, не подходят. Я обратился к одному профессору, он лучший спец по отравляющим веществам, иногда нам помогает. Надеюсь вскоре услышать от него ответ. И, похоже, Вере досталась порция того же самого вещества. У обеих жертв одинаковые пятна на языке и внутренней стороне щек, есть еще ряд схожих признаков. Но! Вопрос: как отрава попала в их организм?

— Учитывая поражения во рту, напрашивается ответ, что они ее выпили, — подсказала я.

— Или съели, — дополнил Андрей, — приняли орально, вероятно, с чаем. Но! В кружке Хатуновой, белой, совсем недорогой...

Андрей чихнул.

— Будь здоров! — пожелала я.

Он вытер нос бумажной салфеткой.

— В чашке Хатуновой не обнаружено ни малейших следов яда! Нигде! И в чайнике тоже! Пастила тоже оказалась неотравленной. Как Полина получила отраву?

— Допустим, кто-то из педагогов угостил директрису... ну... бутербродом, — предположила я, — пирожком, пирожным. Полина съела угощение в его кабинете, пошла вниз, заварила чай и умерла. Как быстро действует яд?

— Пока ничего об этом сказать не могу. Хатунова не завтракала с утра, сэндвичами-плюшками незадолго до смерти не баловалась. Эксперт обнаружил в желудке только немного пастилы и чай. Но! Вот самый интересный момент! Яд тоже найден в содержимом желудка.

Я потрясла головой.

— Погоди! Чашка и чайник вне подозрений! Пастила в коробке тоже!

— Ага, — набив рот макаронами, промычал Платонов.

— Яда в том, что было на столе, нет, — продолжала я. — Но он есть у жертвы в желудке?

— Верно поняла, — похвалил меня Андрей.

— И она ничего другого с утра не ела?

— Не-а! Только чай и пастилу! — подтвердил Платонов.

— Так откуда отрава? — рассердилась я.

Приятель развел руками.

— Нишьт ферштеен![1]

— Das verstehe ich nicht[2], — машинально поправила я.

— Оооо! — восхитился Платонов. — Ты стала настоящей училкой, поправляешь тех, кто делает ошибки. Начинаю смотреть на тебя другими глазами. Знаешь, какая самая распространенная сексуальная мужская фантазия после развратной медсестры? Секс со строгой преподшей!

Я ущипнула Платонова за руку.

— Даже не надейся! Перестань идиотничать! Леденец — это еда?

— Конечно, нет. А что? — не понял он.

Я озвучила свою версию.

— Прозрачная конфета быстро тает во рту, в желудке ее не обнаружить. Полине Владимировне могли дать монпансье, она его положила в рот, дошла до кабинета, а далее мы знаем. Еда переваривается не быстро, чай тоже, я не эксперт, но вроде она остается на час-полтора в желудке. А где сосательная конфета? Растаяла во рту! Без следа!

---

[1] Не понимать (*искаж. нем.*).

[2] Этого я не понимаю (*нем.*).

— О таком варианте я не подумал, — признался Андрей.

— Что-нибудь интересное узнал о Григории Пенкине или о самой Хатуновой? — спросила я. — Сообразил, где надо искать убийцу директрисы? Хотели отомстить ее мужу, у которого, думаю, не одна сотня врагов, или собирались навредить лично хозяйке гимназии? Может, ее возненавидели родители учеников?

Платонов тщательно навертел спагетти на вилку.

— За один день исчерпывающую информацию не добыть. Вчера мои люди дотошно опросили педагогов, все в один голос твердили: Полина Владимировна при любом конфликте вставала на сторону ученика и его семьи.

— Это правда, — подтвердила я, вспомнив личное дело Эдика Обозова и распоряжение, которое написала Хатунова.

Андрей тем временем продолжал:

— На всех собраниях Полина твердила: «Наша гимназия особенная, мы принимаем деток, которым трудно учиться в других школах, они не умственно отсталые, просто плохо усваивают материал. Ни в коем случае не ругайте учеников, не доставляйте детям отрицательных эмоций, ставьте четыре-пять, три как можно реже. Родителям говорите об успехах отпрысков и хвалите их больше, чем детей. Узнаю, что кто-то выразил отцу или матери недовольство, сразу уволю». Незадолго до моего внедрения в коллектив Полина Владимировна наказала психолога Авдотью Игоревну Громушкину за то, что она посмела позвонить домой мальчику... э...

— Обозову, — подсказала я, — Громушкина хотела пообщаться с отцом или матерью третьеклассника, считала, что у него дефицит внимания. Вроде у Эдика есть все, о чем мечтают дети из простых семей, к нему на день рождения из Америки прилетела любимая поп-группа, но на самом деле родителям до Эдика дела нет. Отец вечно на работе, мать пропадает на съемках или бегает по тусовкам, а сын тоскует по их ласке.

Платонов вытащил из вазочки салфетки.

— Современные дети странные. Я вот мечтал избавиться от излишней опеки матери, она не работала и всю себя посвятила сыновьям. Ничего ужаснее для мальчика, чем гиперзаботливая мамаша, нет. Вроде она тебя обожает, стоит только сказать: «Мамуля, помоги», — кидается грудью на амбразуру, но свободы никакой, у нее ребенок под колпаком. Я поэтому удрал в Москву из Питера, правда, деньги в студенческие годы у родителей брал и не стеснялся этого. Но свободы хотелось до слез. И тебя небось мама укутывала в вату, с девочками так всегда.

Я сделала вид, что увлечена выбором десерта. У меня никогда не было заботливых родителей. Иногда я слышу, как мои одногодки говорят: «Мама, у меня к тебе просьба» или «Мамуль, подкинь деньжат на машину». Я не завидую тем, кому повезло появиться на свет в благополучной семье, просто не понимаю, как это, иметь маму, готовую в любой момент прийти на помощь, развести над моей головой тучи, дать денег, подставить плечо, залезть к тигру в пасть, лишь бы дочери было хорошо. Нет у меня такого опыта, и иногда мне делается обидно, с раннего детства по сию пору всего всегда я добиваюсь сама. Хотя, с другой стороны, я многого достигла в жизни без чьей-либо поддержки. Надо гордиться этим, а не расстраиваться из-за того, чего не было и теперь уж никогда и не будет.

Глава 13

— С родителями учеников у Хатуновой проблем не было, — подвел итог Андрей, — с педагогами тоже. Текучки в коллективе нет. Многие сотрудники работают с момента основания школы, у них оклады, которые в разы выше тех, что имеют муниципальные коллеги. У Полины Владимировны была сложная система подсчета зарплаты для каждого. Одни получали меньше денег, другие больше, но значительной разницы в оплате труда не было. Учителя, беседуя с полицией, в один голос твердили:

— Полина была строгой, могла собак спустить, отчитать за поставленную ученику плохую отметку, требовала идеальных прически, маникюра, следила за соблюдением дресс-кода, приказывала всегда быть в хорошем настроении. Но в нашу личную жизнь она не вмешивалась, платила большие деньги, запрещала приходить в школу во время каникул, ее не интересовало, чем мы занимаемся после работы, выписывала к Новому году и Восьмому марта премии, на день рождения вручала ценный подарок, в последнее время кому айфон, кому айпад, кому телевизор. Сначала узнавала о желании именинника, а потом его исполняла. Ругалась Хатунова только в своем кабинете. Прилюдно в учительской никому разноса не устраивала. Ну где еще такую начальницу найти? Что теперь с нами станется? Вдруг Григорий Алексеевич продаст кому-нибудь гимназию или закроет ее? Куда нам тогда податься? Идти в обычную школу, где вместо наших десяти в классах сидят по тридцать учеников? Получать намного меньшие деньги? Лишиться соцпакета с медстраховкой? Да мы молились за здравие Хатуновой. Никто из педагогов и сотрудников не мог желать ей зла.

— И однако директрису отравили на рабочем месте! — воскликнула я.

— В гимназии очень строго следят за безопасностью, — продолжал Андрей, — посторонний человек в школу войти не может. Для тех, кто ожидает детей, есть специальное помещение перед центральным входом, и профессиональная охрана никого не впустит в храм знаний. Секьюрити опросили, они знают в лицо всех учеников и большинство нянь-водителей, которые приезжают за ними. И никто из встречающих в здание не рвется.

— Кроме главного входа, есть еще аварийный, он расположен в подвале, — напомнила я. — В учебное заведение также можно попасть через дверь на кухне. Она предназначена для поставщиков продуктов, бумажных полотенец, средств для уборки и прочих хозяйственных товаров.

— Подвал заперт, замок хитрый, снаружи нет скважины, изнутри задвинута здоровенная щеколда, — пояснил Платонов. — У двери сидит охранник. Кроме того, появление в школе незнакомого человека мгновенно будет замечено учителями и техсоставом. Можно предположить, что Хатунову и Соеву убил один и тот же человек, и это кто-то из своих. Сегодня старшеклассники уехали на футбольный матч. Так?

— Верно, — подтвердила я, — школьная команда вышла в финал городского чемпионата, это серьезный успех. В гимназии придают большое значение спорту, поэтому педсовет разрешил ученикам начиная с пятого класса отправиться на стадион. Для детей арендовали автобусы, колонна тронулась со двора в девять утра.

Андрей сделал глоток кофе.

— Ребят сопровождают взрослые?

— На мой взгляд, их даже слишком много, — усмехнулась я, — на стадион поехали учителя, врач, медсестра, охрана.

— Вот-вот, — закивал Платонов, — в гимназии остались дети с первого по четвертый классы. А из педагогов ты, математик Линькова Карелия Алексеевна, трудовик Жорина Ангелина Максимовна, биологичка Федотова Нина Максимовна, химик Шитова Мария Геннадьевна, библиотекарь Вера Борисовна и психолог Авдотья Игоревна. Еще охрана, повар, две тетки-посудомойки, рабочий, он же дворник и мастер на все руки.

— Ну да, — вздохнула я, — сегодня получился странный в плане занятий день. Классы сдвоили, «А» и «Б» занимались вместе. После первого урока всех детей собрали в актовом зале и провели математическую олимпиаду. На это ушло две сорокапятиминутки. Потом в том же помещении Мария Геннадьевна устроила демонстрацию химических опытов, показывала «чудеса». Мне предстояло развлекать всех последней, был запланирован конкурс чтецов. Малышей побоялись везти на стадион, там слишком много народа, дети расстроились, поэтому мы решили устроить им праздник с вручением призов и чаем с конфетами.

Платонов вынул бумажник.

— С точки зрения безопасности Хатунова тщательно подобрала сотрудников. Мы проверили всех, ни у кого нет судимостей, темных пятен в биографии. Учителя, повар, посудомойка, рабочий, охрана — все москвичи с безупречными биографиями, хорошей кредитной историей. Единственно, к кому можно придраться, это библиотекарша и учитель физики Кокозас Иванович Сергеев.

— Как его зовут? — переспросила я. — Кокос?

— Кокозас, — повторил Платонов, — впервые слышу это имя, наверное, оно национальное.

— Будучи Виолой Ленинидовной, я до сих пор считала, что нахожусь вне конкуренции на ниве странных имен, — хихикнула я.

— У тебя просто комплекс, — отмахнулся Андрей. — Твое отчество далеко не самое дурацкое. Лет десять назад у меня свидетелем по делу проходила Незабудка Тигровна. Ее дед назвал сына Тигром, мотивировал свое решение просто: есть имя Лев, почему не быть Тигру? А отец продолжил традицию, дочке объяснил: «Никого не удивляет Роза Львовна, а почему бы не быть Незабудке Тигровне?»

— Вот идиоты, — фыркнула я. — А что с этим Кожзамом?

— Кокозас Иванович по образованию учитель химии, — сказал Платонов, — преподавал в школе, но в девяностом году уволился, больше никаких сведений о его работе нет. Несколько лет назад Хатунова взяла его преподавать... физику. Учительница химии у нее уже была, Шитова Мария Геннадьевна работает с момента основания гимназии. Думаю, Кокозас много лет был частным репетитором без официального оформления. Он долгое время жил в коммуналках, а в тот год, когда пошел работать к Полине, купил неподалеку от школы однокомнатную квартиру. Но ничего дурного за ним не числится. В школах дефицит педагогов-мужчин, а физику он мог выучить. Я просто придираюсь.

— Ни разу его не видела, — удивилась я.

— Он вообще-то вне подозрений, — вздохнул Платонов, — лежит в больнице, аппендицит ему вырезали, случилось осложнение, больше месяца в клинике валялся, на днях его выписали.

Я налила в бокал минералки.

— А что настораживающего у Соевой?

— Она по образованию врач, после окончания института работала патологоанатомом в судебном морге, потом удачно вышла замуж, бросила службу, занялась исключительно семьей. Некоторое время назад супруг Соевой скончался. Вскоре после его смерти Вера осела в школе. Она не педагог.

— Ничего особенного, — пожала я плечами, — библиотекаршей в гимназии можно работать без диплома педвуза.

— У тебя телефон мигает, — сказал Андрей.

Я взяла трубку.

— Слушаю вас.

— Виола, твой поезд ушел, — визгливо произнес женский голос.

— Кто вы? — разозлилась я.

— Только не отсоединяйтесь, до вас невозможно дозвониться, — зачастила незнакомка, — а если вы отвечаете, то бросаете трубку! Это некрасиво! Я жена Великого с большой буквы. Мерзкий «Элефант» не желает его печатать! Прикажите Зарецкому...

— Простите, пожалуйста, — остановила я тетку, — как вас зовут?

— Альтаир Ногова-Архангельская, — представилась собеседница. — Просветленные обращаются ко мне просто Царица. С большой буквы.

Я напрягла память. Ногова-Архангельская? Фамилия редкая, но я ее уже слышала, так звали женщину, которая, несмотря на сопротивление секретарши, прорвалась недавно в кабинет Зарецкого.

— Ваше время истекло, — вещала тем временем Альтаир, — зодиакальные карты подсказывают: Арина Виолова, как писатель, закончилась, более вы ни одной книги не напишете, а в вашей личной жизни будут происходить ужасные события. Превратитесь в неуправляемую обжору, будете есть то, к чему ранее и прикоснуться не могли. Еще вижу кирпич, падающий на вашу машину, поэтому осторожнее...

Я сбросила вызов.

— Сказали что-то неприятное? — насторожился Платонов.

— Вокруг много сумасшедших, — вздохнула я. — Мой телефон откуда-то узнала Царица с большой буквы, жена Великого литератора Ногова-Архангельского. Звонит во второй раз. В первый, пару месяцев назад, прикинувшись тобой, назначила мне свидание в кафе, когда я пришла...[1]

Андрей вытаращил глаза.

— Ты не поняла, что беседуешь не со мной?

Я смутилась.

— Из трубки несся охрипший бас, «Платонов» сказал, что сорвал голос, у него срочное дело, требуется помощь. Я ринулась в ресторанчик, там официантка вручила мне конверт, в нем был листок бумаги с фразой: «Виола, твой поезд ушел». Официантка сообщила, что некий мужчина, внешность которого она не запомнила, дал ей тысячу рублей и попросил передать послание госпоже Таракановой, показал мою фотографию. Я поняла, что меня обманули, разозлилась, решила найти шутника и наказать его, но потом остыла и забыла про него. И вот теперь звонок от Царицы, кстати, ее имя Альтаир. Дамочка произнесла ту же фразу: «Виола, твой поезд ушел», а потом понесла чушь про то, что я более не напишу ни одной книги, и вообще мне следует быть осто-

---

[1] Вилка вспоминает ситуацию, описанную в книге Дарьи Донцовой «Ужас на крыльях ночи», издательство «Эксмо».

рожнее, потому что на мою машину кирпич упадет, меня ждут впереди сплошные неприятности, я буду пожирать в большом количестве еду, которую ранее не трогала.

— Ее номер определился? — деловито спросил Платонов. — Дай-ка свой телефон.

— Она просто сумасшедшая, — попыталась я остановить приятеля, — таких много. Раньше мне звонили странные люди, говорили гадости, всплеск таких вызовов приходится на октябрь и март. У шизофреников и иже с ними обострение наступает осенью и весной. Я пару раз меняла номер, а потом сообразила, что надо оформить договор с оператором не на себя, и психи перестали названивать.

Андрей схватил мою трубку.

— Царица предприимчива, она, несмотря на все твои ухищрения, установила твой сотовый и угрожает тебе. Так, секундочку. Алло, Валера, запиши номерок, пробей по базе и скажи, кому он принадлежит. Нет, сию секунду. Да! Горит! Жду.

— Зря нервничаешь, — попыталась я утихомирить приятеля, — никто в мою машину камни швырять не станет, лучше скажи, ты открыл папку, за которой меня отправила Вера Борисовна?

— Да, — сказал Платонов, — это оказалось совсем не трудно, ножницы по металлу прекрасно справились с задачей. Если материал, из которого изготовлена обложка, фиговый, зачем оснащать папку кодовым замком?

— Не у всякого человека есть под рукой ножницы по металлу, — ответила я. — Их еще поискать надо. У меня дома, например, их нет, только для бумаги. Что там было?

Платонов взял свой мобильный.

— Фото, вот смотри.

Я уставилась на экран. На первом снимке была запечатлена компания людей, всем на вид не более тридцати лет. Группа находилась в странном помещении с низким сводчатым потолком. Три девушки сидели на старом обшарпанном диване, один парень стоял слева от подлокотника, двое расположились на полу, последний находился за письменным столом, на котором лежала стопка газет и какие-то книги, на стене висел лозунг «Свобода или смерть».

— Привет от Льва Тихомирова, — пробормотала я.

— Знаешь кого-то из них? — удивился Андрей.

Я пустилась в объяснения.

— Нет. Лев Тихомиров организовал в тысяча восемьсот семьдесят девятом году после распада организации «Земля и воля» террористическую группу, которую назвал «Свобода или смерть». Она просуществовала недолго, потом часть ее членов присоединилась к организации «Народная воля», которая не один раз совершала теракты. Народовольцем был брат Ленина Александр Ульянов, он покушался на жизнь императора Александра Третьего. Есть легенда, что Владимир Ульянов-Ленин, узнав об аресте брата, произнес: «Мы пойдем другим путем». К чему привел этот путь, ты прекрасно знаешь.

— Лев Тихомиров, — пробормотал Платонов, — так-так. Дальше смотри, может, еще чего интересное расскажешь. Ничего про эту «Народную волю» я не слышал.

Я укоризненно взглянула на Андрея.

— Неужели проспал все школьные уроки истории?

— На другие фотки смотри, — надулся приятель.

Я вновь сконцентрировалась на экране телефона.

Следующий снимок оказался копией первого, затем появилось изображение обычной комнаты, в центре которой за столом с бокалами в руках сидела та же компания. Похоже, празднуют чей-то день рождения, посреди дастархана стоит торт со свечами. На следующих снимках, их оказалось два, был запечатлен один из мужчин, темноволосый, худой, с мрачным взглядом, возле него сидели девушки, блондинка и брюнетка, одна с короткой стрижкой, в очках, другая — с длинными кудрявыми волосами и с челкой, закрывающей лоб и брови.

Я перелистнула экран и увидела белый прямоугольный лист с надписью «Свобода или смерть».

— Оборотные стороны всех снимков такие, — пояснил Андрей. — Еще в папке была гора фантиков от жвачки «Love is». Помнишь ее?

Я отдала Платонову телефон.

— Нет, не увлекаюсь жевательной резинкой.

— Очень популярная в девяносте годы штука, — оживился Андрей. — На каждой бумажке было высказывание. Например, «Любовь это солнце для души», ну и так далее.

— Романтично, — усмехнулась я. — Интересно, зачем все это понадобилось Вере Борисовне и почему Полина Владимировна хранила папку? Да еще держала ее в письменном столе на работе?

Платонов положил айфон в карман.

— Не хотела, чтобы муж случайно наткнулся на нее, снимки были тайной, и очень важной.

— Обертки от жвачки тоже ценность? — развеселилась я. — Дорогую сердцу ерунду можно положить в банковскую ячейку. Похоже, Вера и Полина состояли в близких отношениях, но почему-то их скрывали. Чтобы устроить Соеву на работу, директриса попросила уволиться Люсю Мусину, подарила ей за это дорогую шубу. Но за время, когда я изображала училку, Хатунова ни разу не дала понять, что они с Верой подруги. Педагоги до сих пор недоумевают, по какой причине старательную, любящую детей Мусину заменили на равнодушную к ребятам Соеву, которая просто отсиживает часы в читальном зале.

— Может, они вовсе не приятельствовали, вдруг директриса шантажировала Веру Борисовну фотографиями? — сделал предположение Платонов.

— Пугала ее разоблачением: Соева в девяностых покупала слишком много жвачек, — рассмеялась я. — А Полина Владимировна, жена богатого человека, желала получить от Соевой побольше денег, поэтому пристроила ее на работу, а компромат спрятала в стол и предупредила Веру, где хранится собранный материал! Скорее уж наоборот, Вера занималась вымогательством.

— Любишь ты довести дело до абсурда, — поморщился Андрей. — И зря потешаешься над обертками. Они, похоже, представляли для кого-то ценность, их разгладили, аккуратно сложили в конверт. Что ты собираешься делать?

Я закатила глаза.

— То, чего совершенно не хочется. Покачу в клинику «Пятое дыхание». Если не появлюсь там сегодня, Иван Николаевич мне мозг разрушит. Утром приду в школу и продолжу беседы с педагогами. Вероятно, кто-то из них убийца, может, он занервничает, совершит ошибку, и я его поймаю? Хочу еще сбегать к Люсе Мусиной, она живет в двух шагах от гимназии, интересно услышать ее версию относительно увольнения. Ты беседовал с Пенкиным?

Андрей встал.

— Пока нет, он в шоке, отказывается от разговора. Его адвокат талдычит: «Дайте человеку спокойно любимую жену похоронить. Не надо настаивать на общении, даже если вы поймаете убийцу, Полину не вернуть».

Глава 14

Увидев меня у стойки рецепшен, администратор клиники взвизгнула и заорала:

— Пришла!

Я попятилась, оглянулась по сторонам, убедилась, что приемная пуста, и спокойно сказала:

— Меня зовут Виола Тараканова.

Тетка замерла с раскрытым ртом, затем снова завопила:

— Отбой! Это не писательница. Не Арина!

Мне стало смешно.

— Виолова мой творческий псевдоним, под этим именем я выпускаю книги, в жизни я Виола Тараканова.

— Детективщица? — уточнила администратор.

Я кивнула.

— Она тут! — взвыла сиреной тетка.

Из коридора послышались шаги, затем раздался мурлыкающий голос:

— Татьяна Сергеевна, человечество давно придумало телефоны, зачем горло драть?

— Вы велели крикнуть, когда ВИП-пациентка войдет, — заголосила Татьяна.

Я ощутила аромат дорогого мужского парфюма и увидела мужчину лет пятидесяти в белом халате, со стетоскопом на шее. Он, широко улыбаясь, шел ко мне.

— Виола Ленинидовна, рад лицезреть вас лично, а то все по телевизору на вас любуюсь.

— И откуда у вас время телик смотреть? — всплеснула руками администратор. — Целыми днями тут сидите, а в кабинете зомбоящика нет!

Краснов сделал мне приглашающий жест рукой.

— Прошу, идти недалеко.

— Борис Анатольевич, куда вы пойдете? — спросила Татьяна Сергеевна.

Брови Краснова встали домиком.

— Во вторую процедурную, где у нас аппарат резонансной аппликатурной диагностики.

— В кабинет гинеколога не ходите, — предупредила Татьяна.

Краснов склонил голову набок.

— Вообще-то я и не собирался, но теперь непременно посмотрю, что там такого, о чем главврачу знать не следует.

Администратор заломила руки.

— Ой, ой, ой, понимаете... Константин рожает...

Борис Анатольевич уставился на Татьяну, а я вместо того, чтобы стоять молча, влезла в их разговор.

— Мужчины не способны рожать сами.

— Это женщина, — затараторила Татьяна, — совсем молодая, ушла гулять, вернулась беременной. Раньше ее звали Константин, считали, что она мужчина, а теперь, когда выяснилось, что он не он, а она...

На этой фразе Краснов опомнился и сурово произнес:

— Татьяна Сергеевна! Гинеколог уехал домой, у него вечером пациентов нет. Немедленно объясните, кто рожает в кабинете и почему я не в курсе?

Администратор покраснела.

— Я нашла кота! На улице. Он был мужчина! По всем признакам! Понимаете?

— Ну? — нахмурился Борис. — И?

— Взяла его домой, назвала Константином, — зачастила тетка, — в честь Константина Великого, византийского императора, сына Льва Третьего. Котик на него один в один походил, тот же взгляд и характер, тоже рыбу не любит! Кот на улицу гулять ходил, но ел и спал дома. А сегодня ночью он заболел! Я его жалела, гладила и вдруг поняла! Он рожает! Константин — кошка! Хоть по всем признакам мужчина, и вид как у императора. Оставить его, то есть ее, имени пока я кисуле не придумала, дома нельзя. Принесла на работу. У гинеколога сегодня приема нет, а где лучше всего разместить роженицу, как не в его кабинете? Уже пять котят родилось, скоро шестой появится. Вот! Вы же не сердитесь?

Краснов ничего не сказал, нежно улыбаясь, он повел меня в глубь коридора, но когда мы подошли к кабинету, он тихо произнес:

— Простите, Виола Ленинидовна. Татьяна вдова моего безвременно ушедшего друга. К сожалению, она даже в молодости не отличалась большим умом и не получила хорошего образования. Федор был для меня как брат, поэтому я взял Таню на работу. Обычно на рецепшен сидят три сотрудника, но сегодня две служащие простудились, и вам пришлось общаться с Татьяной, она чаще занимается технической работой: справки печатает, до кабинета пациента провожает. Уж не серчайте на нас.

— Ну что вы, — заулыбалась я, — мне даже интересно стало, захотелось посмотреть на Константина, который рожает.

— Иван Николаевич рассказывал, какой вы умный, интеллигентный, добрый человек, и теперь я сам в этом убедился, — польстил мне Краснов. — Входите, пожалуйста, это наш кабинет диагностики.

— Совсем не похож на больничную палату, — отметила я, — скорей на номер в дорогой гостинице.

— Я создаю максимально комфортные условия для пациентов. Устраивайтесь, как дома, вот одноразовая пижамка, халатик, переодевайтесь, ложитесь на кроватку, — засуетился врач. — Какую музыку предпочитаете?

— Спокойную, — ответила я.

— Чай вам заварить черный, зеленый, фруктовый? — продолжал Краснов. — Советую наш фирменный из имбиря, апельсина, лимона и меда. После пережитого вами нервного напряжения очень хорошо подействует.

— Никогда не пила такой, с удовольствием попробую, — согласилась я.

— Прекрасно, отдохните минут десять, а я пока диагностический комплекс подготовлю, — потер руки Борис и ушел.

Едва я успела переодеться и сесть на кровать, как в кабинет вкатили столик на колесах, на котором были стеклянный чайник, блюдо с кексами, тосты, сливочное масло, варенье, сыр...

— Мне столько никогда не съесть, — сказала я симпатичной медсестре, когда та наливала мне в чашку с изображением собачек чай.

— А вы попробуйте всего по чуть-чуть, — предложила девушка. — Поверьте, это очень вкусно. Масло не магазинное, домашнее, хлеб и кексы наш кондитер печет, вам понравится.

— Кружечка симпатичная, — улыбнулась я, — и тарелочка ей под стать. Не ожидала увидеть в клинике такую посуду, обычно в медучреждениях все белое с логотипом заведения.

Медсестра рассмеялась.

— Татьяна Сергеевна начудила. Ей велели купить сервиз, она поехала в магазин и привезла кружки с принтами кошек-собак. Сестра-хозяйка рассердилась, но отругать Таню нельзя, она близкая знакомая Краснова, поэтому Елена Павловна просто сказала: «Почему вы не купили то, что было велено? Зачем приобрели сервиз, более подходящий для детского сада, чем для солидной клиники?» И Таня выдала: «Белая посуда скучная, неинтересная, а на этой прикольные рисунки, у людей настроение сразу поднимется, когда они на кисонек-щеночков посмотрят». Но не все же животных, как Татьяна Сергеевна, обожают, она вечно бездомных подбирает, лечит их, потом раздает в хорошие руки, состоит в каком-то обществе защиты четвероногих, вечно деньги собирает. Один раз у нас в клинике повесила плакат с банковскими реквизитами и лозунгом «Щедрое сердце», решила у пациентов деньги просить. Но тут даже Борис Анатольевич рассердился, а он Тане все закидоны прощает. Володина даже однажды шарфик украла. Представляете?

Я, успев выпить под аккомпанемент болтовни медсестры очень вкусный чай и слопать свежайший кекс, ощутила прилив сонливости и с большим трудом пролепетала:

— Нет.

— Как-то раз приходит Татьяна Сергеевна на работу, — принялась объяснять девушка, наполняя мою чашку новой порцией имбирного напитка, — а у нее на шее шарфик. На мой взгляд, жуть! Темно-синий, с ярко-красным принтом в виде кошек. Пальто сняла, а шарф нет, прямо в нем на рабочее место села и давай всем вещать, как она в выходной ходила в магазин, решила на скамейке отдохнуть и увидела эту красотищу. Кто-то ее потерял. И вместо того, чтобы отдать шарф охране или отнести на рецепшен, Таня его себе забрала. Ну ладно, сперла ты чужое, так молчи, а Володина каждому входившему в уши свистела: «Ох, как мне вчера повезло! Нашла прекрасную вещь!» Елена Павловна ее остановить попыталась: «Татьяна Сергеевна, вам лучше закрыть тему и перестать информировать пациентов, чем вы занимаетесь на досуге». Таня удивилась: «Разве я что-то плохое совершила? Шарф выбросили, он ненужным оказался, а я о таком мечтала».

Мои глаза закрылись, по телу разлилось тепло. В голове медленно ворочались мысли. Администратор утащила чужой шарф, а еще она купила сервиз с изображением собачек. Похоже, дама родная сестра Веры Борисовны, та, по словам Федотовой, тоже могла утащить вещь с принтом щенков-котят. Или мне это о Соевой сообщила Ангелина Максимовна? Не помню точно. А вот Полине Владимировне было все равно, из какой посуды пить чай... пастила на столе директора... конфеты Соевой... чай... чай... имбирный напиток меня согрел... шарф с кошками украла администратор... стащить его не грех...

Голос медсестры стал затихать, теперь я слышала лишь часть произносимых ею слов.

— Виола... осторожно... одеяльце... отдыхайте... Борис Анатольевич... она заснула...

На секунду окружающий мир исчез, потом слух вернулся, глаза открылись, я поняла, что лежу в кровати. Рядом высилась штанга, на ней висел прозрачный пакет, к нему была прикреплена бирка с надписью «Донор Галаванов Игорь Барбитурович». Мне стало смешно, интересно, какое на самом деле отчество у мужчины? Привет ему от Виолы Леопардовны, фамилия человека, сдавшего кровь, скорей всего ГОлОванов. Сдавшего кровь? Я подскочила, и тут в палату вошел Краснов.

— Виола Ленинидовна, вы прямо расцвели!

— Делаете мне переливание крови? — с удивлением спросила я. — Зачем?

— Процедура уже завершена, — пропел Борис, отсоединяя капельницу. — Как самочувствие?

— Прекрасное, но я не давала согласия на это, — возмутилась я.

— Усталость есть? — осведомился врач.

— Нет, я готова горы свернуть, — призналась я.

— Вы приехали к нам никакая, бледная до синевы, а через два часа полны энергией, — расплылся в улыбке доктор. — Моя методика действует.

Я хотела высказать Краснову все, что думаю о нем, но вдруг сообразила: манипуляция уже проведена, кровь Игоря Барбитуровича Галаванова из моего тела уже не удалить, поздно скандалить. Я сама виновата, напилась имбирного чая, наелась кексов и заснула, не выяснив, что со мной собираются делать в «Пятом дыхании».

— У вас румянец на щеках появился, глаза заблестели, — ликовал врач. — Завтра жду на второй сеанс. Через месяц вы у меня превратитесь в газель!

Я молча слезла с кровати. Не хочу походить ни на антилоп, ни на автомобиль, выпускаемый заводом ГАЗ. Ноги моей больше в клинике Краснова не будет.

Переодевшись, я подошла к рецепшен и спросила у Бориса, стоявшего у стойки:

— Сколько я должна за процедуру?

— Иван Николаевич уже оплатил курс, — залебезил Краснов. — Значит, завтра? Вечером?

— Непременно, — соврала я и пошла к гардеробу.

— Сейчас курточку вам подам, — засуетилась Татьяна Сергеевна, направляясь следом. — Вот сюда. Всегда рады вас видеть. А это от меня, дружеский презент. Значок организации «Щедрое сердце», разрешите, прикреплю на пиджачок.

Я не успела возразить. Татьяна с ловкостью мартышки прицепила к лацкану моего жакета пластмассовый кругляш и восхитилась:

— Смотрится чудесно. Не снимайте. Завтра на собрании выдвину предложение сделать вас членом административного совета и...

У меня лопнуло терпение, я быстро натянула куртку, вылетела на улицу и побежала к неприметной малолитражке, временно ставшей моим конем.

Глава 15

Приехав домой, я встала под душ, потом, решив поужинать, заглянула в холодильник и обвела взглядом припасы. Обычно по вечерам я ем хлебцы с сыром или овощной салат, но сегодня почему-то захотелось... креветок. Удивленная этим желанием, я хотела порезать помидоры с огурцами, но поняла, что даже смотреть на них не могу, схватила сливочное масло, белый хлеб, сделала бутерброд, заварила чай, принесла ужин в спальню, легла на кровать, пощелкала пультом и поняла, что мой любимый канал «Детектив плюс» отключен. Вне себя от негодования, я порылась в ящике стола, нашла телефон фирмы, в которой купила телепакет, и с пятой попытки услышала мужской голос:

— Михаил, слушаю.

— Безобразие, — с места в карьер начала я, — «Детектив плюс» не работает.

— Телевизор подключен к электросети? — спокойно спросил служащий.

— Вы меня за дуру считаете? — рассвирепела я.

— Назовите фамилию, имя, отчество, — потребовал администратор.

— Тараканова Виола Ленинидовна.

— Секундос, проверю. Ага! За вами задолженность, до ее погашения вас отрубили.

— Что? — закричала я. — Всегда в конце декабря я вношу плату за будущий год. Сразу. Целиком. А вы мне присылаете подтверждение получения денег не на емайл, а обычное, в конверте.

— Виола Лазаретовна, не переживайте, если случился косяк, мы мигом его исправим, — пообещал парень. — Наше письмишко найти можете?

— Оно передо мной!

— Отлично, назовите номер, указанный в верхнем правом углу.

— Сто сорок восемь двести девяносто один, потом буква «а», красная.

— Ага, интересно, секундос, вот ваша учетная запись. Виола Лабудановна, получая от нас извещение, всегда обращайте внимание на цвет буквы при номере. Если зеленый, все о'кей. Красный свидетельствует о долге.

— Откуда ему взяться? — удивилась я.

— Для получения ответа вам надлежит завтра явиться в наш центральный офис в любое время, с восьми до одиннадцати утра, — пояснил Михаил, — комната номер семь, отдел оплат. Сотрудники с удовольствием объяснят вам все.

Но я никак не могла успокоиться.

— И сколько я должна вашей фирме?

— Виола Лазаретовна, финансовые дела являются тайной клиента, я не владею такой информацией. В следующий раз внимательно читайте извещение от фирмы, — посоветовал Михаил.

— В нем нет ни словечка о задолженности! — заорала я. — Только «Спасибо, что остаетесь с нами, ваша годовая оплата принята», затем четыре страницы текста с перечислением ваших услуг, наименований каналов...

В голосе парня зазвучали нотки осуждения.

— И вы их не просматривали?

— Зачем? — не поняла я. — Не нуждаюсь в разъяснениях, не первый год обращаюсь к вам.

— Сейчас вы продемонстрировали наиболее распространенную клиентскую ошибку, — укорил меня Михаил. — Загляните в самый конец извещения. Там есть абзац, напечатанный мелким шрифтом.

— Да уж, — пробормотала я, — буквы, как следы от лап блохи.

— Тщательно изучите содержание, — посоветовал собеседник, — можете сделать это вслух, я объясню непонятное.

Я прищурилась, поднесла листок к носу и начала декламировать:

— «Уважаемые клиенты, сообщаем о вынужденной мере: повышении с сентября месяца цены на услуги. До первого декабря вам необходимо погасить разницу, иначе фирма наложит штраф и отключит вещание». Полнейшее безобразие! Оповещение следовало поместить на первой странице и набрать шрифтом «кинг сайз»! И сколько я вам должна?

— Виола Лазаретовна, «Обзор ТВ» тщательно соблюдает финансовую тайну, — терпеливо повторил Михаил, — завтра с восьми до одиннадцати получите в главном офисе исчерпывающую информацию, решите вопрос и вновь обретете возможность смотреть свой любимый «Детектив плюс».

— До которого часа работает отдел оплат? — спросила я.

— С восьми до одиннадцати дня.

— Всего три часа?

— Таков график.

— Но я утром на работе!

— Виола Лазаретовна...

— Прекратите меня так называть, — взорвалась я, — по-вашему, моего отца зовут Лазарет?

— Ну... э... простите, — забубнил Михаил, — Виола... э... Лени... Ленинабадовна... расписание составлено не мной. Оплатить задолженность можно лишь в указанные часы. У меня определился номер вашего мобильного, сейчас отправлю вам эсэмэс с адресом офиса. Если долг не погасите, вещание не включат. Желаю вам хорошего вечера. С глубоким уважением, фирма «Обзор ТВ».

Я сцепила зубы и положила трубку на стол. Михаил ни в чем не виноват, он простой клерк, находящийся на минус первом этаже служебной лестницы, глупо и неприлично нападать на него. И что мне делать? Подписать договор с другой фирмой, офис которой работает с утра до ночи? Но я смотрю только «Детектив плюс», а его представляет исключительно «Обзор ТВ». Ну не идиотизм ли, держать круглосуточную справочную, а отделу оплат сделать тупое расписание? Правда, деньги за услуги можно перевести онлайн, и я бы сейчас это проделала, если бы знала, какую сумму задолжала. Зачем делать из долга тайну? Это же не результат медицинских анализов!

Я посмотрела на часы, поколебалась некоторое время, потом набрала номер Карелии Алексеевны.

— Слушаю, — недовольно произнесла Линькова.

— Извините за поздний звонок, — смущенно забормотала я, — это Виола, у меня завтра нет первых двух уроков, разрешите прийти не к восьми утра, а слегка задержаться.

Тон завуча моментально изменился.

— Конечно, нет проблем. Всегда обращайтесь с любыми вопросами, рада вас слышать. Не успела вам сегодня сказать: непременно на каждом уроке напоминайте детям о необходимости пользоваться мылом. В столице началась эпидемия гриппа, а микробы попадают в наш организм с грязными лапами. Хорошо?

Мне на секунду привиделась шеренга чего-то круглого, странного, с большими испачканными конечностями. Я быстро прогнала видение.

— Обязательно объясню ребятам, что руки надо тщательно мыть как можно чаще.

— С вами приятно иметь дело, — похвалила меня Карелия. — В гимназии грядут изменения. Я намерена организовать онлайн-конференции с родителями. Хотя сомневаюсь, что все умеют пользоваться компьютером. Но ведь пользоваться могут и те, кто не может этого делать совсем! Вы меня поняли? Спокойной ночи, не волнуйтесь, утрясайте завтра свои дела, нет необходимости приезжать к восьми, если необходимо не приезжать из-за необходимости на проведения занятий.

Линькова отсоединилась, я потрясла головой. Интересно, я одна не способна понять, о чем говорит Карелия? Или педагоги и дети тоже впадают в ступор от речей дамы?

Так и не найдя ответа на вопрос, я легла спать, не забыв предварительно завести будильник на шесть. Надо приехать пораньше, небось в полвосьмого у дверей офиса толпится длиннющая очередь.

Глава 16

К моему удивлению, в дверь «Обзор ТВ» никто не рвался, я оказалась единственным человеком, который в восемь ноль две переступил порог отдела оплат.

— Добрый день, — приветствовала меня девушка на рецепшен. — Чем могу помочь?

— Хочу разобраться со штрафом, — объяснила я.

— Назовитесь, пожалуйста, — еще шире расплывалась в улыбке служащая и, услышав мою фамилию, порылась в компьютере. — Вам надо подойти к Ирине, кабинет восемь, от нас налево.

Я прошла по коридору с множеством закрытых дверей, нашла створку с нужным номером, втиснулась в крошечное пространство и увидела женщину лет пятидесяти.

— Садитесь, — неприветливо сказала она, — изложите суть претензии.

— Хочу оплатить штраф, — потупилась я. — Пожалуйста, выпишите квитанцию, мне надо успеть все сделать до работы.

Ирина вынула из ящика лист бумаги и показала на табличку, прикрепленную к стене.

— Составьте заявление по форме.

— Ладно, — согласилась я и стала изучать образец.

«Я, ФИО, проживающая... паспорт, номер, серия, состоящая (не состоящая) в законном браке, имеющая (не имеющая) на содержании малолетних детей, престарелых родителей, инвалидов, участников ВОВ и вооруженных конфликтов, награжденных орденами и медалями как СССР, так и Российской Федерации, узников концлагерей (перечислить поименно), являющаяся (не являющаяся) инвалидом, участником ВОВ, вооруженных конфликтов, награжденных орденами и медалями как СССР, так и Российской Федерации (указать точно все данные), дата, год, место рождения...»

Я оторвалась от образца.

— У меня ощущение, что я нанимаюсь в ФСБ на должность начальника отдела внешней разведки. Зачем столько сведений для оплаты штрафа?

— Фирма «Обзор ТВ» тщательно соблюдает права своих клиентов, — торжественно заявила Ирина. — Нам лишних денег не надо. Если вам положены льготы, их следует учесть, сумма штрафа значительно уменьшится.

— Понятно, — кивнула я и начала заполнять анкету.

— Отлично! — воскликнула Ирина, получив документ. — Теперь ступайте в пятый кабинет, там Роман заверит вашу подпись, хорошо, что вы прихватили паспорт, а то некоторых приходится домой за ним отправлять. Вам нужно повернуть в коридоре направо и дойти до двери с цифрой пять на табличке. Знаете, как выглядит цифра?

Я опешила. Ирина пошутила или она надо мной издевается?

— Не расстраивайтесь, сможете найти офис, — приободрила меня она и протянула листок, на котором черным фломастером успела жирно вывести «5». — Держите подсказку перед глазами, и все будет о'кей.

Я молча взяла лист, нашла кабинет и встретилась с невероятно веселым молодым человеком в белой рубашке, который пришел в восторг, узнав, что требуются его услуги.

— Прекрасно, что пришли! Сочувствую! Штраф неприятен. Где у нас анкетка? Ооо! У вас прекрасный почерк! И ни одной ошибки! Хотя вот здесь. Отчество. Вместо «Леонидовна» у вас «Ленинидовна». Ха-ха-ха, очень смешная описка! Получается, что вашего отца звали Ленинид. Давайте живенько перепишем, вот ручка, новый бланк. Не волнуйтесь, у вас все получится. Уверен, что вы справитесь!

Я молча положила перед клерком свой паспорт. Роман посмотрел его и схватился за голову.

— Я идиот! Полный! Простите! Допустил бестактность! Ужасно! Отвратительно! Я полон стыда! Извините!

Я попыталась остановить его словоизвержение.

— Пустяки, отчество у меня сложное...

— Нет, нет, — продолжил рвать на себе волосы Роман, — не сердитесь! Моя бестактность недопустима!

Я подождала некоторое время, поняла, что передо мной родной брат Червякова, героя рассказа Антона Павловича Чехова «Смерть чиновника», и, надеясь, что Роман не скончается от ужаса, как несчастный Иван Дмитрич, чихнувший во время посещения театра на голову генералу, сказала:

— У меня мало времени, хочу успеть на работу.

— Понимаю, — засуетился парень и стал вытаскивать из шкафа амбарные книги. — Сначала вот тут распишитесь. Отлично. Теперь в другом гроссбухе. Супер, на очереди у нас третий том.

Я скрипнула зубами, но желание наслаждаться вечером любимым сериалом на канале «Детектив плюс» перевесило готовность убежать из офиса.

Наконец муторная процедура завершилась. Роман встал.

— Ощущая свою глубокую виноватость, я сам сопровожу вас к Анне.

Я сделала попытку отделаться от парня.

— Большое спасибо, не стоит беспокоиться, просто назовите номер комнаты.

— Пять бе, вы точно не обиделись? — спросил клерк, протягивая мне листок, где было написано «5б». — Это вам подсказка, держите ее перед глазами. Вы не сердитесь?

— Конечно, нет, — улыбнулась я и, взяв бумажку, вышла в коридор.

Похоже, в «Обзор ТВ» считают клиентов идиотами, не способными выучить цифры от единицы до десяти. Наверно, мне надо зайти в соседний кабинет, безумный Роман сидит в комнате с номером пять. Но на следующей двери красовалась табличка «шесть», я толкнула створку.

— Простите, а где пять бе?

— В восточном коридоре, — сухо ответил лысый мужик.

— И как в него попасть? — продолжала я.

— На стене есть план помещения, — весьма нелюбезно буркнул сотрудник.

Я прошла вперед и увидела стенд с плакатом, на котором было написано: «Отдел регистрации заверенных квитанций на оплату штрафа переехал из «5б» в «4а», западная галерея левого крыла восточной зоны северного сектора».

Я потерла висок, сфотографировала дадзыбао и растерялась. Как найти нужный офис? Возвращаться к Роману и просить его о помощи категорически не хотелось. И тут, о счастье, перед глазами возникла девушка с кипой папок в руках, я бросилась к ней.

— Северный сектор расположен напротив южного, — сказала она, — ступайте налево, направо, прямо, влево, вниз по лестнице, направо, вверх по ступенькам, дважды направо, налево, направо, налево. Это близко.

— Ага, — пробормотала я, — до лестницы, наверное, я доберусь без проблем.

Девушка рассмеялась.

— Давайте я вас провожу.

В кабинете «четыре а» нужного сотрудника не оказалось, пришлось идти в офис «семь д», а из него в «шесть к». И только там хмурый молчаливый парень поставил на квитанцию штамп «зарегистрировано».

— Дальше куда? — прошептала я.

— В кассу, — коротко заявил клерк.

— Простите, мне до сих пор не назвали сумму штрафа, — напомнила я.

— В кассу, — повторил хозяин кабинета, — там объяснят.

Я втянула голову в плечи.

— И где она находится?

— Дверь напротив.

— Не может быть, — вырвалось у меня.

Мужик демонстративно уткнулся в бумаги, я переместилась в комнату, где сидела полная обвешанная золотыми украшениями дама. Она была приторно любезной.

— Прошу вас, садитесь, предъявите заверенную и зарегистрированную квитанцию.

Я протянула квиток.

— Отлично, — похвалила толстуха, — минуту, вот ваш конверт. Обратите внимание, он запечатан, сумма взимаемого штрафа является тайной клиента, она не подлежит разглашению. Распишитесь в ведомости вот тут, потом в квитке полученного конверта, теперь в ведомости «а».

— Это зачем? — пискнула я, ощущая головокружение.

— Подтверждение получения от меня невскрытой упаковки с суммой взимаемого штрафа, — тоном учительницы труда, объясняющей детям, как надо лепить очередного козла, сообщила хозяйка комнаты. — Открыть конверт следует исключительно перед окном кассира, вам налево.

Я, испытывая самые радужные чувства, молча переместилась в офис, где за стеклянной стеной сидела девушка. Ура! Близок конец кошмара. Теперь я непременно буду читать во всех документах текст, напечатанный мелким шрифтом. Второго марафона по закоулкам центрального офиса «Обзор ТВ» я просто не выдержу.

— Вскрывайте конверт в моем присутствии, — потребовала служащая, — удостоверьтесь в его невскрытости и лишь потом вскрывайте невскрытое. Если возникнет хоть малейшее сомнение во вскрытости кем-то вашего невскрытого конверта, немедленно сообщите о вскрытии невскрываемого пакета мне.

Я быстро оторвала клапан, вытащила бумажку и прочитала: «В.Л.Тараканова, сумма штрафа, наложенного за несвоевременную оплату пакета «Детектив плюс» и сто каналов» составляет шесть рублей сорок восемь копеек».

— Наверное, это опечатка, — пробормотала я, — хотели написать «шестьсот», а нули не пробили.

— В фирме «Обзор ТВ» не бывает косяков, — гордо заявила кассирша, — заверяю вас, информация правильная.

— Шесть рублей? Я потратила кучу времени, исписала гору бумаг, и всего шесть рублей? — подпрыгнула я.

— Не пойму, что вам не нравится, — удивилась кассирша. — Ну народ! Вечно всем недоволен! Одним дорого, другим дешево. Производите оплату?

— Конечно, — процедила я сквозь зубы.

— Суммы до десяти рублей принимаются наличными без сдачи. Впишите собственноручно в квитанцию цифру штрафа, — приказала кассирша.

— А если у меня нет сорока восьми копеек? — спросила я.

— Сумма без сдачи, — уперлась девушка, — таковы правила.

Я открыла кошелек, нашла там две монеты, ничтоже сумняшесе нацарапала в квитанции «семь ноль-ноль» и сунула ее в окошко, придавив деньгами.

— Благодарим за оплату, вещание включится через пятьдесят две минуты, — торжественно объявила девица.

Я выпала в коридор и, ощущая себя верблюдом, который неделю шел без еды и воды по пустыне, поплелась искать выход из лабиринтов главного офиса «Обзор ТВ».

* * *

Первый, с кем я столкнулась в учительской, оказался приятный мужчина лет сорока пяти.

— Вы, наверное, Виола Ленинидовна, — сказал он, встав при моем появлении. — Мне о вас Нина Максимовна рассказывала. Я Кокозас Иванович Сергеев, преподаю в гимназии физику и астрономию.

Дверь учительской хлопнула, появилась Ангелина Максимовна в шубке из искусственного меха отчаянно розового цвета.

— Кокозас! — обрадовалась она. — Слава богу, ты выздоровел. Вчера я пыталась в кабинете веревку от бобины отрезать и тебя вспомнила: «Ну когда же к нам Сергеев со своим волшебным Фридрихом вернется!»

Наверное, на моем лице отразилось удивление, потому что физик вынул из кармана складной нож и показал мне.

— Швейцарское производство, фирма «Фридрих», много лезвий, отвертка, ножницы. Всегда ношу инструмент с собой, мало ли зачем пригодится.

— Очень предусмотрительно, — одобрила я.

— «Фридрих» нас часто выручает, — сказала Жорина. — Кокозас, слышал о наших событиях?

— Сегодня утром, придя на работу, узнал о смерти Полины Владимировны и библиотекарши, — ответил Сергеев. — Поражен до глубины души. Простите, мне надо зайти к Карелии.

Кокозас поспешил к двери, и я заметила, что он не переодевает, как женщины, обувь. Сейчас на нем сверкали начищенные уличные ботинки на толстой подошве с большими квадратными каблуками. В таких штиблетах ноги к концу дня очень устанут.

— Он меня не любит, — удрученно заметила Ангелина, когда мы остались одни. — Едва заговариваю с Кокозасом, как он убегает. Некоторым родителям надо голову оторвать, напридумывают ерунды, а детям потом всю жизнь мучиться. Кокозас Иванович Сергеев. Как вам такое?

— Мне лучше не потешаться над чужими именами, — вздохнула я. — Виола Ленинидовна Тараканова тоже звучит странно.

— Да уж, скажу по секрету, с вашим отчеством все мучаются, — понизила голос Ангелина. — Перед вашим появлением Полина Владимировна, светлая ей память, приказала всем выучить, как нового педагога звать, но не получилось. Вы не обижаетесь на нас?

— Конечно, нет, — усмехнулась я, — откликаюсь на Леопардовну, Лабиринтовну, Лазаретовну, Кариатидовну. Сегодня собиралась всем сказать: «Обращайтесь ко мне просто Виола». Жаль, с детьми так поступить нельзя. Эдик Обозов, когда я его вызвала к доске стихотворение читать, заявил: «Виола Ламборджиновна, я его не выучил». Похоже, отец Эдика ездит на «Ламборджини».

— А вот Кокозас оскорбляется, если его имя перевирают, — зашептала Ангелина, — уж постарайтесь не напутать. Отец Сергеева работал на корабле «Комсомольская застава». Понимаете? Корабль «Комсомольская застава». Взяты первые слоги этих трех слов, сложены — и вот вам Кокозас. КОрабль КОмсомольская ЗАСтава! Вы поняли или надо закрепить пройденный материал?

Я кивнула. Кокозас Иванович! Да уж, мое отчество еще не самый плохой вариант, но представляю, что будут чувствовать дети Сергеева, когда станут взрослыми с отчеством Кокозасович или Кокозасовна! На что угодно готова спорить, окружающие будут их звать Кокосовичами.

— Дети сегодня как сонные мухи, — заявила Нина Максимовна, врываясь в учительскую, — разбудить их невозможно.

— Новый год скоро, у ребят все мысли о подарках и вечеринках, — подхватила Ангелина, доставая из сумки кружку, украшенную изображением кошек.

— Ты носишь с собой чашку? — удивилась Нина. — Не оставляешь ее в шкафу?

Жорина включила чайник.

— Когда Полина Владимировна умерла, я перенервничала до икоты, тряслась в ознобе, захотела чаю попить. Открываю шкаф, а моей кружечки, любимой, с картинками собачек, на месте нет. И нигде нет. Сперли!

— Может, кто разбил? — предположила Федотова.

— Тоже некрасиво, — поморщилась Ангелина, — убрать осколки и промолчать. Хамство. Нет, имела место кража. Чашку мне соседка подарила, из турпоездки в Лондон привезла, в Москве такую не сыскать. Настоящий костяной фарфор! Качество Великобритании. Знаю, кто спер! Верка! О мертвых плохо не говорят, но она могла это сделать. Я вечером, перед тем как уйти домой, чайку попила, кружечку вымыла, на место в шкаф поставила. А на следующее утро не нашла ее там. Ну точно — Соева ее сперла! Больше подумать не на кого. Теперь рисковать дорогими сердцу вещами не желаю, поэтому решила приносить и уносить посуду. Правда, милый бокал вместо пропавшего приобрела? С изображением танцующих кошек! Прелесть!

— Соева иногда странно себя вела, — вздохнула Нина Максимовна, — вроде не скаредная, но отказалась деньги на подарок для Карелии к ее дню рождения сдавать. Мы всего по пятьдесят рублей сбрасывались. Правда, это тоже сумма, на нее можно шоколадку купить. Вечно у нас в коллективе поборы, то у кого-то день рождения, то Новый год!

— Если купишь шоколад за полтинник, он окажется жутким дерьмом! — вспыхнула Жорина и направилась к двери. — В составе не найдется и крошки какао-бобов, налопаешься пальмового масла с красителями и получишь коллапс печени! Жадная ты, Нина Максимовна, противно слушать твои рассуждения про шоколад!

Глава 17

— Что это с ней? — удивилась Федотова. — С чего это она разозлилась? Ничего обидного я не сказала.

— Ангелина уже неделю на всех бросается, — вдруг раздался голос Шитовой, которой в учительской не было.

— Маша, ты где? — подпрыгнула биологичка.

Зеленая скатерть, закрывавшая длинный стол, зашевелилась, из-под нее высунулась голова Марии Геннадьевны.

— Тут.

— Господи, — всплеснула руками Нина Максимовна, — что ты там делаешь?

Шитова выбралась наружу.

— Бусы рассыпала, пришлось собирать. Ангелина странная стала, чуть что — в истерику впадает. Ты, Нина, должна быть с ней осторожна, а то получишь ни за что.

В учительскую заглянул мальчик.

— Мария Геннадьевна, куда плакаты вешать?

— Иду, Гена, подожди, — велела Шитова, отряхнула брюки и исчезла в коридоре.

— Нет, ты видела? — возмутилась Федотова. — Сидит под столом и молчит партизаном. Давно ты тут находишься?

— Ну... минут десять, — прикинула я. — Когда пришла, здесь один Кожзам был, преподаватель физики.

— Кокозас, — хихикнула Нина, — выучи его имя, иначе врага наживешь. А где Маша кантовалась?

— Наверное, под столом, — предположила я, — не видела ее.

— Разве прилично в укрытии затаиться? — негодовала Федотова. — Мы с тобой думали, что одни в учительской, мало ли о чем болтать могли. Маша себя дико ведет, а Ангелину истеричкой считает! У нас тут все с прибамбахом. Возьмем Веру Борисовну, тоже со своими тараканами была, можно сказать, их у нее целая стая водилась. Можешь в библиотеку зайти и убедишься: цветы на подоконниках по высоте стоят, стулья она к столам придвигала, и упаси господь их переместить. Дети к ней поэтому ходить побаивались. Мне Катя Потемкина рассказала: «Придешь в библиотеку, а Вера Борисовна говорит: «Садись по центру сиденья, не ерзай». Если не по-ее поступить, она ругается. Вообще за книгами ходить теперь влом». Я Катерине не поверила, она приврать любит, но решила проверить и, если это правда, Полине Владимировне про Соеву доложить. В нашей гимназии ребятам даже по успеваемости замечаний делать нельзя, а Верка их из-за мебели шпыняет. Поднялась к ней, подошла к столу, попросила: «Дайте мне Пушкина, хочу стихи почитать». Соева к стеллажам направилась, я на ее стол смотрю! Мама родная! В стакане пять одинаковых ручек, книги сложены стопкой, внизу большие, сверху маленькие, формуляры в коробке выравнены. На левом краю стола поднос, на нем чашка, чайник и сахарница параллельно друг другу стоят на равном расстоянии, на маленькой тарелочке два пирожка, а две конфетки, словно солдаты на плацу, выстроены. Когда Соева с Пушкиным появилась, я не выдержала и спросила: «Вера Борисовна, вижу, вы любите идеальный порядок». Она прищурилась.

— И что? Аккуратность лучше бардака, а красота спасет мир. Или вы предпочитаете хаос и уродство? Мне нравится, когда вещи находятся на строго определенных местах, я выработала для себя эти правила и тщательно их соблюдаю. Если хочу попить чаю с приятным человеком, никогда не поставлю для себя чайную пару в цветочек, а для него в горошек. Фу! Все должно быть прекрасно! Стоять параллельно или по линейке, иначе нарушается гармония.

Федотова пошла к подоконнику.

— И что это? Шиза!

— Вы рассказали Хатуновой про стулья? Объяснили, почему ребята избегают общения с Верой Борисовной? — заинтересовалась я.

Нина включила чайник.

— Конечно. Директриса пообещала провести с Соевой беседу. Я хотела ей еще про вороватость Веры доложить, но постеснялась.

— Соева крала вещи? — насторожилась я. — У кого?

Биологичка скорчила гримасу.

— Вещами такую лабуду не назовешь. У нас настенный календарь пропал, ерунда копеечная, не помню, как он появился. На каждой странице фото котят, щенят, они сидели в корзиночках, на шеях бантики. Вон туда повесили, на стену. Но не долго он там жил, вскоре испарился. Кто-то его унес. На пропажу внимания не обратили, подумаешь, чепуха. А накануне Дня учителя вхожу я в туалет, смотрю, Алиса Боркина плачет. Начала ее расспрашивать, и выясняется, что девочке купили пенал, на нем снимки собак разных пород, пустяковая вещичка, но для ребенка значимая. Во-первых, пенал симпатичный, а во-вторых, его подарил папа. Мать Алисы первого супруга бросила, он простой, не очень обеспеченный инженер. Женщина охмурила владельца фирмы, где работала, вышла за него замуж, родила близнецов и теперь богата и счастлива. Алисе она не разрешает с родным отцом часто общаться, а малышка его очень любит, тот дочке всякую ерунду дарит. Пенал для Боркиной намного дороже золотых сережек с камнями, которые она каждый день меняет. И вот именно пенал исчез. Дети у нас не вороватые, добрые, всем Алису жаль было. Мы пропажу искали и не нашли. В районе четырех Вера Борисовна спустилась в учительскую за пальто, поставила свою сумку в кресло, и тут ее Мария Геннадьевна отвлекла, той какая-то книга срочно понадобилась. Соева была недовольна, но пошла назад в библиотеку, а торбу свою бросила.

Что меня толкнуло? Словно кто-то сказал: «Нина, загляни в сумку», и я туда нос засунула. На самом дне завернутый в целлофановый пакет лежал пенал Алисы. Вот такие дела! Соева обожала животных, собирала всякую мелочь с их изображением и не устояла при виде жестяной коробки. Наверное, календарь тоже она унесла.

— И вы ничего никому не сообщили! — удивилась я. — Даже Полина Владимировна?

— Признаться, что тайком рылась в чужой сумке? — поморщилась Нина Максимовна. — Да и докладывать Хатуновой нелицеприятные сведения про Соеву бесполезный труд. Директриса всегда становилась на сторону Веры, та была жесткой, могла нелицеприятную правду в лицо сказать.

— Например? — полюбопытствовала я.

Нина Максимовна отпила чаю.

— Все и не упомнить. Вот один из последних примеров. Сидим в учительской, пьем чай с тортом. У Миши Филимонова мать владелица кондитерской фабрики, она нам иногда угощенье присылает. Болтаем о ерунде, тихо, мирно, у нас коллектив хороший, дрязг не бывает, если поцапаемся, быстро миримся, зла друг на друга не держим. Входит Вера, как всегда, нос кверху, молча к шкафу прет, спина прямая, подбородок задран. Царица Савская, не меньше. Я не сплетница, но это же правда, что Соеву в гимназии никто не любил, нам нравилась Люся Мусина, до сих пор с ней общаемся. Я после работы нет-нет, да и забегу к ней на кофеек. Люсенька теперь на дому работает. Она с учащимися занималась, в коллектив влилась, а Вера всеми силами подчеркивала: вы чернь, а я императрица.

— Некрасиво, — согласилась я.

Глава 18

— Смешно и глупо, — воскликнула Федотова. — Но неприлично коллегу к столу не пригласить, торт всему коллективу подарили, значит, и ей тоже. Мария Геннадьевна Соеву окликнула: «Присоединяйтесь к нам, посмотрите, какой чудесный бисквит с обезжиренными взбитыми сливками и сухофруктами. Очень вкусно и для фигуры не вредно». Вера Борисовна расхохоталась: «Мария! Низкокалорийных сливок в природе не существует, они никогда не превратятся в пышную массу, потому что взбивается лишь продукт не менее тридцати пяти процентов жирности». Шитовой бы промолчать, но ее черт за язык дернул, она коробку показала: «Смотрите, Верочка, здесь написано: «Не навредит фигуре». Соева презрительно в ответ: «Лучше натуральными жирами накушаться, чем всякими улучшителями-эмульгаторами-консервантами, которые в продукт добавили, чтобы он на качественные взбитые сливки походил. Мария Геннадьевна, вам вообще не стоит сладкое есть, потолстеете еще больше, подурнеете, любовник от вас к молодой и стройной убежит. Хотя, думаю, альфонс проживет с вами, пока вы его деньгами снабжаете». Я чуть со стула не упала, остальные тоже глазами захлопали, не понимают, как отреагировать. Мария Геннадьевна стала бордовой и пролепетала: «Я живу одна, не нуждаюсь в кавалерах». Ну зачем она оправдываться стала? Нет бы отвернуться от Соевой, а Шитова заюлила, засуетилась, глаза у нее забегали, к нам обратилась:

— Девочки, я, честное слово, не имею мужика. Пару раз в жизни обожглась, больше не хочу беды на голову.

— Вранье! — отрезала Вера. — Не понимаю, почему вы так активно отрицаете наличие любовника. Вы не в браке и... А-а-а... Он, наверное, не свободен! Спит еще с какой-то бабой, скорей всего пожилой и значительно богаче вас!

Маша вскочила и ногами затопала.

— Какое вам дело до моей личной жизни?!

— Никакого, — согласилась Соева, — вы мне со своим хахалем неинтересны. Но зачем отрицать очевидное? Вы в последнее время постоянно улыбаетесь, постриглись, покрасили волосы, делаете яркий маникюр, используете красную губную помаду. Значительные изменения претерпел и гардероб, в нем появились юбки-карандаши, блузки. Раньше вы носили мешковатые балахоны, а теперь подчеркиваете талию. Хотите сказать, что волшебная трансформация произошла сама по себе, без появления кавалера? Ха-ха-ха! В вашем возрасте если баба меняется — это исключительно из желания понравиться мужику. Еще полгода назад вам на себя плевать было, волосы как пакля, в глазах тоска. А сейчас! Налились соком, как персик!

Нина Максимовна достала из коробки новый пакетик с заваркой и опустила его в чашку.

— Слушаю я Веру и понимаю, она права! Маша и впрямь похорошела, но как-то все медленно происходило, вот я и не заметила. Ну постриглась, ну чуть осветлилась, ну платье другое надела. Не в один день это произошло.

А Соева остановиться не может.

— Почему я думаю, что он альфонс? Серьги старые, других никогда у вас в ушах я не видела, сумка тоже «времен Очакова и покоренья Крыма», пальто затасканное. Значит, любимый подарков вам не делает, а живете вы вместе.

— Немедленно перестаньте при всех на меня клеветать и сплетничать, — взвизгнула Маша.

Вера Борисовна гаденько улыбнулась.

— Если при всех, то это не клевета и не сплетни, а правда в лицо, что вам не нравится. Вон, на подоконнике два пакета, там продукты, чьи они?

— Мои, — крикнула Мария Геннадьевна. — И что?

— Сумки прозрачные, — усмехнулась Соева, — содержимое хорошо видно. Гляньте, там палка сырокопченой колбасы, курица, сыр, масло, две бутылки пива...

Мы опомниться не успели, как Вера подошла к пакетам и давай без спроса Машины покупки вынимать.

— Три пачки дорогих американских сигарет. Мария Геннадьевна, вы же не курите! Нарезка малосольной семги, паштет с трюфелями. Маша, вы постоянно о здоровом питании рассуждали, а потом, опля, перестали и деликатесы домой таскаете! Могу дать совет: никогда не балуйте мужика, пока он на вас не женился. Потратите все деньги, а он поймет, что бабенка на бобах, и улетит к другой.

Высказавшись, Вера схватила свое пальто, сумку и унеслась. Мария Геннадьевна на нас посмотрела и давай оправдываться.

— Девочки, продукты я несу подруге, она день рождения справляет.

Соева на следующий день как ни в чем не бывало на работу явилась. Все сделали вид, что ничего не помнят. А я пошла к Полине Владимировне и отрапортовала:

— Хочу вам, как председатель месткома, заявление сделать. Соева вчера вела себя непозволительно, оскорбила коллегу, довела Шитову до нервного срыва.

И рассказала директрисе о выступлении ее любимицы. Хатунова губы поджала.

— Спасибо, Нина Максимовна, но у меня принцип: в дрязги, которые в женском коллективе возникают, не встревать. Если буду на всякую ерунду реагировать, то ко мне все с жалобами друг на друга полетят. А вам, как главе месткома, советую сосредоточиться на укреплении трудовой дисциплины и не лезть в чужие выяснения отношений.

— Красиво вас начальница отшила, — поддела я Федотову.

Нина махнула рукой.

— Зря ходила к Хатуновой. Но, похоже, Полина Верке замечание сделала, потому что Соева меня с ней лбами столкнула. Да так мастерски все провернула. Мы иногда с детьми устраиваем походы, ребятам очень это нравится. Видели в холле ящик «Голосуй честно»? После каждого мероприятия гимназисты туда листы опускают, оценивают очередную вылазку. Под Новый год бюллетени достают и подсчитывают, экскурсия какого педагога больше всего понравились ребятам. Учителя стараются друг друга перещеголять, хотят, чтобы именно их экскурсию дети лучшей объявили. Дело не в пластмассовом кубке, который педагогу за победу вручают.

— Понимаю, — кивнула я.

— Ангелина Максимовна отвела школьников в цирк, им показали закулисье, зверей, репетиционные залы. Мария Геннадьевна потащила всех к реставраторам старинной мебели, она сама этим увлекается, знакома со специалистами. А я все придумать не могла, чем учащихся удивить, и вдруг заглядывает ко мне Вера с вопросом: «Нина Максимовна, летучие мыши кусаются?» Я удивилась. «Да, но в Москве они редко встречаются, а почему вы интересуетесь?» Соева давай рассказывать, что она тоже хочет в конкурсе лучших экскурсий поучаствовать и придумала направиться с детьми в удивительную пещеру на заброшенном заводе «Уникс».

— В Москве есть пещеры? — не поверила я.

— Представляешь? — всплеснула руками Федотова. — Вера Борисовна рассказала, что ее дядя служил на предприятии «Уникс», работал на оборону, там было много цехов, в один из них вела подземная железная дорога, тоннель с рельсами. Находился завод в районе метро «Полежаевская».

— Почти в центре города, — снова удивилась я. — Не Тверская, но и не за МКАДом.

— В перестройку, когда в России промышленность разваливаться начала, — продолжала Нина, — «Уникс» первым закрыли. Вера отлично изучила завод, потому что работала там секретарем у своего дяди.

— Ага, — пробормотала я.

— Соева знала, как попасть в тоннель, в нем есть пещера, где обитает удивительный вид летучих мышей, — зачастила Федотова. — Меня прямо как током ударило, это же моя экскурсия! Моя! Соева ничего про крыланов не знает, а я могу детям полную информацию дать. Подземная пещера! Школьники умрут от восторга! Я выиграю конкурс! Библиотекарь на меня взглянула и неожиданно спросила: «Что, сами хотите туда ребят сводить?» Я честно призналась: «Очень». Она улыбнулась и связку ключей из кармана достала, я никогда такой не видела, изогнутые крючки, на колечке оригинальный брелок в виде летучей мыши, расправившей крылья, на ней написано белой краской «Свобода или смерть».

— Свобода или смерть? — повторила я.

— Да, я хорошо запомнила, — заверила меня Федотова, — потому что Вера Борисовна связкой прямо перед моим носом потрясла и сказала: «Так и быть, забирайте себе идею, все материалы вам предоставлю, план тоннеля дам, ключи от дверей вручу. Но сначала договоритесь с Полиной Владимировной, спросите у нее разрешения. Только не говорите, что тему я подсказала, иначе вам победу в конкурсе не засчитают. Если Хатунова спросит, откуда про пещеру знаете, отвечайте: «На заводе когда-то работал мой парень Боб Вахметов, нам негде было встречаться, вот он и предложил в пещере иногда отдыхать. Мы хотели пожениться, но потом разбежались. Борис мне ключи дал, они до сих пор дома лежат с брелоком в виде летучей мыши, храню их как память о первой любви».

Федотова резко отодвинула от себя пустую чашку.

— И я оказалась такой дурой, что поверила Совевой. Слабым оправданием этому может служить горячее желание провести ребят по удивительному маршруту, поразить их воображение. И я, вот уж идиотка, побежала к Хатуновой, ни на секунду не задержалась, не подумала, не задала себе вопрос: почему неприветливая Вера решила меня облагодетельствовать.

Нина подперла кулаком щеку.

— Только я разговор про «Уникс» завела, как директриса в лице изменилась: «Где вы про пещеру слышали?» И я по наущению библиотекарши про Боба Вахметова сказала. Полина Владимировна слушала внимательно, смотрела приветливо, но я видела, что у нее над губой пот выступил и веко задергалось. Мне тревожно стало, а директриса очень спокойным голосом говорит: «Нина Максимовна, я крайне удивлена, что вам, разумной женщине, пришла в голову сумасбродная идея повести школьников на заброшенное предприятие. Как вы собираетесь обеспечить безопасность детей?» Минут десять она меня как нашкодившую первоклашку отчитывала, потом сказала: «Отдайте мне ключи. Немедленно». Я отказалась, дескать, это память о Бобе Вахметове, понесла какую-то чушь. Полина Владимировна на меня так посмотрела!

Федотова поежилась.

— Дырку глазами во мне прожгла и каменным голосом отрезала: «Понятно. Ступайте из моего кабинета и более без приглашения сюда не являйтесь. Запрещаю вам участвовать в конкурсе. И подумайте, может, вам лучше подыскать себе другое место работы с более интенсивным графиком? У нас небольшая нагрузка, а вы человек деятельный, потому вам и лезут в голову экстремальные идеи».

Я испугалась, побежала к Вере Борисовне, говорю ей:

— Хатунова на меня разозлилась, грозится выгнать, требует ей ключи отдать. Что делать?

Соева от книги оторвалась.

— Не понимаю вас. О чем речь?

Я, дура, повторила:

— Полина Владимировна запретила мне даже думать о походе в пещеру, велит связку от дверей ей передать.

А Соева опять за свое.

— Нина Максимовна, уж извините, я никак не соображу, про что вы толкуете? Какие ключи? От каких дверей?

Я на ее сумку показываю, объясняю:

— Ну, эти крючки на колечке, с брелоком в виде летучей мыши, где «Свобода или смерть» написано. Вы их мне час назад в кабинете биологии показывали.

Вера заморгала.

— Нина Максимовна, вы что-то путаете, я сегодня из библиотеки даже в туалет не выходила.

И только тогда до моей чугунной головы дошло! Соева меня подставила, я поперлась к директрисе и кретинкой себя выставила, теперь Хатунова может меня выгнать. Побрела я на первый этаж, и эсэмэска прилетела с неопределяемого номера. «Ябеде первый кнут». Мне вся кровь в голову хлынула. Вот оно что! Полина Веру втихаря за хамство по отношению к Марии Геннадьевне отчитала, сказала, что я прибегала на нее жаловаться. Библиотекарша решила отомстить, и ей это удалось. Полина Владимировна, правда, больше злость не выказывала, общалась со мной как всегда. Уж не знаю, что дальше получилось бы, но Хатунова умерла.

Я задала вопрос:

— Когда эти события произошли?

— За четыре дня до кончины директрисы, — пояснила собеседница.

— Разрешите войти? — пробасил кто-то от двери.

Глава 19

Мы с Федотовой разом обернулись и одновременно воскликнули:

— Ой! Здравствуй, Дедушка Мороз!

— Здравствуйте, дети, — в тон нам ответил мужчина и рассмеялся. — Где можно найти вашего директора?

С лица Нины мигом испарилось радостное выражение.

— Зачем она вам?

— Так на сегодня заказывали поздравление учеников и сотрудников, — ответил артист. — Вот он я, пришел вовремя. Где мероприятие проводить будем?

— Впервые об этом слышу! — поразилась Федотова. — У нас праздник всегда проводится тридцатого декабря в полдень. Дети надевают карнавальные костюмы, педагоги при параде, сегодня все в обычном виде. Кстати, Виола Лаборантовна, вы как нарядитесь?

— Снежинкой, — пошутила я, — как раз сейчас бегаю по городу в поисках марли.

Собеседница восприняла мои слова всерьез.

— Неужели у нас, как в прежние года, проблемы с марлей? Вроде ее теперь в каждой аптеке продают. И роль Снежинки уже занята.

— Занята? — удивилась я. — Хотите сказать, что кто-то из учителей решил облачиться в платье с блестками и мне не следует повторять этот костюм?

— Да-да-да, — затрещала Нина, — в первый год существования гимназии педагоги, не сговариваясь, пришли на новогодний праздник в костюмах Фей. На мой взгляд, получилось забавно: толпа тетенек разного размера в колпачках и с волшебными палочками в руках. Но Хатуновой это не понравилось. С тех пор у нас список разрешенных начальником ролей. Снежинка уже занята нашим психологом. Зайчик, Лиса, Ежик, Гномик, Белоснежка и Красная Шапочка — ее станет изображать Карелия, — тоже. О! Вы можете превратиться в госпожу Метелицу, это место вакантно.

— Госпожа Метелица была старухой с ревматиззмом, — пробормотала я, — у нее ныли древние кости, поэтому она редко оказывалась довольна тем, как дети взбивали ее перину.

— Ну, тогда остался последний вариант — кучер-крыса кареты Золушки, — радостно предложила Федотова, — у меня такой костюм с прошлого года в шкафу висит. С удовольствием вам его за полцены продам. Хотя, на мой взгляд, госпожа Метелица лучше, она владеет магией. Дорогая Виола, подумайте! Вы можете взять в руки волшебную палочку! Хотя вам пойдет любой костюм, правда, Дедушка Мороз?

— Девушки, мне без разницы, кто как выглядит, — пробасил Дед Мороз, — хоть в ластах, хоть верхом на обезьянах. Фирма дала заказ, я обязан его выполнить, деньги школа уже перевела, я на месте, что еще надо? Пожалуйста, сообщите о моем визите руководству.

— Посидите тут минут пять, я сбегаю к начальству и все выясню, — пообещала Нина Максимовна и пошла к двери.

— Дед Мороз, хотите чаю? — гостеприимно предложила я.

— Борода приклеена, грим на лице, лучше не буду горячее пить, еще пролью его и стану самым чумазым волшебником на свете, — прогудел актер.

Несколько секунд мы сидели молча, потом я сделала новую попытку завязать беседу.

— Интересный у вас мешок, на колесах, как хозяйственная сумка, квадратный, жесткий и очень большой. Подарки будете раздавать?

— Это реквизит, — пояснил гость, доставая из кармана красного халата совсем не сказочный аксессуар: мобильный телефон. — Простите, надо эсэмэску на фирму отправить, диспетчер просил сообщать о прибытии к заказчику. Да, торба у меня оригинальная, я фокусы показываю. Видели, как из шляпы кроликов вытаскивают?

— В детстве обожала это зрелище, — засмеялась я, — в мою школу в конце декабря тоже приходили

Дед Мороз и Снегурочка, они с нами водили хороводы, а потом работали, как иллюзионисты.

— Детям это нравится, — подхватил артист.

— А где ваша Снегурочка? — удивилась я.

— В машине, переодевается, — пояснил он.

В учительскую заглянула Ангелина Максимовна.

— Виола Лавашевна, сделайте одолжение, помогите, никак не можем гирлянду к окну привязать. Ой! Дедушка Мороз! Здрассти!

Я встала.

— Не обидитесь, если я оставлю вас одного на некоторое время?

— Не маленький, чтобы меня развлекали, ступайте по своим делам, — ответил гость.

— Знаю же, что Деда Мороза не существует, в учительской артист, а все равно при виде человека в красном халате и с бородой радуюсь и жду чуда, — засмеялась я, шагая по коридору.

— И у меня те же чувства, — улыбнулась Ангелина. — К Деду Морозу всегда чувствуешь расположение, надеешься на подарки.

— Девочки, вы Карелию не видели? — спросила Нина Максимовна, выходя из левого коридора. — В актовом зале ее нет.

— Линькова на чердаке, — сообщила Жорина.

— Что она там делает? — изумилась Федотова.

— Краем уха утром слышала, что Карелия хотела проверить старые гирлянды, которые мы раньше, до того, как Полина Владимировна решила на электричестве экономить, вешали на внешней стене гимназии, — пояснила Ангелина.

— Вот уж странность, — поразилась Нина, — насколько я помню, от иллюминации отказались не из желания уменьшить расходы, а после статьи в газете «Российская гимназия с привкусом Америки». Идиот-корреспондент брал у Хатуновой интервью, вроде все ему понравилось, а потом вышел во двор, увидел украшенное здание и написал: «В гимназии ученикам с детства прививают любовь к США. На всю округу сияют на фасаде гирлянды со словами «Happy New Year» и «Merry Christmas». А где же наше «С Новым годом!»?» Получился скандал, Полина Владимировна оправдывалась: «Нам гирлянды подарил отец Лени Коготкова, он их из Китая привез». Неприятная была ситуация, с тех пор школу больше снаружи не украшали лампочками.

— Уж извините, Нина Максимовна, вы спросили, я ответила, — остановила коллегу Ангелина, — а что творится в голове у Линьковой, понятия не имею. Если вы не нашли Карелию в зале, значит, она на чердаке.

— Придется лезть в подкрышное пространство, — произнесла Федотова. — Туда очень неудобная лестница ведет, и она плохо вытаскивается.

— А вы как хотели? — фыркнула Жорина. — В школе работаем, не на автобазе, тут дети, чтобы они лестницу из люка не вытащили, ее специально тугой сделали. Позовите Кокозаса, он поможет.

— Точно! — обрадовалась биологичка. — Совсем забыла, что физик к работе приступил, он в зале сейчас.

Федотова развернулась и исчезла. Мы с Ангелиной прошли в ее кабинет. Я без затруднений привязала гирлянды на окна, не понимая, зачем учительнице труда понадобилась моя помощь. Наверное, на моем лице отразилось недоумение, потому что Жорила смущенно пояснила:

— Панически боюсь высоты, для меня встать на табурет — это подвиг, а сейчас надо было залезть на подоконник. Уж простите, Виола Лавашевна, что отвлекла вас от беседы.

— Рада вам помочь, — ответила я, — и ничем серьезным я не занималась, пила чай в учительской. Ангелина Максимовна, называйте меня просто Виола.

— С радостью! — воскликнула Ангелина. — И вы тоже отбросьте «Максимовна», может, на «ты» перейдем?

— Отлично, — одобрила я, — зачем нам китайские церемонии?

Болтая о пустяках, мы вернулись в учительскую и застали там Деда Мороза, который в одиночестве тосковал на диване.

— Карелия Алексеевна не появилась? — удивилась я.

— После вашего ухода никто сюда не заходил, — вздохнул артист. — Время поджимает, у меня еще два заказа на сегодня.

— Это какое-то недоразумение, — зашумела Федотова, вбегая в комнату. Оказывается, Карелия уехала на совещание, ее с утра вызвали.

— Вы разве не знали? — удивился вошедший физик. — Ой! Дед Мороз! Как приятно вас видеть, сразу праздничное настроение возникает. Карелия Алексеевна о совещании еще на перемене между первым и вторым уроком объявила. Ангелина, Виола Ленинидовна, неужели вы не слышали?

— Сегодня я задержалась, — пояснила я.

— Что-то не помню такого разговора, — растерялась Жорина.

— Меня в это время тут не было, — вздохнула Нина, — весь перерыв я просидела с Обозовым, он мне тест сдавал, чтобы четверку в полугодии получить. Мальчик сегодня был очень рассеян, не мог ничего вспомнить, нервничал.

— Карелия про вызов Деда Мороза не говорила, — протянула Ангелина, глядя на артиста. — Простите, у вас должна быть путевка от фирмы.

— А как же, она на месте, — пробасил тот и полез в карман.

Полы красного халата разошлись, я увидела, что на ногах у Деда Мороза желтые, высокие замшевые ботинки со стальными носами, на которых выдавлен белоголовый черный орел. Странная обувь для русского сказочного персонажа. Наш дедушка должен носить валенки и ездить в санях, которые везет тройка красивых коней, а не на оленях, как почему-то думают многие дети. Наверное, они насмотрелись американских фильмов про Рождество. Это Санта-Клаус разъезжает на оленях, и ему бы вполне подошли сапоги с изображением хищной птицы семейства ястребиных, являющейся одним из национальных символов США.

— Ой, Дедушка Мороз! — воскликнула Громушкина, входя в учительскую. — Увидела вас и обрадовалась, как ребенок! Прямо хочется встать на табуретку и стишок прочитать.

— Ммм, — промычал артист и протянул Ангелине бумагу.

Жорина взяла квитанцию.

— Дед Мороз, у вас шнурки развязались, завяжите, а то упадете, — посоветовала Федотова.

Артист наклонился к ботинку. Жорина рассмеялась.

— Ну, дедуля! Вы перепутали! Вас ждут в соседней школе, она расположена через парк от нас. Езжайте туда, небось дети заждались.

Артист закашлялся и прохрипел:

— Ах я идиот! Сказали же мне: «Смотри, не ошибись, там рядом две гимназии, тебе в ту, что по левую руку от сквера». Простите за доставленное беспокойство.

Последние слова он договаривал, шагая к двери.

— Ну что вы, очень приятно было вас видеть, — сказал ему в спину физик.

— Да, да, праздничное настроение нам подарили, — присоединилась Нина.

— Приходите еще и подарки прихватите, — засмеялась я.

— Новый год к нам мчится, — пропела Ангелина.

Дед Мороз, не оборачиваясь, помахал рукой и, таща за собой туго набитый реквизитом мешок на колесах, скрылся за дверью.

— В каждом взрослом сидит ребенок, — сделала банальный вывод Федотова. — Увидела я Деда Мороза и пришла в восторг.

— Аналогично, — усмехнулся физик, — на короткое время стал малышом, но сейчас вернулись взрослые заботы. Надо думать, где праздник провести. Хорошо, что я холостяк, подарки ни жене, ни теще, ни детям искать не придется.

— Сплошная разориловка, — поморщилась Ангелина, — в магазинах цены кусаются. Виола, вы уже купили своим близким сувениры?

— Нет, — призналась я. — В прошлом году меня двадцать девятого декабря едва не затоптали в торговом центре, поэтому я дала себе слово: на следующий год приобрету сувениры в сентябре.

— И конечно, нарушили обещание, — хмыкнула Ангелина. — Со мной та же история.

— У всех все одинаково, — отмахнулась Нина. — Ох, пора бежать, у моих учеников сегодня зачет.

— И зачем мы им испытания устраиваем, — покачал головой учитель физики. — Все равно же поставим «хорошо» или «отлично», на самый худой конец —

«удовлетворительно», в любом случае ребенок положительную отметку получит. Я Сафонову в полугодии «четыре» вывел, кстати, с удовольствием, Олег меня потряс. Я попросил учеников рассказать о внутренней энергии, привести пример. Гляжу, Сафонов руку тянет. Вызвал его к доске и слышу чудо-рассказ из мира животных. Бежала коза, значит, обладала кинетической энергией. Коза взобралась на холм, и ее кинетическая энергия преобразовалась в потенциальную. Потом козу сбил вертолет, и у нее осталась исключительно внутренняя энергия. Ну как тут «отлично» не поставить?

— Козочку жалко, — вздохнула Нина.

— Интересно, как она ухитрилась под вертолет попасть, — пробормотала я. — Может, на аэродроме паслась?

— Не поняла, что здесь смешного, — удивилась Ангелина и направилась к двери.

За ней молча двинулась Авдотья Игоревна.

Физик повернулся ко мне.

— Виола Ленинидовна, давайте объясню про энергию. Кажется, моя история всем непонятна.

— Спасибо, Кожзам, я не воспринимаю точные науки, — отказалась я.

Сергеев опустил уголки рта.

— Виола Ленинидовна, меня зовут Кокозас.

— Простите, — смутилась я.

— Ничего, — мрачно обронил физик. — Вам, наверное, когда-нибудь удастся запомнить мое имя.

Глава 20

Люся Мусина открыла дверь сразу.

— Вы ко мне? — спросила она тихим голосом. — Хотя глупый вопрос. Проходите, Виола Ленинидовна, я приготовилась к встрече с вами.

Я, не ожидавшая такого приема, растерялась, а хозяйка продолжала:

— Нина меня предупредила о вашем визите. Да я и сама понимала, что вы захотите со мной побеседовать. Идите в гостиную, извините за беспорядок, мальчишки все раскидали. Хорошо, что их дома нет, убежали кто в художественную школу, кто в спортивную, они бы нам не дали спокойно поговорить. Чаю?

Мне совершенно не хотелось пить, но я ответила:

— Люблю зеленый, но если его нет, выпью любой. Нина вас очень хвалила, рассказывала, как вы детей любите, со школьниками занимались.

— Федотова ко мне очень хорошо относится, — улыбнулась Мусина. — Устала я от ребят, теперь дома сижу, шью на заказ карнавальные костюмы. Я не профессиональная портниха, но вроде неплохо получается.

В моем кармане зазвонил телефон, я отключила его и начала фантазировать.

— Да, да! Потому я и пришла, Нина сказала, что вы мастер по нарядам для детских праздников. У меня есть племянница, ей семь лет. Девочка капризна, обидчива, избалованна. В конце сентября ее мать, моя сестра, сказала: «Давай заранее приготовим тебе наряд для елки, кем ты хочешь быть?» Аня ответила: «Снежинкой». Мы стали ее отговаривать: «Твои одноклассницы оденутся точно так же, лучше придумать оригинальный костюм, тогда точно получишь первый приз». Но Аня уперлась, и ей сшили пачку в блестках. Вчера она пришла из школы в слезах, как мы и предполагали, в детском коллективе оказалось пятнадцать снежинок. В общем, нам нужно нечто креативное на новогоднюю тему. Успеете сшить за пару дней? Оплатим срочность заказа.

Люся, стоявшая около разделочного столика, приподняла бровь.

— Виола Ленинидовна, вам не стоит врать. Нина просила меня молчать, но, думаю, вам лучше быть в курсе.

— Чего? — спросила я.

Хозяйка открыла холодильник.

— Не знаю, какие бутерброды вы любите, но у нас дома не бывает колбасы, ветчины и прочего. Муж адепт здорового питания. Я сделала сэндвичи с креветочным салатом.

Я хотела отказаться, терпеть не могу ракообразных, но неожиданно для самой себя воскликнула:

— С удовольствием съем.

Люся водрузила в центр стола блюдо с канапе, до моего носа добрался специфический запах рыбной закуски, но вместо обычной тошноты я ощутила зверский аппетит. Я схватила бутербродик и отправила его в рот. Чуть не застонав от восторга, я в мгновение ока проглотила канапе, вцепилась во второе, потом в третье, четвертое...

Мусина пододвинула ко мне чашку.

— Рада, что вам понравилось.

Я опомнилась.

— Извините. Утром ушла рано из дома, не успела позавтракать, потом было некогда, поэтому сейчас неприлично объедаюсь.

Мусина открыла коробку с шоколадными конфетами.

— В гостях надо есть много и с аппетитом. Если хозяйка дома радушная, ей будет приятно, что вы в восторге от ее стряпни. А если жадная, то так ей и надо. Пейте чай!

— Под такую закуску полагается пиво, — сказала я и неимоверно удивилась.

Вилка! Что происходит? Сначала ты налетела на еду, которая еще вчера вызывала у тебя отвращение, а теперь говоришь про пиво, которое терпеть не можешь!

— Увы, — развела руками Людмила, — алкоголя нет, муж придерживается трезвого образа жизни, не хочет подавать детям дурной пример. Так я и знала, что Интернету верить нельзя. У вас на сайте написано: «Арина Виолова не употребляет мяса и не любит морепродукты». Но вы с удовольствием угостились салатом из креветок. Я сомневалась, стоит ли его делать, но Нина сообщила о вашем визите совсем недавно, времени нестись в супермаркет и готовить любимую вами брынзу с зеленью на тостах из ржаного хлеба уже не было.

Очередное канапе застряло в горле.

— Вы знаете, кто я?

Людмила кивнула.

— Накануне вашего появления в школе Полина Владимировна вызвала в кабинет Карелию Алексеевну и сделала заявление. Суть его проста: гимназия переживает не лучшие времена, учеников в первый класс записалось на четверть меньше, чем в прошлом году, в сфере образования жесткая конкуренция, надо бороться за каждого ребенка, использовать креативные способы пиара. Чтобы широко заявить о себе, директриса дала согласие на участие в шоу «Чужой среди своих». В школе будет изображать учительницу писательница Арина Виолова, ее настоящее имя Виола Ленинидовна Тараканова. Отчество заковыристое, его необходимо твердо заучить, чтобы не обидеть детективщицу. В чем смысл программы? Если трудовой коллектив вычислит звезду, она выбывает из соревнования, снимается всего лишь одна программа, в которой человек, узнавший знаменитость, расскажет, какие ошибки она допустила, прикидываясь простым обывателем. В конце концов останется один победитель, тот, кого не разоблачили. И вот тогда в учреждение, где временно работала звезда, приедет телебригада и сделает цикл передач, сымитируют реальные съемки. В случае, если победит Виолова, она покажет, как давала уроки, пила чай в учительской, а педагоги ей подыграют. Лучшей рекламы для школы и не придумать. Карелия же считала, что участие в телешоу может навредить имиджу гимназии. У нас учатся дети богатых людей, родителям клоунада может не понравиться. Но Хатунова была упертым авторитарным человеком, если она что решила — все, никаких разумных доводов не слышит. И она очень любила всякие телепроекты, смотрела их с удовольствием.

— Согласна с Линьковой, это глупая идея, — вздохнула я. — Не хотела принимать в ней участия, но пришлось. Меня втянул в нее владелец издательства «Элефант», оно печатает мои книги. Полина рассказала правду только Карелии?

— Да, — подтвердила Мусина, — завучу предписывалось следить за педсоставом, а если вдруг кто скажет: «Наша новая русичка вылитая авторша детективных романов», — то надо живо увести наблюдательную особу подальше от остальных, ввести ее в курс дела и попросить держать язык за зубами.

— У меня сложилось впечатление, что Нина Максимовна все знает, — вздохнула я, — и она же вам сообщила о моем визите. Вот почему Федотова со мной разоткровенничалась о коллегах. Я была удивлена ее болтливостью, она выложила едва знакомой женщине массу информации об учителях.

— Нина Максимовна! — усмехнулась Людмила. — Она ступает тихо, словно кошка, скользит тенью, умеет быть одновременно в трех местах, со всеми поддерживает добрые отношения и многим, включая детей, кажется простоватой теткой, не злой и откровенной. Но это обманчивое впечатление. Нина умна, хитра, обладает выдающимися артистическими способностями, задатками детектива. Она мастер сталкивать людей лбами, но делает это не сама, а чужими руками. Федотова изо всех сил старается со мной дружить, а я не понимаю, зачем ей это надо, в особенности сейчас, когда я ушла из школы. Нина ко мне иногда забегает, рассказывает, что в гимназии творится. Она не такой человек, чтобы с кем-то бескорыстно дружить, поэтому я удивлена. Странно, что Нина Максимовна меня до сих пор за глаза хвалит. Думаю, она вас сразу раскусила, потому что любит телеканал, где покажут это шоу. А там шла реклама новой программы, и Нина ваши книги читает. Думаю, она сообразила, что без согласия руководства гимназии писательнице никогда не оказаться у доски в роли училки, и, наверное, решила вести свою игру. Но не знаю, что она задумала. Федотова давно хочет выбиться в начальницы, вы бы видели ее лицо, когда Полина пару лет назад Карелию завучем назначила. Нина еле удержалась от слез, я сидела на собрании рядом с ней, видела, как у нее на шее вена пульсировала. А теперь Линькова почти директором стала, место заведующей учебной частью вакантно. Нина карьеристка и очень-очень хочет денег.

Я попыталась оправдать Федотову.

— Ни разу не встречала человека, который бы отказался от звонкой монеты.

Мусина положила мне на тарелку последнее канапе с креветочным салатом.

— Один из моих ныне покойных друзей любил повторять: «Если кто-то говорит: «Я не продаюсь», — значит, ему просто не предложили достойную сумму». Увы, купить можно любого, одного за валюту, другого за престижное место работы, главное — нащупать нужную точку и нажать на нее. Вы хотите понять, почему умерли Полина и Соева?

— Верно, — согласилась я. — Скажите, что связывало директрису и библиотекаршу? И как вы подружились с Хатуновой?

Люся побарабанила пальцами по скатерти, потом приподняла ее и открыла ящик стола.

— История эта давняя. Полина, опасаясь, что правда когда-нибудь вылезет наружу, ревностно оберегала тайну. В свое время она заставила меня поклясться, что я никому, никогда, ни при каких условиях не открою истину. Но Полина мертва. Нина Максимовна сказала, что она скончалась от инфаркта, так объявили в школе. У педсостава не возникло сомнений в правдивости слов полиции. Но я-то отлично знаю, как ревностно Поля относилась к своему здоровью, раз в полгода она посещала врачей, проходила диспансеризацию, дважды в неделю занималась спортом, правильно питалась, не завидовала окружающим. За неделю до смерти она прошла очередное обследование, врачи сказали, что ни малейших проблем нет. Я поразилась, услышав про инфаркт, а уж когда вслед за Полиной умерла Вера, мне стало понятно, что они обе погибли от руки преступника. Сыщики ко мне не заходили, сама я к следователю не пойду, не желаю, чтобы муж узнал правду про квартиру, а обычные полицейские не удержатся, расскажут супругу, как в действительности обстояло дело с нашей жилплощадью. И часто стражи правопорядка связаны с желтой прессой, секрет Поли может быть выставлен на всеобщее обозрение. Но я хочу, чтобы убийцу Полины нашли, поэтому вам все расскажу. Она мертва, ее репутации уже не повредить. А вы не станете трепать языком и, думаю, передадите все серьезным профессионалам, умеющим молчать и вести поиск преступников. Извините, если буду повторяться или непоследовательно излагать события, я волнуюсь. Итак, начну.

Григорий Алексеевич Пенкин, муж Хатуновой, богатый человек, в бизнес он пришел благодаря влиянию жены. До встречи с Полиной Гриша упорно строил политическую карьеру, и на него было совершено покушение. Знакомство будущей семейной пары — это сюжет для голливудского фильма. На Пенкина напали, нанесли ему тяжелую травму головы, он лежал, истекая кровью, и тут на него совершенно случайно наткнулась Полина, которая тогда работала ассистентом у великого нейрохирурга академика Разгонова. Хатунова сделала все, от нее зависящее, чтобы спасти Григорию Алексеевичу жизнь. Выздоровев, тот сделал предложение своей спасительнице. Романтическая история! Полина посоветовала супругу перестать карабкаться на политический Олимп и уйти в банковскую сферу. Она была редкостной умницей.

Григорий Алексеевич обожал супругу, на всех своих днях рождения и на Новый год постоянно произносил тост:

— На земле жил ангел, всего один, второго нет, и этот ангел с чистой душой, наивный, верящий в справедливость, добро, никогда не совершавший дурных поступков, достался мне, грешному, спас от смерти, осветил мою темную жизнь.

— Вы бывали у Григория и Полины дома? — не удержалась я от вопроса.

Люся сделала отрицательный жест.

— Никогда. Один раз Полина хотела мне показать на ноутбуке эпизод детского спектакля, ей он очень понравился, она решила такой же силами наших учеников поставить, но случайно не на тот файл нажала, и включилась запись, сделанная у нее дома во время семейного праздника. Я услышала слова Григория Алексеевича и в глубине души позавидовала Хатуновой, мне такого никогда не говорили. Вы спрашивали, что объединяло Полину Владимировну и Веру Борисовну?

Люся вынула из ящика лист бумаги, карандаш, быстро набросала рисунок и показала мне.

— Вот это.

Глава 21

Я уставилась на изображение брелока в виде летучей мыши с расправленными крыльями и воскликнула:

— Свобода или смерть.

— Мне следовало молчать, пусть бы тайна умерла, — мрачно произнесла Мусина. — Но я уверена, что Полину убили. И Веру тоже. Хатунову я очень любила, она заменила мне и мать, и отца. Соева была гадкой, к ней светлых чувств я не испытываю. Но когда Вера умерла, мне стало ясно: мститель жив, Боб не врал, он их достал!

— Боб Вахметов? — подпрыгнула я. — Бывший парень Соевой? Ее давешний любовник с завода «Уникс»?

— Нет! Борис и Вера никогда не состояли в любовной связи. Я все колебалась, как мне поступить, — продолжала Люся. — Нельзя, чтобы преступник остался безнаказанным, но имею ли я право открывать тайну Хатуновой? Она мне сказала: «Люсенька, если Гриша узнает про Вахметова, он очень расстроится. Муж думает, что до встречи с ним я никого не любила». Я ей ответила: «Не пойму, о чем ты говоришь? Кто такой Вахметов?» А она меня обняла и поцеловала. А вот Вера Борисовна...

Мусина передернулась.

— О мертвых плохо не говорят, но что хорошего можно про шантажистку сказать? Вера с Полей много лет не общалась, а потом вдруг она позвонила Хатуновой, назначила встречу в кафе и изложила, чего хочет. У Соевой умер муж, денег у нее не стало, она давно не работала, сидела у супруга на шее, тот неплохо зарабатывал, но большого капитала у него не было. Банковский счет Вера Борисовна опустошила, чтобы достойно похоронить спутника жизни. Полина обязана взять на работу Соеву и платить ей триста тысяч.

Я не поверила своим ушам.

— Сколько?

— Триста тысяч, — повторила Людмила. — Вера не мелочилась. Если бы Хатунова отказала, Соева рассказала бы Григорию Алексеевичу правду про организацию «Свобода или смерть» и про Боба Вахметова. Дрянь выдвинула требование и ушла, улыбаясь. Полина Владимировна кинулась ко мне...

Мусина закашлялась и выпила глоток чая.

— Вы согласились уволиться, но попросили за это шубу, — договорила я за хозяйку.

Люся поперхнулась.

— Да вы что! Я не требовала манто. Мне Полина сама предложила, а я отказалась. Витя, мой муж, понятия не имеет, что мы с Хатуновой знакомы. Не скрою, я давно мечтала о шубке, но у нас в семье с деньгами не густо, трое детей, сами понимаете, какие расходы. Как объяснить Виктору, откуда норка взялась? Услышав от Поли про визит Веры и ее условие, я сразу сказала: «Бери мерзавку на мое место, учителем ее назначить нельзя, образования педагогического у нее нет, авось в библиотеке не напортачит». Полина заплакала и ответила: «Спасибо огромное, Люсенька, не волнуйся, я компенсирую потерянные деньги, буду каждый месяц тебе непременно платить. И куплю красивую шубу».

Я отказалась от всех подарков, мы поспорили и договорились так: буду шить на дому карнавальные детские костюмы. Полина на первых порах покупает мне все необходимое для работы и посылает клиентов. Потом, когда я раскручусь, помощь мне уже не понадобится. Вы знаете Игоря Степановича Рябикова?

— Нет, а кто он? — спросила я.

Люся усмехнулась.

— Владелец телеканала, на котором шоу «Чужой среди своих» снимают, приятель Григория Алексеевича, поэтому школа Хатуновой в проекте задействована.

— А-а-а, — протянула я, — понятно.

— Полина попросила Игоря Степановича упомянуть мое имя в эфире, несколько раз сказать, что есть в Москве мастерица Людмила Мусина. Тот пошел ей навстречу, меня позвали в программу «Доброе утро», затем в «Шьем сами» и на ток-шоу «Поболтаем», где речь шла о том, как трудно приходится родителям младшеклассников, учителя постоянно от них денег требуют, велят участвовать в конкурсах, например, на лучший карнавальный костюм, а это дорогое удовольствие. Я встала и сказала: «Вовсе нет. Сейчас увидите модели, которые вас не разорят!» И продемонстрировала свои изделия.

— Реклама — двигатель торговли, — вспомнила я старый лозунг.

— В моем случае она сработала, народ стал звонить, делать заказы. А шубу Полина, несмотря на мое сопротивление, все же мне подарила, — продолжала Люся. — Прибежала сюда, сунула пакет и приказала: «Скажи Вите: директриса на место библиотекаря вынуждена взять бабу, которую ей начальство из Минобразования подсунуло. Манто — компенсация тебе за добровольный уход из школы». Виктор умный человек, но в житейском плане наивный ребенок, его легко обмануть.

— Ситуация с манто понятна, но остальное пока покрыто мраком, — остановила я собеседницу. — Давайте начнем от печки. Что это за организация «Свобода или смерть»?

Люся медленно втянула воздух носом, затем сделала резкий выдох и начала новый рассказ.

Игорь Леонидович, отец Люси, известный акушер-гинеколог, учился в институте в одной группе с Владимиром Хатуновым, отцом Полины. Получив дипломы, они продолжили дружить. Игорь был ветреник, часто менял жен. Люсенька родилась от его шестой супруги, когда Мусин уже был не первой молодости. Одной из причин многочисленных разводов Игоря Леонидовича являлось его твердое желание никогда не иметь детей. Первое время каждая очередная супруга думала, что сможет переубедить или обмануть спутника жизни, забеременеет тайком и ничего не скажет Игорю, пока не станет поздно делать аборт. Но обвести вокруг пальца профессионального гинеколога в вопросе деторождения трудно. Мусин мигом ловил жену на вранье и разводился. Как Наде Кисловой удалось произвести на свет Людмилу? Ответа на этот вопрос нет, но новорожденный младенец отца совершенно не обрадовал. Наверное, гинеколог развелся бы и с матерью Люси, но та умерла, когда дочке едва исполнилось три месяца. Игорь Леонидович неожиданно стал отцом-одиночкой и, к его чести, малышку в приют не сдал, сам начал воспитывать девочку. Наличие в доме крошки не изменило образа жизни доктора. Он по-прежнему волочился за юбками, приводил в дом любовниц, которые с каждым годом становились все моложе и моложе. Людмила росла как придорожная трава, ею никто не занимался, лет с трех она сама брала еду из холодильника и спокойно укладывалась спать одна. У Хатуновых дома была другая ситуация. Владимир Петрович еще в студенческие годы женился на Елизавете Никитичне и прожил с ней много лет в счастливом браке. У них была единственная дочь Полина, которую родители обожали. Поля не отличалась особыми талантами, но в школе получала крепкие четверки, и Владимир Петрович отправил любимую доченьку в мединститут, который когда-то окончил сам и где на тот момент преподавали его бывшие однокурсники. Дочь Хатунова получила диплом и стала работать с академиком Разгоновым, к которому ее тоже пристроил отец.

Игорь Леонидович частенько забегал к Хатуновым на огонек, благо друзья жили в соседних домах, и Люся всегда старалась увязаться за ним. Девочке очень нравились Елизавета Никитична и Полина, а те нежно относились к сиротке. Когда Люсеньке исполнилось пять лет, она как-то вечером одна прибежала к тете Лизе, чем до крайности напугала ее.

— А где же папа? — спросила хозяйка, впуская малышку в квартиру.

— Он на работе, — объяснила Люсенька, — я из садика сама к тебе ушла! Уже поздно, воспитательница ругалась, что за мной никто не приходит.

Елизавета Никитична схватилась за голову и с тех пор стала забирать девочку из группы, впрочем, иногда за Люсей заходила Полина. И как-то так получилось, что к шести годам дочь Игоря Леонидовича фактически поселилась у Хатуновых. В просторной квартире Владимира Петровича у Людмилы была своя комната, и первый раз в первый класс с букетом гладиолусов малышку провожали Елизавета Никитична и Полина.

Глава 22

Поля любила и жалела Людмилу, считала ее своей сестрой. Люсенька была намного младше Поли, но она никогда не капризничала, не вредничала, слыла умненькой тихой девочкой, предпочитала больше слушать, чем говорить. Полина не выгоняла малышку, когда к ней приходили гости. Друзья Хатуновой привыкли к Люсе и очень часто, забыв, что в комнате находится ребенок, вели откровенные разговоры. За бутылкой вина они болтали о разном, но рано или поздно беседа всегда съезжала к одной теме: в СССР нет свободы, в полицейском государстве жить плохо, да еще хорошие продукты питания и разные товары в дефиците.

Потом грянула перестройка, друзья Полины приняли ее восторженно, но вскоре они испытали глубочайшее разочарование. Фраза «Теперь жить совсем невыносимо» стала припевом к любому разговору тех, с кем общалась Полина. Люсенька не помнит, когда в кругу близких Хатуновой людей появился Борис Вахметов, которого все звали Боб. Но то, что Полина влюблена в него, девочка заметила сразу.

С появлением Боба разговоры в квартире Хатуновой стали другими. Вахметов оказался человеком действия, его не устраивало просто болтать языком и ничего не делать.

— Мы должны изменить судьбу страны, — вещал Борис, — не сидеть сложа руки, не устраивать кухонные посиделки, а сражаться с режимом, который издевается над народом.

Вахметов не был красавцем, имел самую обычную, незапоминающуюся внешность. Встретишь такого на улице, скользнешь по нему взглядом и тут же забудешь, как он выглядит, а если попросят описать Боба, растеряешься. Какие у него волосы? Ни темные, ни светлые. Какие у него глаза? Серые, нет, голубые, нет, светло-карие. Форма лица? Носа? Подбородка? Ну... как у всех. Среднестатистический парень, совсем не мачо. Но когда Борис начинал говорить, девочка не могла оторвать от него глаз. Все, что вещал Вахметов, казалось ей необыкновенно умным, правильным. Люся, как всегда, молча сидела в углу и упивалась речами своего кумира. Боб был из категории людей, способных зажечь толпу и повести ее за собой куда угодно. Магия его слов действовала не только на юную Мусину, но и на всех друзей Полины, которые уже окончили институт и работали врачами.

Как-то раз, выслушав очередное пламенное выступление Боба, однокурсница Поли Вера Соева поинтересовалась:

— А что делать надо, Боря? Конкретно?

— Бороться с режимом, который вверг страну в катастрофу, — не замедлил с ответом Вахметов. — Мы должны создать подпольную организацию и действовать! От бла-бла на кухне ничего не изменится.

— И как мы станем бороться с режимом? — не успокаивалась Соева.

Борис запустил руку в свои кудрявые волосы.

— Сначала надо оформиться организационно, затем выработаем программу. Давайте проголосуем. Кто за создание ячейки?

Тайная организация? Это было так интересно, романтично. Руки подняли все, включая Люсю.

— А ты что здесь делаешь? — удивился Вахметов, только сейчас заметив девочку.

— Я с вами, — объявила школьница.

— Без детей обойдемся, — отрезал Боб, — ступай в свою комнату, поиграй в куклы.

Людмила чуть не заплакала от обиды.

— Пусть останется, — заступилась за названую сестру Полина.

Борис разозлился.

— У нас серьезное дело, соплячкам здесь не место.

— Она взрослая, — возразила Полина, — умная, не болтливая, намного старше своего паспортного возраста. Я за Люсю ручаюсь.

— Ладно, — без особой охоты согласился Вахметов, — но больше в твоей квартире собираться нельзя. Нас могут выследить.

— Где же нам общаться? — опять влезла с вопросом Вера Соева.

— Решу проблему, — пообещал Борис.

Спустя неделю Боря встретился в парке с Полиной и Люсей. Он вручил им железные колечки, на которых висели странные изогнутые палочки и брелок в виде летучей мыши с надписью «Свобода или смерть».

— Спрячьте как следует, никому не показывайте, — велел парень. — Этим будете открывать пещеру.

Люся разинула от удивления рот, но, как водится, промолчала, а Полина спросила:

— Что ты имеешь в виду?

Борис пустился в объяснения. Его отец всю жизнь проработал на оборонном предприятии «Уникс». Снаружи завод выглядел непрезентабельно, на тщательно огороженной территории стояло двухэтажное кирпичное здание. Никто из редких прохожих, шагавших вдоль длинного забора к остановке автобуса, понятия не имел, что идет по тротуару, под которым расположены гигантские цеха. «Уникс» имел железнодорожную ветку, ночью на нее выкатывали платформы, тщательно закрытые брезентом, и прицепляли их к товарным поездам. Слегка обшарпанная двухэтажка была всего лишь проходной, где имелись лифты, опускавшиеся под землю. В советские годы «Уникс» процветал, устроиться туда было совсем не просто, сотрудников отбирали тщательно и проверяли до седьмого колена. Отец Вахметова был главным конструктором, Боря все детство провел у него на предприятии. Мать мальчика тяжело болела, часто ложилась в клинику, уезжала в санаторий, и тогда папа брал сына на работу. Борис излазил весь завод, но больше всего ему нравился тоннель, где проходили рельсы. Там в одной из стен имелась большая пещера со сводчатыми потолками, это природное образование приспособили под дежурку военных, охранявших железнодорожные пути. Школьник подружился с ними, часто пил у них чай, парни в форме охотно пускали к себе сына главного конструктора, играли с ним в карты.

В перестройку завод закрыли, его территория быстро пришла в запустение, здание проходной снесли, но пустырь остался огороженным высоким забором с колючей проволокой по периметру. Борис знает, как попасть в тоннель, и у него есть ключи от пещеры.

— Лучшего места для собраний не найти, — завершил Вахметов. — Нас там ни одна собака не найдет.

— Откуда у тебя ключи, да еще в таком большом количестве? — спросила Полина.

— Знал, где они до сих пор хранятся, и взял их оттуда, — обтекаемо ответил Боб, — сделал копии для всех. А еще заказал брелоки, летучая мышь будет символом нашей организации, слова «Свобода или смерть» — ее названием и слоганом.

Вот так все и начиналось, весело, загадочно, таинственно. В первый раз Борис сам привел компанию в пещеру. Девушки не догадались натянуть резиновые сапоги и повизгивали, наступая в тоннеле на лужи, парни чертыхались. И грот далеко не всем понравился, в нем было очень холодно, сыро, неуютно, не горел свет, не работало отопление.

— У Полинки дома намного лучше, — заныла Вера, кутаясь в шарф, — тепло, уютно, можно чаю попить.

— Думай о революции, — налетел на Соеву Боб, — ее не делают в комфорте, за идеи отправляются на каторгу, а там сладкие пирожки не раздают.

— Неохота что-то мне с тачкой в каменоломне оказаться, — простонала Вера.

— Можешь уходить, — предложил Боря, — но только сейчас. После того как мы произнесем клятву верности, покинувший ряды организации будет считаться предателем, и его убьет мститель!

— Как убьет? — испугалась Зина Раскова.

— Задушит или отравит, — кровожадно пообещал Вахметов и забегал по пещере, потирая руки.

Люся глянула на парня и вдруг заметила, что у него на ногах ботинки на очень толстой подошве с высокими каблуками. Если Боря их снимет, он станет ростом с нее, а может, даже меньше. Многие мужчины невысокого роста комплексуют из-за того, что они ниже остальных, и это толкает их на великие дела. Тамерлан и Чингисхан были всего сто сорок пять сантиметров в высоту, Александр Македонский и Карл Великий выросли до полутора метров, на один сантиметр обогнал последних Наполеон, которого обожали женщины и боялись мужчины. Не в росте дело, у представителя сильного пола главное ум, харизма, но Люсеньке, смотревшей на каблуки Вахметова, стало смешно, и она в один миг разлюбила парня. Она поняла, что Боб просто дурачок, наверное, он в детстве не наигрался в шпионов. Пещера, брелоки в виде летучей мыши, девиз «Свобода или смерть», клятва, обещание убить предателя — все это напомнило Людмиле тайное общество «Принцесса», которое они с подружками организовали во время летних каникул на даче. Второклашки заседали на чердаке, следили за соседкой, которую считали ведьмой, порезали себе пальцы, чтобы скрепить клятву верности кровью. Но девочкам на тот момент едва исполнилось по восемь лет, а Бобу-то двадцать шесть, правда, он самый молодой в компании. Полине вот-вот стукнет тридцать, и остальным столько же, все собравшиеся в холодной пещере, на взгляд подростка Мусиной, были взрослыми, даже пожилыми людьми. Неужели они не понимают, что Борис затеял глупость? Разве революции так совершают? Сейчас кто-нибудь из компании расхохочется и скажет: «Отличная история! Классная пещера, спасибо за веселую прогулку, а теперь пошли отсюда к Полинке, чаю с пирожками хочется». Но присутствующие стояли с вытянутыми, напряженными лицами, а у Зины затряслись губы, и она, крикнув:

— До свиданья! Душите друг друга без меня, — ринулась вон из мрачного подземелья.

За девушкой со словами:

— Зинуля, постой, провожу тебя, — поспешил ее парень Юра Кленов.

— Кто еще хочет удрать? — презрительно спросил Боб и уставился на Веру. — Кто у нас трус?

— А я что? Я ничего, — залепетала Соева, — я не такая, как Зинка, я не боюсь! Я с вами навсегда.

— Отлично, — потер руки Вахметов, — первое заседание революционно-террористического объединения «Свобода или смерть» объявляю открытым.

— Революционно-террористического? — испуганно переспросила Катя Шилова. — Это что же мы будем делать?

— Самыми действенными мерами для свержения режима являются теракты! — провозгласил Борис. — Мы пойдем по испытанному пути, научимся делать бомбы.

— Ой-ой! — заверещала Катерина. — Совсем забыла! Мама велела брата из школы забрать. Я пошла! Никита, вставай!

— И мы с вами! — в один голос заорали Леня Макаров и Миша Крутов.

Кавалер Шиловой двинулся к выходу, на пороге он обернулся:

— Боб, я вернусь, только Катюху до метро доведу.

Вахметов сделал неприличный жест.

— Ага! Конечно! Никита, даже не мечтай к нам примкнуть, ты не подходишь по характеру.

Потом Боб оглядел небольшую группку оставшихся и потер руки.

— Нас восемь, включая меня. Ленин начинал с меньшим количеством соратников и совершил масштабную революцию. За работу, товарищи, страна ждет освобождения.

У Бориса был такой пафосный вид, что Люсеньку опять начал душить смех, похоже, Боб сейчас чувствует себя вершителем человеческих судеб, Цезарем, не меньше. Да он просто идиот! Неужели Полина этого не поняла?

Мусина глянула на Хатунову, у Поли горели глаза, на щеках рдел яркий румянец, и она смотрела на фигляра Бориса с неприкрытым восторгом и обожанием. Люсе стало страшно, в голове неожиданно возник вопрос: вдруг глупая затея плохо закончится?

Глава 23

Вначале члены организации занялись обустройством пещеры, написанием плакатов и лозунгов, которыми украсили стены. Молодые люди притащили в штаб-квартиру стол, табуретки, разные мелочи, и помещение перестало казаться угрюмым, правда, там по-прежнему царил пробирающий до костей холод. Люся сообразила, что зимой под землей никто заседать не сможет, революционеры элементарно замерзнут.

Закончив оформление офиса, дружный коллектив начал составлять устав, затем выбрали исполнительный комитет из трех человек и президиум, куда вошли четверо. Люсе по малолетству руководящего поста не досталось, она оказалась единственным рядовым членом группы. До начала октября обсуждали политическую программу. Осень в том году пришла рано, зарядили дожди, в пещере, как и предполагала Мусина, получился ледник, все сидели в верхней одежде, щелкали зубами и мечтали о кружке горячего чая. В середине месяца Люся подхватила воспаление легких, надолго свалилась в кровать, получила осложнение на суставы, угодила в больницу, потом пришлось догонять класс, чтобы не оставили на второй год... На собрание революционеров она долго не ходила. В конце ноября Полина смущенно сказала девочке:

— Люсенька, Борис тебя, как неработающего члена, отчислил. Мы не считаем тебя предательницей, понимаем, у тебя проблемы со здоровьем, но революцию должны делать выносливые. Не переживай, пожалуйста, что оказалась за бортом организации.

— Не буду, — весело пообещала Люся, которая не испытывала ни малейшей охоты участвовать в затее Вахметова.

Девочка понимала, что ей предстоит на будущий год поступать в институт, надо отдавать все силы учебе.

— Вот и молодец, — похвалила Полина, поцеловала Люсю и тихо добавила: — Забудь навсегда про Боба и его идеи, хорошо?

— Тебе тоже надо оттуда линять, — решила честно высказать свое мнение Мусина, — глупость какая-то — в пещере разговоры вести. Ты же серьезный человек, врач, ассистент самого академика Разгонова, стоишь с ним у операционного стола.

Полина улыбнулась.

— Ну, это красиво сказано. Арнольд Максимович не разрешает мне даже крючок держать, я в прямом смысле слова *стою* на операции. Ну если он прикажет, что-то хирургу подам. Зато в палате реанимации мне доверяют самых тяжелых, знают, что я ответственная.

Люся обняла Полину.

— Я горжусь тобой.

Хатунова погладила названую сестру по голове.

— Знаешь, я никогда не хотела стать доктором, пошла в медвуз по желанию родителей. Я мечтала преподавать в школе, до сих пор хочу с ребятами работать.

— Фу! Гадость какая, — скривилась Люсенька, — дети противные!

Полина легонько шлепнула ее.

— Ступай делать уроки.

— Ты уйдешь от Боба? — спросила Мусина. — Он ерундой занимается.

Хатунова покачала головой.

— Никогда.

— Почему? — возмутилась Люся. — Он идиот.

— Не надо сгоряча судить о людях! — сердито воскликнула Поля. — Ты совсем не знаешь Бориса, он прекрасный, умный, талантливый человек.

— А-а-а, — протянула Люся, — прекрасный, умный, подающий надежды, с богатым душевным миром. Весь такой интеллигентный, пять шкафов книг прочитал. Так?

— Да, — кивнула Хатунова.

— Ну а конкретно он что-то делать умеет? — язвительно осведомилась Люсенька. — Кроме того, что про революцию болтать, еще на какие-то действия способен? Например, на работу пойти? Он на что живет? Кто ему деньги дает?

Полина встала.

— Людмила, если хочешь сохранить со мной нормальные отношения, никогда не говори плохо о Боре.

— Ты его любишь! — догадалась Мусина.

— Больше всех на свете, — подтвердила Полина, — ради Боба я готова на любой шаг, за него жизнь отдам.

— Вот здорово! — запрыгала Люсенька. — Вам надо поскорей пожениться. Боб пойдет работать, ты родишь ребеночка, я его нянчить стану. По вечерам будем вместе чай пить. Тетя Лиза давно мечтает о внуках.

— А ты откуда знаешь? — усмехнулась Поля.

Люся округлила глаза.

— Я тихая, сижу, молчу. Елизавета Никитична забудет, что в комнате кто-то есть, и начинает по телефону со своей подругой Олесей Степановной болтать. Она ей часто говорит: «Ну когда Поля мне внука родит? Время идет, биологические часы тикают, а дочка о замужестве и не думает. Не дай Господь, останется старой девой, будет потом век в компании кошек доживать». Иди скорей, порадуй маму.

— Чем? — не поняла Полина.

— Тем, что вы с Бобом свадьбу сыграете, — захлопала в ладоши Люся, — я хочу быть подружкой невесты. Можно?

Хатунова снова села на диван.

— Люся, ты выдумщица, с чего тебе в голову взбрела мысль о свадьбе?

— Вы же с Бобом обожаете друг друга! — подскочила Люся.

— Людмила, ты сделала далекоидущие выводы, не понимая, как обстоит дело. Борис не приспособлен для семейной жизни, — после небольшого колебания продолжила Поля. — А дети его раздражают. Вахметов меня, как женщину, не любит. И сомневаюсь, что мама придет в восторг от такого зятя. Мда. Сделай одолжение, не рассказывай ей о нашем разговоре. Не говори о моем отношении к Боре, не заикайся о загсе.

— Ладно, — пообещала расстроенная Люся, — Боб дурак, если тебя не любит, разлюби его в ответ.

Полина обняла девочку.

— Сердцу не прикажешь.

Больше они о пламенном революционере не разговаривали. Люся занялась подготовкой к поступлению в вуз, бегала по репетиторам, которых ей нанял отец, про пещеру она и думать забыла. Жизнь текла своим чередом. Полина работала, Елизавета Никитична хлопотала по дому, Владимир Петрович по-прежнему принимал роды, а Игорь Леонидович, давно ушедший из практикующих специалистов, преподавал в вузе. Все шло хорошо до того дня, когда Люсенька, вернувшись домой в районе семи вечера, увидела в прихожей большой чемодан.

— Тетя Лиза! — закричала девочка, сбрасывая туфли. — Дядя Володя едет в командировку?

— Нет, солнышко, — ответила Елизавета Никитична, — это твои вещи.

— Мои? — изумилась Люся.

— Да, дорогая, — кивнула мать Полины, — пришли результаты сданных тобой анализов, они не очень хорошие.

— Это когда же я в лабораторию ходила? — удивилась Люся.

— В конце прошлого месяца, — ответила женщина.

— Нет, — заспорила Людмила, — ты путаешь.

— Какая разница, когда был сдан анализ, он ужасный, — неожиданно вышла из себя всегда спокойная Елизавета, — у тебя ревматизм. Надо срочно ложиться в специализированную клинику, она в Ялте.

— Где? — попятилась Люсенька.

— В Ялте, — повторила Елизавета Никитична, — это прекрасный город на море, тебе там понравится.

Мусина растерялась, и тут в квартире Хатуновых появился ее отец.

— Собрали шмотки? — спросил он у Елизаветы.

Та молча кивнула.

— Прекрасно, — обрадовался Игорь Леонидович, — поехали, Людмила, а то на самолет опоздаем.

— Я прямо сейчас улетаю? — испугалась Люся. — А как же школа?

— И в больнице дети учатся, — успокоил отец, подталкивая ее к выходу.

— Не успела ни с кем попрощаться, — сопротивлялась девочка.

— Скоро вернешься, одноклассники соскучиться не успеют, — пообещал папа.

— Полине до свидания не сказала, — огорчилась Люся.

— Она очень занята, ухаживает за тяжелым больным, к телефону не подойдет, — скороговоркой произнес Игорь Леонидович, усаживаясь вместе с дочкой в такси.

Вопреки обещаниям отца Люся вернулась в Москву через полтора года. В Ялте ей очень понравилось, там было море, много фруктов, ее окружали приятные врачи и знающие учителя. В больнице девочка пролежала несколько недель, затем ее перевели в санаторий, стоявший на берегу моря. Летом и ранней осенью можно было купаться сколько влезет. Мобильных телефонов у населения тогда не было, домой Люся звонила по автомату, за ее спиной всегда толкалась очередь из желающих дорваться до трубки, поговорить по душам в такой обстановке затруднительно.

Вернувшись в Москву, Люся узнала, что Полина вышла замуж за Григория Пенкина и уехала жить к нему.

Елизавета Никитична и Владимир Петрович через пару лет умерли, родительскую квартиру Хатунова продала. Игорь Леонидович скончался, когда Люсенька получила диплом филолога. По специальности Мусина проработала несколько лет, она сидела в НИИ и умирала там от скуки, получая крохотную зарплату. Потом Люся влюбилась в своего однофамильца Виктора Ильича Мусина и родила троих детей. Небольшая двушка Игоря Леонидовича, в которой жила разросшаяся семья, стала им тесна, а денег на новое жилье у пары не было.

Виктор Ильич прекрасный муж, заботливый отец и талантливый ученый. Он написал сначала кандидатскую, потом докторскую диссертации, работал в университете. Одна беда, его зарплаты едва хватало на прокорм птенцов и покупку необходимых вещей. Пытаясь как-то решить жилищный вопрос, Виктор обратился в риелторское агентство. Хитро улыбающаяся Майя, владелица конторы, предложила профессору интересный вариант.

— Вы отдаете нам свою двушку, а я нахожу вам взамен большую квартиру, четырехкомнатную.

— Такое возможно? — поразился Мусин.

— Почему нет? — вкрадчиво сказала Майя. — Вы попали к лучшим специалистам по жилью.

Через месяц она привела Мусина в двухэтажный барак и начала петь песню.

— Здесь площади сто сорок метров, до метро пять минут пешком, рядом парк, дом находится в одном дворе со школой. Сказочный вариант.

— Места много, — обрадовался наивный, хотевший сделать жене сюрприз профессор, — но само здание... оно не очень хорошо выглядит.

— Да, — согласилась Майя, — помещение аварийное, однако именно в этом соль нашего предложения. Вы вселитесь в здание, его через год будут расселять, по закону многодетным семьям жилье предлагают в первую очередь, и меньше ранее занимаемой площади им выделять нельзя. Получите роскошные апартаменты в башне, которую возводят в парке. Видите стройку? Ее специально затеяли, чтобы переселить туда народ из подлежащего сносу в микрорайоне жилья.

Профессор, умный, но крайне наивный в житейских вопросах и порядочный человек, считал всех вокруг честными людьми, он поверил Майе и оформил сделку, попросив ее:

— Как сделать так, чтобы жена ничего заранее не узнала? Хочу преподнести ей сюрприз.

— Для наших клиентов любые услуги, — прочирикала Майя. — Оформлю от ее лица доверенность, есть у меня нотариус, она все сделает. Вам не о чем беспокоиться.

Глава 24

Через несколько недель Виктор Ильич привел жену в барак, открыл квартиру и торжественно заявил:

— Солнышко! Смотри! Сто сорок метров! Они наши! Можем переезжать завтра.

Люся остолбенела и, не сдержавшись, крикнула:

— С ума сошел? Тут ремонт пять лет делать надо.

— Тебе не нравится? — испугался муж. — Нам здесь недолго жить, скоро переберемся вон в ту башню.

Люся через силу улыбнулась, похвалила мужа за предприимчивость, а потом кинулась звонить Полине, попросила:

— Твой муж человек с огромными связями, может он разорвать сделку с недвижимостью? Витя сглупил ужасно. Извини за беспокойство, вешаю на тебя свою проблему.

— Давай адрес, — потребовала Поля и, узнав его, воскликнула: — С ума сойти! Это же барак во дворе моей гимназии. Он не муниципальный, принадлежит министерству. Его никто сносить не собирается! Я давно от него избавиться хочу, но это невозможно.

— Что же делать? — заплакала Люся. — Витя мне ничего о своих планах не говорил, хотел сюрприз сделать. В школе у тебя я никогда не была, понятия не имела, где она находится, и вообще мы с тобой последний раз месяцев восемь назад разговаривали! Не хочу жить в этом сарае. Да, места там много, но состояние квартиры удручающее, денег на ремонт нет.

— Ты до сих пор не работаешь? — уточнила Полина Владимировна.

— С тремя-то детьми? — вопросом на вопрос ответила Люся. — Сто раз пыталась устроиться, но как только в кадрах слышат слова «многодетная мать», мигом все вакансии оказываются заняты.

— Успокойся, — велела Полина Владимировна, — перезвоню тебе завтра. Не хнычь. Все будет хорошо.

Хатунова не подвела, на следующий день она связалась с Люсей и сказала:

— Есть три новости, одна плохая, две интересные. Сделку разорвать нельзя.

Мусина горько зарыдала.

— А ну перестань, — прикрикнула Поля, — я давно просила мужа решить проблему с бараком, это убожество мне поперек горла стоит, портит вид гимназии. Гриша долго договаривался с его владельцами, утряс массу вопросов, и на следующей неделе там начнется капитальный ремонт за счет моего супруга. Прежних жильцов, алкоголиков-уголовников-наркоманов, переселят, а профессор с семьей останется. Здание полностью переоборудуют, сменят коммуникации, проводку, вообще все приведут в порядок, у тебя будет новая просторная квартира. Апартаментов в доме останется всего четыре. У тебя будет лишь трое соседей.

— Господи, спасибо тебе, — заплакала Люся.

— Что за манера по каждому поводу сырость разводить, — пробурчала Хатунова. — И последнее, мне в школе нужен библиотекарь. Пойдешь работать в гимназию?

— Да, — едва не упав в обморок от счастья, закричала Мусина, — да, да, да.

— Но детей твоих бесплатно на обучение взять не смогу, — предупредила Полина.

— Не надо, они прекрасно себя в обычной школе чувствуют, — затараторила Мусина.

— Напоминаю тебе наш уговор, — продолжала Полина. — Когда ты, вернувшись из Ялты, стала мне звонить, хотела познакомиться с Григорием Алексеевичем...

— Ты сказала, что муж не должен знать о наших близких отношениях, — перебила ее Люся, — и вообще никому не надо говорить, что я выросла в доме дяди Володи и тети Лизы. Мы с тобой не знакомы. Я не поняла, почему ты выдвинула такое требование, но подчинилась. Домой я тебе не звоню, если нужно поболтать, набираю служебный номер, ни дни рождения, ни Новый год мы вместе не справляем. На мою свадьбу ты не пришла и велела Виктору о тебе не рассказывать. Я подчинилась, хотя до сих пор недоумеваю, почему так?

— Есть тайна, которую я открою, когда тебе исполнится пятьдесят, — пообещала Полина. — Сейчас же знай, если распустишь язык, мне может быть очень плохо.

— Я не болтлива, неужели ты еще этого не поняла? — обиделась Люся.

— Не дуйся, — попросила Поля, — я тебя очень люблю и всегда помогу, но втайне от всех. Когда начнешь работать в школе, будем вести себя как директор и библиотекарь. У меня женский коллектив, не хочу, чтобы знали о наших истинных отношениях. Одни педагоги захотят активно дружить с тобой, чтобы иметь возможность просить тебя лоббировать свои интересы перед владелицей гимназии. А другие объявят тебе войну. И первые, и вторые будут бегать в мой кабинет, хвалить тебя или ругать. Поэтому между нами должны быть исключительно деловые отношения. Виктору Ильичу сообщать, что реконструкцию барака затевает Григорий Алексеевич, не следует. Твой муж хороший человек, он хотел как лучше, пусть думает, что его план удался и его усилиями семья обрела прекрасное жилье. Психологический комфорт супругу...

— Полина, я поняла, что нельзя распространять информацию о наших давних близких отношениях, — остановила ее Люся. — Нет необходимости долго и упорно объяснять, почему ты этого не желаешь. Я тебе навсегда за ремонт и предоставленную работу благодарна и никогда не забуду, что твои родители для меня сделали. Давай больше никогда не заводить бесед об этом. Я не раскрою рта. Точка. Финиш.

Полина понизила голос до еле слышного шепота.

— Когда-нибудь я поведаю правду, и ты поймешь, что молчать тебя я просила и ради твоего блага. Никому никогда не сообщай о нашей дружбе, и упаси тебя бог вспомнить пещеру и все, что с ней связано. Не слышали мы с тобой о заводе «Уникс»!

Мусина скрестила руки на груди и посмотрела мне в глаза.

— Услышав последнюю фразу, я сообразила, что Поля боится кого-то или чего-то, связанного с дурацкой организацией «Свобода или смерть», но вопросов задавать не стала. Я спокойно работала в гимназии, мне там нравилось. Правда, коллектив специфический, кругом бабы, из мужчин один Кокозас, жуткий зануда. Тетки постоянно сплетничали, но скандалов не затевали, изображали, что любят друг друга. Хотя иногда пламя сквозь пепел пробивалось. Мария Геннадьевна мечтала выйти замуж, это у нее никак не получалось, а Авдотья Громушкина, психолог, большим успехом у сильного пола пользуется, вечно ее кто-то после занятий на парковке в машине ждет, и автомобили всегда разные. Один раз Маша не выдержала и Авдотью при всех шлюхой обозвала, а та в ответ: «Гулящая лучше, чем унылая старая дева». Мария вспыхнула. «Я просто разборчивая. В отличие от некоторых, со всеми в койку не валюсь. Жду свою любовь». «Задерживается принц, — засмеялась Громушкина. — Золушке скоро сорок с гаком стукнет. Дам тебе совет: когда королевич нарисуется, выброси из дома все свои реактивы, перестань старинную мебель реставрировать». «Почему?» — не поняла Шитова. Авдотья понизила голос: «Школу осенью атаковали тараканы, наглые твари прямо во время уроков по классу маршировали, ни одна дезинфекция их не брала. А сейчас прусаков нет. Куда они подевались?» «Я их вытравила, — вскинула голову учительница химии, — посидела недельку, поэкспериментировала и составила яд, убойный для насекомых и безопасный для людей». «Вот-вот, — закивала психолог, — ты у нас мастер по части химических изобретений, то свой лак для мебели составляешь, то зелье от тараканчиков. Узнает принц, что его красавица талантливая отравительница, способная любого втихаря на тот свет отправить, и удерет! Страшно с такой дело иметь, чуть что, она в кефир отравы накапает!»

Маша на Авдотью с кулаками кинулась, хотела ударить, хорошо, Кокозас их растащил. Но такие скандалы были редкостью. И вдруг откуда ни возьмись Вера Соева! Полина меня вызвала на встречу, я пришла в кафе и перепугалась. Хатунова ужасно выглядела, ее просто трясло. Остальное вы знаете.

Мусина замолчала.

— У вас есть какие-то мысли насчет личности убийцы? — решила я продолжить беседу.

Люся положила руки на стол.

— Понятия не имею, кто их жизни лишил, одни догадки на уме.

— Они мне тоже очень интересны, — сказала я, — никогда не знаешь, под каким кустом притаилась правда.

Мусина начала перебирать лежащие на клеенке мелочи.

— Во времена моего школьного детства Вера и Полина не были лучшими подругами. Соева в Мишку Катукова жутко влюбилась, надеялась на взаимность. Михаилу Верка не нравилась, он завел роман с Аленой Вербицкой. Соева переживала, ревновала. Потом возник Боб Вахметов, Верка переключилась на него, и снова облом. Соевой на мужиков не везло, вечно она не тех выбирала. К компании Полины Вера примкнула потому, что вокруг Хатуновой вились те, кто Соевой нравился. Вот Алена Вербицкая лучшей подругой Поли была, а Верка никогда. Почему Хатунова меня из-за Соевой уволила? Думаю, Вера ее припугнула, что-то она про нее плохое знала.

— Шантаж, — пробормотала я.

— Ну да, — согласилась Люся, — банально, примитивно, но работает безотказно. Если владеешь чужой тайной, можешь прогнуть человека.

— Помните имена тех, кто состоял в организации «Свобода или смерть»? — спросила я.

— Конечно, — кивнула Люся, — Полина, Вера, Алена Вербицкая, я, Михаил Катуков, Борис Вахметов, Андрей Горелов, Сергей Песков, те, кто остался в пещере после того, как другие сбежали. Они всякие планы составляли, клятву давали на верность. Все, кроме меня, я заболела, и Боб меня отчислил. Я после кончины Поли все думаю и думаю о том, что же с ней случилось? Понимаете, Боб был как гипнотизер, он людей околдовывал, лишал воли, подчинял себе. Полина его обожала и могла что-то по указке Вахметова сделать, и это было явно что-то нехорошее. Спустя время Поля поняла, что совершила гадость, поругалась с Бобом, вышла замуж за Пенкина. Но Хатунова ведь подписала клятву верности, и теперь Вахметов ей за предательство отомстил. Ищите Бориса, он наверняка в курсе произошедшего. Будьте осторожны, Боб умеет производить на женщин впечатление.

— Полина давно оформила брак с Пенкиным, — напомнила я. — Слишком долго Боб нанести удар собирался. Понимаю, месть — блюдо, которое лучше подавать холодным, но ведь не обледеневшим же под гнетом лет?

— Вы не знаете Вахметова, — воскликнула Мусина, — он из тех, кто способен и полвека таиться.

Громкий звонок заставил нас вздрогнуть, я достала из сумки трубку.

— Привет, Андрей.

— Ты где? — забыв поздороваться, спросил Платонов.

— В соседнем с гимназией доме, — уточнила я, — беседую с Люсей Мусиной.

— Немедленно возвращайся в школу, — приказал приятель.

— Что-то еще случилось? — испугалась я. — Все живы?

— Пока да, — мрачно ответил Андрей, — не тормози, я в кабинете директора.

Глава 25

Увидев меня, Карелия Алексеевна, сидевшая за письменным столом Полины, вскочила.

— Слава богу! Вы пришли! Я сейчас злая, злая в добром понимании этого слова.

Я посмотрела на Андрея и обратилась к завучу:

— Поскольку вы прекрасно знаете, кто я такая и почему очутилась в школе, можем говорить откровенно. Что стряслось?

— Эдик Обозов пропал, — со слезами в голосе воскликнула Карелия. — Ну за что мне эти мелкие неприятности с большими проблемами? Сначала Полина Владимировна и Вера умирают, теперь невесть куда мальчик исчез! Григорий Алексеевич Пенкин меня с поста директора снимет! Родители Обозова меня на британский флаг порвут! Помогите, скорей найдите Эдика, он просто где-то прячется,順 заныкался небось в зоне моей невидимости и сидит там не знаю зачем!

— Вам звонили? Требовали выкуп за ребенка? — спросил Андрей.

— Нет, — всхлипнула Карелия, — полная тишина. Господи, день так хорошо начался, я уехала на совещание, коллектив украшал школу к Новому году, дети были счастливы, веселы. Когда я вернулась, позвонили из полиции, сказали, что можно занимать кабинет Полины и открывать библиотеку, там больше ничего искать не будут. Я велела уборщице привести в порядок кабинет и отправляться в книгохранилище, потом пришла сюда, начала разбирать бумаги и...

Карелия закатила глаза.

— Входит молодой мужчина, подтянутый, в костюме, здоровается вежливо. Я возмутилась, спрашиваю: «Кто сюда ваше лицо без спроса впустил? В гимназии строгое правило: встречающие детей люди скапливаются в зале ожидания у центральных дверей, в здание школы в целях безопасности вход лицам родителей и лицам нянь настрого воспрещен. Покиньте немедленно подведомственную мне территорию, иначе я вызову охрану с принятием выталкивающих вас мер». А парень удостоверение вынул: «Прошу извинить за вторжение, я осведомлен о ваших порядках, никогда их не нарушаю. Я Сергей, охранник Эдуарда Обозова и его личный шофер. Сегодня Эдик записан к стоматологу, полчаса назад ему следовало выйти из школы, но его до сих пор нет. Ребенок боится зубного врача, он спрятался где-то в гимназии, надеется, что пропустит время визита и не встретится с бормашиной. Пожалуйста, найдите пацана».

Карелия заломила руки.

— Мне ничего плохого в мозг не стукнуло. Все дети ненавидят дантистов. Велела Кокозасу объявление по школьному радио сделать, но Обозов не появился. Мы его стали искать и поняли: в здании отсутствие присутствия ребенка. Я лично опросила нашу охрану, она детей в личность внешности знает. Не выходил Эдик! И верхняя одежда его тут! Вот она! Из гардероба принесли! Портфель! Он лежал на первом этаже, на скамеечке у раздевалки. Где мальчик? Прошу вас срочно разобраться с ответом данного вопроса.

— Где мальчик? — эхом отозвалось из приемной, и в кабинет директора влетел мужчина лет пятидесяти в дорогом костюме.

— Вы кто? — спросил Платонов.

— Константин Обозов, отец Эдуарда, — представился незнакомец, — я отменил все дела, сорвал совещание, примчался сюда, как только услышал от Сергея, что он Эдика не встретил и мальчика отыскать в школе не могут.

Я отвернулась к окну. Может, ребенок этого и хотел? Надеялся, что родитель оставит служебные дела и хоть раз в жизни сам приедет к нему в гимназию?

— Что тут происходит? — возмущался Константин. — Я плачу вам деньги, а за парнем присмотра нет?

Андрей протянул красному от гнева мужику визитку.

— Мои сотрудники сейчас обыскивают школу. Если мальчик здесь, мы его найдем.

— Конечно, Эдик в здании, — залепетала Карелия. — Нет ему смысла без смысла убегать. И зачем так безо всякого смысла поступать? И вот его ранец, одежда.

Я машинально взглянула на красивую куртку с капюшоном, шарф, яркую шапочку, серую вельветовую обувь, смахивающую на кроссовки. По спине побежали мурашки, я выпалила:

— Андрей, Эдик ушел из школы.

— Вы его видели? — оживилась Карелия. — Когда, где? Почему не остановили в процессе совершения глупости?

Я показала на вещи.

— Вас ничего не удивляет?

— Пуховичок, — пробормотала Линькова, — дорогой, модный, неразумно такой покупать ребенку, он жирафой к небу растет, лучше взять что подешевле.

— На дворе декабрь, — перебила я Карелию, — какая обувь была на ногах у мальчика, когда он покинул школу? Уж точно не вельветовые тапки!

Андрей повернулся к Константину.

— Что за обувь была у вашего сына сегодня утром?

Я подавила усмешку. Платонов обратился не по адресу, мужчины редко знают, что носят их дети.

— Понятия не имею, — фыркнул Обозов.

— Можете у кого-то уточнить? — попросила я.

Константин вытащил телефон в золотом корпусе.

— Сергей, назови... хотя иди лучше сюда. Живо.

Не прошло и минуты, как в кабинете материализовался плечистый парень в костюме.

Хозяин показал пальцем на вещи.

— Шмотье Эдика?

— Да, Константин Эдуардович, — почтительно ответил охранник.

— И тапки тоже? — уточнила я.

Сергей покосился на хозяина.

— Отвечать немедленно! — заорал тот. — Четко, конкретно.

— Ботинки Эдика, — подтвердил шофер, — но

это сменка, по улице мальчик в сапогах на меху ходит. Они темно-коричневые, на молнии сбоку, внутри цигейка, змейка в ней заедает, я ее постоянно свечкой натираю. Сапоги Эдику не нравятся, он хотел зимние кроссовки, но врач запретил, сказал, что от них плоскостопие развивается и...

— Заткнулся! — скомандовал Константин.

Сергей замолчал.

— Ребенок надел уличную обувь, бросил на скамейку рюкзак, убрал верхнюю одежду в шкафчик и убежал? — побледнела Карелия. — Но он не покидал школу собственными ногами! И охрана никогда не выпустит голого ученика зимой на мороз. Наши секьюрити крайне ответственно относятся к учащимся. Старшеклассники иногда во время большой перемены норовят без ничего выскочить, но их всегда остановят, попросят куртку набросить. Если кого с сигаретой заметят, мигом классному руководителю стукнут. Эдик где-то здесь, рядом, хотя, может, и далеко, на третьем этаже.

— А зачем тогда Обозов сапоги на меху надел? — спросила я.

В кабинет заглянула светловолосая девушка.

— Андрей Николаевич, можно вас на секундочку?

— Говори, Лена, — приказал Платонов.

Сотрудница отрапортовала.

— Собака след взяла. Дошла до скамейки около гардероба, сунулась в учительскую, спустилась по ступенькам к центральному входу, сошла вниз, пробежала по двору до калитки, двинулась на улицу и около знака «Осторожно, дети» заскулила.

— Спасибо, Елена, — поблагодарил Платонов, — увозите пса, больше ничего от него не получим.

— Значит, он удрал! — заорал Константин Обозов. — Ваша охрана ...! Я их ...! Всех ...! И вас...

Платонов сдвинул брови.

— Сейчас нужно сохранять хладнокровие. Пока мои сотрудники не перещупали в гимназии каждый гвоздь, выводы делать рано, псина может ошибаться. Давайте попытаемся выяснить, когда Эдик исчез. Карелия Алексеевна, сколько сегодня уроков было у мальчика?

— Шесть, — всхлипнула завуч, — математика, два труда, ОБЖ, история и биология. На труде школу украшали.

— Позовите всех учителей, — потребовал Платонов.

Через полчаса выяснилось, что никто из педагогов ничего особенного не заметил. Но на биологии Эдик отсутствовал.

— Обозов сказал, что ему надо к стоматологу, — пояснила Нина Максимовна, — подошел заранее, еще перед первым уроком. Я ему пожелала безболезненного визита и отпустила.

— Вот так просто? — заревел Константин. — Ах ты ...! Мало ли что ребенок придумает!

Федотова втянула голову в плечи.

— Записка была от матери, вот она!

Андрей взял из дрожащей руки учительницы листок и прочитал вслух:

— «Уважаемая Нина Максимовна! Прошу вас отпустить Эдуарда Обозова с вашего урока. Он записан к дантисту. Визит отложить невозможно. С уважением...» Текст набран на компьютере. Дальше закорючка. Константин Эдуардович, это росчерк вашей жены?

Бизнесмен схватил бумажку.

— Хрен знает, как она расписывается!

— Вы никогда не видели подпись супруги? — удивился Платонов.

Обозов насупился, я поняла, что он сейчас опять заорет, но ошиблась. Константин сник и устало пояснил:

— Пару раз она при мне документы заверяла, но не помню подписи, вроде она простая, без завитушек.

— Я ни при чем, — заплакала Федотова, — была записка от матери. Теперь я понимаю, что это странно, но сразу не насторожилась.

— Что необычного в записке? — тут же спросила я.

— Родительница Обозова с учителями никогда на контакт не шла, — всхлипнула Нина Максимовна, — все проблемы Эдика решал Сергей. Вот водителя я хорошо знаю, он, если мальчика ждет и меня во дворе видит, всегда из машины выйдет, спросит: «Как там Эдька? Не балуется? Учителей слушает? Я во дворе нахожусь, вы мне скажите, если парень безобразничать будет, проведу с ним воспитательную работу». Сережа очень хороший, заботливый, ответственный.

— Ступай, Нина, выпей чаю, успокойся, — приказала Карелия.

Я откашлялась.

— Извините, Константин Эдуардович, за мою бестактность, но я должна кое-что рассказать. Я застала мальчика в кабинете директора, Эдик рылся в шкафу с личными делами. Он достал папку, вынул оттуда конверт, вытащил из него бумагу, прочитал, потом засунул ее на место. В момент, когда он ставил скоросшиватель на полку, у меня зазвонил телефон. Паренек испугался, пошатнулся, схватился рукой за полку, вывалил ее содержимое и удрал. Я не знала, что в кабинете директора хозяйничал без спроса Обозов, лица его не видела, хотела понять, кто безобразничал, стала перебирать скоросшиватели. Желтый конверт нашелся лишь в одном, где хранилась информация об Эдике. Ну зачем кому-то изучать чужие бумаги? Скорей всего в кабинет проник Обозов. Я открыла конверт, кстати, он не был запечатан, и нашла справку, извещающую о том, что биологический отец Эдуарда лишен родительских прав в связи с разводом с его матерью, которая тогда не была еще женой Константина Обозова. Второй муж усыновил ее ребенка.

Невидимая сила вытолкнула Константина из кресла, он вскочил и заорал, пытаясь схватить меня за плечи.

— ...? Дура!!! ....! Эдька моя кровь! Жена его в Америке рожала! Я пуповину лично перерезал. ....!

Я ловко увернулась от разъяренного мужика и спряталась за спину Андрея.

— Прекратите, — приказал Платонов бизнесмену, — сядьте!

— Она врет! — не утихал Константин.

— Зачем Виоле лгать? — спросил Андрей. — Вероятно, кто-то сказал ребенку, что он не родной сын. Мальчик решил проверить информацию, полез в личное дело, удостоверился, что его не обманули, испытал сильный стресс и сбежал. Сергей, можете составить список друзей Эдуарда?

— Их нет, — ответил шофер, — пацанчик без меня никуда не ходит, в гости не ездит. Эдик только в школе с детьми общается, но они ему не нравятся, потому что шумные. Он любит тишину.

— Бред! — простонал Константин. — Чистый сюр! Могу дать контакт акушера, который принимал младенца. У гинеколога в Москве хранятся результаты УЗИ, всяких анализов, которые жена сдавала беременной. Сделайте анализ ДНК и убедитесь, что мы кровная родня. Откуда, ..., взялась эта бумага? Кто ее в дело положил! Отвечай ...!

Обозов указал на Карелию пальцем.

— Ну, давай, объясняй! ...!

Завуч заерзала на стуле.

— Виола Леопардовна, при всем уважении к вашей уважаемой личности я не могу поверить в услышанное собственным слухом. Тайна усыновления строго охраняется. Если ребенок был взят на воспитание, в школьных бумагах ничего не отразится. Документа, о котором вы сейчас рассказывали, в деле Обозова нет, и проникнуть туда он не может.

Андрей достал из шкафа папку.

— Мы сейчас проверим. Так, желтый конверт отсутствует.

Я нахмурилась.

— Но он там был. Я видела его.

— ...! — заорал Константин. — Она что-то знает про Эдика и нарочно всех путает.

Обозов задохнулся, в кабинете стало очень тихо, и вдруг заиграла музыка и зазвучала песня: «Новый год к нам мчится, скоро все случится...»

Карелия схватила со стола мобильный телефон и начала судорожно нажимать на кнопки, приговаривая:

— Простите, простите, забыла выключить.

И тут я, внезапно поняв, что произошло, вскочила.

— Здравствуй, Дедушка Мороз! Здравствуйте, ребята!

Глава 26

На секунду в кабинете опять стало тихо, потом Константин воскликнул:

— Эй, ты с ума сошла?

— Дед Мороз! — не успокаивалась я. — Он пришел в учительскую, сказал, что его пригласили провести праздник. В комнате находились мы с Ниной Максимовной, Федотова отправилась искать Карелию, меня Ангелина попросила помочь повесить гирлянды, я ушла с Жориной, а когда вернулась, артист сообразил, что попал не в ту школу, тут неподалеку есть еще одна. Знаете ее?

Завуч скорчила гримасу.

— Позор района. Там отвратительные учителя, дети из неблагополучных криминальных семей. У них проблемы с наркотиками, успеваемость хуже некуда, такое ощущение, что все их ученики в электричке родились! Клоака. Странно, что они решили Деда Мороза позвать, у тамошних родителей денег на праздники нет.

— Позвоните директору и спросите, приходили ли к ним сегодня артисты, — потребовала я.

— Зачем? — заморгала Карелия.

— Делайте, что велит Виола, — приказал Андрей.

Линькова с самым недовольным видом взялась за трубку, и через пару минут мы узнали, что у соседей сегодня был самый обычный учебный день, новогодний персонаж к ним не заглядывал.

— У Деда Мороза был с собой мешок, — начала объяснять я, — странный, на колесиках, прямоугольной формы, здорово смахивающий на вместительную хозяйственную сумку. Я заинтересовалась им, артист объяснил, что во время праздника демонстрирует фокусы, сумка — реквизит. К тому же лицедей оставался некоторое время один в учительской. Думаю, дело обстояло так. Эдик решил сбежать, он знал, что его во дворе всегда ждет Сергей, мимо шофера незамеченным не проскочишь. Думаю, охранник мальчика от себя далеко не отпускает.

— Везде за руку его вожу, — подтвердил парень.

— И у стоматолога караулите? — осведомился Андрей.

— У Аркадия Залмановича порядки в клинике не такие, как в школе, в приемной народа много, мало ли кто там окажется, — зачастил Сергей, — я с Эдиком всегда рядом сижу и в кабинет захожу. К дантисту недоверия нет, но мне хочется ребенку моральную поддержку оказать. А после визита я его всегда мороженым угощаю за мужество.

— Обозов прекрасно знал, что единственный способ сбежать — это уйти из школы, где у него за спиной не маячит Сергей, — продолжала я. — Но как миновать бдительную местную охрану? И тогда был придуман оригинальный ход. В гимназию пришел Дед Мороз, его визит никого не всполошил, конец декабря, время праздников. Эдик спустился на первый этаж, надел теплые ботинки, а вот остальные вещи бросил, верхняя одежда ему помешала бы залезть в мешок, и рюкзак с учебниками там не поместится. Когда Нина Максимовна и мы с Ангелиной вышли из учительской, Эдик шмыгнул туда, нырнул в мешок и притаился. Когда стало ясно, что актер перепутал школы, он попрощался и ушел, увозя торбу. Незнакомец действовал умно, он не сбежал, как только мальчик очутился в его руках, это могло вызвать вопрос: почему Дед Мороз не дождался директора? Нет, он действовал не спеша, и все ему поверили. Вот почему служебная собака от скамейки побежала в учительскую, а потом понеслась к выходу. Пес точно проследил путь школьника. К сожалению, ищейка не могла нам рассказать, что Эдика увезли в котомке на колесах.

— Я же видел деда! — начал сокрушаться Сергей. — Он со школьного двора вышел, мешок за собой тащил. Я еще подумал: чего он его не поднимет, испачкается ведь! Потом увидел, что торба на колесах. И ничего у меня не шевельнулось внутри. Я сегодня уже четверых мужиков с ватными бородами встретил. Новый год же!

— На то и был расчет, — протянул Платонов, — Деды Морозы и Снегурочки в декабре не вызывают у людей настороженности, только добрые улыбки.

— Понимаете, что произошло? — воскликнула я.

— Мальчика украли, — закричала Карелия, — ужас.

— Нет, — возразила я, — он сам ушел! Эдик и Дед Мороз хорошо знакомы, ребенок ему доверяет, раз залез в мешок.

— Может, ему сделали укол, — запаниковала завуч, — в бессознательном состоянии запихнули в сумку?

— Маловероятно, — возразила я, — Деду Морозу для этого следовало выйти в холл, потом унести паренька, его бы кто-нибудь заметил.

Андрей посмотрел на часы.

— Почему в гимназии отсутствуют видеокамеры?

Завуч покраснела.

— Они ранее висели повсюду, даже в раздевалках спорткомплекса, а потом случился скандал. У нас училась Олеся Гардине. Дочь известного политика и очень популярной певицы. Фамилия благородная, предки ее отца то ли графы, то ли князья. Но сама девочка отвратительная, внешне ангел, а поведение, хоть святых выноси. В желтую прессу попало видео, как Олеся изображает стриптизершу перед одноклассниками, ей тогда едва исполнилось двенадцать. Плясала и раздевалась догола она в кабинете музыки. Когда Полина Владимировна устроила расследование, выяснилось, что запись продал журналистам один из охранников. Газеты и журналы с восторгом опубликовали отвратительные кадры, «кино» попало в Интернет, его показывали по телевизору в программе «Дети шоу-бизнеса». Скандал был бурный, хорошо, что Григорий Алексеевич Пенкин как-то ухитрился договориться со всеми, и нигде не прозвучало, что пакостница учится у нас. Олесю отправили в Англию, а родители других детей потребовали немедленно демонтировать видеоаппаратуру. У нас занимаются ребята из чиновных или знаменитых семей, и тогда же приняли решение отбирать при входе в гимназию телефоны и другие гаджеты. Кстати, эта мера положительно повлияла на успеваемость, которая стала положительнее, чем до отъема плодов прогресса.

— Понятно, — кивнул Андрей. — Константин, у вас есть враги?

— Знаю людей, мечтающих с огромным удовольствием сплясать на моей могиле джигу, — буркнул Обозов.

Платонов вынул сотовый.

— Валера, иди сюда. — Потом он повернулся к отцу Эдика: — Вам придется поехать с моим человеком, составите список тех, кто недоволен вами или обижен. Попросите жену вернуться домой, надо с ней побеседовать. Потребуется ваше разрешение на временную прослушку телефонов: домашних и мобильных. А вот и Валерий, он объяснит, что нужно.

* * *

Около восьми вечера я зашла в маленькое кафе, устроилась за столиком в углу, сбросила Андрею эсэмэс «Уже на месте» и начала изучать меню.

— У нас замечательные креветки, — посоветовала официантка, — готовятся на гриле, подаются на салатных листьях с майонезом фирменного приготовления.

Я поморщилась. Ну уж нет. В предлагаемом блюде соединилось два ингредиента, которые я даже под страхом смертной казни не стану пробовать: креветки и майонез. Но не успела эта мысль прийти в голову, как невероятно, до судорог в желудке мне захотелось именно морских гадов в компании с любимым соусом россиян.

С языка сорвалось:

— Несите.

— Привет, — сказал Андрей, усаживаясь за столик. — Что заказала?

— Креветок, — ответила я.

Платонов удивился.

— Ты же их терпеть не можешь.

— Сама не пойму, — сказала я, — меня прямо затрясло от вожделения, когда официантка про них рассказывала.

— Бывает, — кивнул приятель, — я давно не ем сосисок, в детском саду их как-то дали на завтрак, я слопал и отравился. С тех пор ни-ни, а один раз зашел к Мишке домой, гляжу, тот как раз в кастрюльку их бросает, и так мне их сожрать захотелось. Съел четыре штуки.

— И как? — заинтересовалась я. — Вкусно?

— Опять отравился, — хмыкнул Андрей.

Я вытащила из плетеной корзиночки кусок хлеба и начала намазывать его маслом.

— У меня появилась версия насчет Обозова.

— Рассказывай, — велел Платонов.

— Желтый конверт с документом про биологического отца Эдика в его личном деле был, я распрекрасно его видела, — сказала я.

— Жаль, ты не запомнила имени мужчины, которое значилось в справке, — укорил меня Обозов.

Я стала оправдываться.

— В тот момент оно мне совершенно было не нужно. Правда, я удивилась, что такие сведения хранятся просто в шкафу. Полина Владимировна никогда не запирала кабинет, даже когда уходила из гимназии, дверь оставалась нараспашку.

Андрей покачал головой.

— Удивительная беспечность.

— Ты прав, — согласилась я, — но, с другой стороны, в кабинете есть современный сейф, вот он всегда был закрыт. Мне показалось странным, что бумага, в которой написано про усыновление, лежит не в железном шкафу, а в обычном, и в папке, которую легко мог взять любой человек. Дождись, пока Полина уйдет на урок, и шарь в делах, сколько душе угодно.

— У двери сидит секретарша, она в кабинет директора не впустит, — возразил Платонов.

— Лена заболела, у нее грипп, — ответила я. — Эдик влез в кабинет, зная, что цербер отсутствует. Что же касается имени его биологического отца, то оно очень простое и поэтому незапоминающееся. Николай Петрович, Сергей Николаевич, Андрей Иванович, Александр Николаевич... И фамилия вроде Степанов, Кузнецов, Сергеев, Попов... Понимаешь?

— Так, продолжай, — попросил Андрей.

— Карелия клянется, что сведения об усыновлении никогда не попадают в личные дела учеников.

— Это правда, я проверил, — кивнул Платонов.

— Но конверт находился в папке Обозова, — в который раз повторила я, — а теперь его нет. Значит, его положили, а потом убрали. Зачем?

Платонов тоже взял кусок хлеба.

— Пока еду принесут, с голоду умереть можно. Мои люди связались с акушером, который вел беременность Светланы Обозовой. Она разрешила посмотреть свою медкарту. Нет ни малейших сомнений, что Константин родной отец мальчика. Там гора анализов, в том числе и отца. Обозовы подошли к процессу деторождения серьезно, сначала они прошли полное обследование, им сделали генетическое тестирование, оба были признаны здоровыми, но, увы, Светлана никак не могла забеременеть. Врачи посоветовали искусственное оплодотворение путем введения спермы мужа, что и осуществили. Имеются все бумаги, доказывающие: донором спермы стал Константин.

— Сомневаюсь, что Эдик знал, на какие ухищрения пришлось пойти его родителям, — воскликнула я. — Маленькому ребенку никто про врачебные манипуляции рассказывать не станет.

Лежащий около тарелки Платонова телефон тихо запищал. Андрей взял трубку.

— Да. Слушаю. Ага... ага... ага... ясно. А что по Соевой? Вышли материалы на почту, хорошо... Отлично.

— Что-то интересное выяснилось? — полюбопытствовала я.

— Сейчас мне кое-что отправят, — ушел от прямого ответа приятель. — Ты дальше про Эдуарда говори.

— Бумага про усыновление — филькина грамота, — продолжила я. — Зачем ее положили в личное дело? Эдик сын очень богатого человека. Ему, по идее, должно завидовать большинство детей из простых семей. Ребенок в материальном плане имеет все: любые игрушки, гаджеты, лучшую еду-одежду, лето проводит, катаясь с родителями на яхте или развлекается в особняках на берегу моря-океана. На день рождения к нему из Америки прилетает его любимая рок-группа. Не жизнь, а сказка. Но Эдик не чувствует себя счастливым, потому что он абсолютно одинок. С ребятами в школе он контактов не нашел, а родители постоянно заняты, внимание сыну могут уделить лишь на короткое время, когда едут куда-то отдыхать. И это самое счастливое время для ребенка, ему хочется близких отношений с папой и мамой, совместных ужинов, колыбельной на ночь, простых радостей, которые есть у миллионов детей из обычных семей.

— Зажрался парень, — вздохнул Андрей, — не жил он в однокомнатной квартире вместе с пьяным папашей, сумасшедшей бабкой, братом-наркоманом и замороченной, где бы достать денег на еду, мамой. Не донашивал Эдик старое шмотье за соседскими мальчишками, не чистил с пяти лет коровник.

— Под каждой крышей свои мыши, — остановила я Платонова, — не надо осуждать ребенка, он испытывал дефицит внимания и, как многие дети с той же проблемой, стал думать, что родители его просто не любят. Но почему? Что он, Эдик, сделал плохого? И тут некий мужчина сообщает ему, что он вовсе не сын Константина. Светлана родила ребенка от первого мужа, с которым давно развелась. Он, этот самый бывший супруг, обожает сына, но ему запрещено с ним общаться. И у Эдика складывается пазл. Он усыновлен! Константин хорошо относится к приемышу, не обижает его, однако полюбить чужого ребенка не способен. Но, наверное, в голове у неглупого мальчика все же возникли кое-какие сомнения, поэтому «самозванец» говорит: «Я могу доказать, что тебя усыновили. В кабинете директора в шкафу стоят папки с личными делами, открой свою и найдешь в ней нужный документ». Эдик проникает в кабинет Полины Владимировны и понимает, что ему сообщили правду. Человек, задумавший преступление, клянется мальчику в любви и предлагает побег. Думаю, Эдуард общался с ним через Интернет, может, там остались следы?

Телефон Платонова снова запрыгал, Андрей поднес его к уху.

— Да. Ясно. Когда? Понятно. Совсем? Восстановить можно? Ладно, пусть попытается.

— Что случилось? — опять спросила я.

— Сейчас расскажу, но сначала договори, — попросил Андрей.

— Мерзавец переодевается Дедом Морозом и увозит Эдика, — продолжала я. — Я не сомневаюсь, что в преступлении замешан кто-то из сотрудников школы. Посторонний человек не мог пройти в кабинет Полины, чтобы сначала подбросить, а потом изъять конверт. И обрати внимание на день, когда Эдуард роется в шкафу. Секретарша Лена больна гриппом и отсутствует на работе, в кабинет умершей Полины можно проникнуть беспрепятственно.

— Так, — пробормотал Андрей.

— Теперь о смерти Хатуновой, — понеслась я дальше. — Судя по рассказу Мусиной, ее могла шантажировать Соева. И она же пыталась манипулировать мной, пообещав рассказать шокирующую информацию о владелице гимназии, если я принесу ей папку из тайника в столе директрисы. Понятия не имею, откуда Соева узнала про тайник, но в желтом, подчеркиваю, опять в желтом конверте были фотографии членов организации «Свобода или смерть».

Не знаю, зачем Вере Борисовне потребовались эти снимки. Но конверт очень похож на тот, что был в деле Обозова. Что, если история с похищением Эдика и кончина Полины и Веры — звенья одной цепи? Ой, нам ужин принесли! Уже и не надеялась его получить.

— Мясо выглядит аппетитно, — одобрил свое блюдо Андрей, берясь за столовые приборы.

Я посмотрела на креветок, вдохнула их запах, схватила руками одну, опустила в майонез, слопала в одно мгновение, уцепила вторую, третью, четвертую... Затем вывалила на листья салата остатки жирного соуса, в мгновение ока съела его, протерла куском хлеба тарелку и остановилась. Что происходит? Никогда не ем со скоростью и аппетитом голодной акулы! Ненавижу креветки вкупе с провансалем! Почему сегодня меня затрясло при виде морских гадов? Причем уже второй раз! У Мусиной я также в мгновение ока уничтожила тосты с салатом из креветок.

Платонов, успевший прожевать один кусочек мяса, уставился на меня, потом задал гениальный вопрос:

— Ты беременна?

— Конечно, нет, — фыркнула я, — не неси чушь!

— Ты молодая женщина, — пожал плечами Андрей, — у вас с Зарецким роман...

— С ума сошел! — подпрыгнула я. — Иван мой издатель, у нас чисто деловые отношения.

Платонов стал наматывать на вилку спагетти.

— Да?

— Я не жду ребенка, — повысила я голос, ощутила приступ тошноты, быстро выпила стакан воды, она камнем упала в желудок, затем стартовала вверх к горлу... я вскочила и побежала в туалет.

Глава 27

— Стошнило? — бесцеремонно спросил Платонов, когда я вернулась к столу

— Креветки, похоже, несвежие, — простонала я, хватаясь за воду.

— Ага! Конечно, — усмехнулся Платонов.

— Я не собираюсь рожать, — зашипела я, — не мучаюсь токсикозом.

— Сначала с аппетитом слопала то, что ранее вызывало отвращение, а потом улетела в тубзик, — хмыкнул Андрей. — Иван Николаевич небось от счастья на седьмом небе.

— Сколько раз тебе повторять, — обозлилась я, — с Зарецким у нас исключительно рабочие отношения. Я не беременна. Хватит. Вернемся к Полине и Вере. Думаю, их смерть связана с похищением Эдика. Их отравили! Вы узнали чем?

Андрей налил себе воды.

— Проконсультировались у Баркина, Олег Сергеевич лучший эксперт по ядам, доктор наук, академик. Он считает, что отрава самодельная. Ее составили по весьма популярному в прошлых веках рецепту, заменив некоторые составляющие современными аналогами. Этим зельем травили друг друга члены многих королевских и знатных фамилий, заказывали его у алхимиков, аптекарей. Раствором пропитывали вещи, белье, подмешивали его в румяна, губную помаду, коими тогда активно пользовались не только женщины, но и мужчины. Смерть наступала быстро. Кавалер натягивал на руки обработанные перчатки, садился на коня, ехал недолгое время и падал на землю. Еще стремительнее срабатывал яд, попадая жертве в рот. Известен случай, когда один из слуг герцога де Гиза скончался в одночасье. Неся в покои хозяина блюдо с фруктами, он съел украдкой спелое яблоко. Старинная отрава может быть нанесена на любой предмет и способна сработать через много лет. Даже если вещь постирают, погладят, прокипятят, спрячут в шкаф на века, отрава просто высохнет и стопроцентно активируется, когда соприкоснется с водой. Последний громкий скандал, связанный с этим ядом, случился в начале семидесятых в Англии. Во время бракосочетания прямо у алтаря умерла невеста известного политика. При расследовании выяснилось, что девушка надела старинное подвенечное платье, купленное на аукционе, которое и оказалось отравлено. В церкви было душно, невеста нервничала, вспотела, а что такое пот? Жидкость.

— Вот поэтому я и не люблю антиквариат, — пробормотала я. — Полину Владимировну и Веру Борисовну убили с помощью одной отравы?

— Именно так, — кивнул Андрей.

— А потом сразу исчез Эдик! Понятно, что все преступления связаны, — воскликнула я.

Платонов взял меню и начал изучать десерты.

— Хочешь торта?

— Фу! Нет, — вздрогнула я, — меня мутит при одной мысли о креме.

Андрей прищурился.

— Еще вчера ты уминала за обе щеки пирожные, а сегодня тебе дурно при упоминании о них. Кого ждем? Мальчика? Девочку?

— Неведому зверушку, — зашипела я. — Прекрати! Вдруг смерть женщин и побег Эдика имеют общие, уходящие в прошлое корни? Каким-то образом то, что случилось в гимназии, связано с организацией «Свобода или смерть». Ты выяснил что-нибудь о ее членах, я прислала тебе список тех, кто клялся на верность Бобу Вахметову.

Андрей вытащил из сумки планшетник.

— Твоя версия притянута за уши. Но я готов ее проверить. Иногда безумные предположения оказываются правильными. Сейчас почитаем. Так, Алена Вербицкая, дочь хирурга и акушера-гинеколога, по профессии стоматолог, покончила с собой девятнадцатого декабря тысяча девятьсот девяносто второго года на даче, принадлежавшей родителям. Молодая женщина отравилась в компании с Михаилом Катуковым и Андреем Гореловым. Самоубийцы оставили общее письмо. «Мы уходим из жизни добровольно, потому что больше не хотим жить. Мы совершили ужасный поступок. Нам нет прощения».

— Господи, что они сделали? — спросила я.

— Понятия не имею, — развел руками Платонов. — Но они дружили с Вахметовым, а Боб оказался преступником.

— Не помешаю? — спросил хриплый голос.

Я подняла голову, у нашего столика стоял невысокий сутулый мужчина лет шестидесяти пяти.

— Кирилл Валентинович? — спросил Андрей.

— Он самый, — кивнул незнакомец. — Разрешите сесть?

— Конечно, спасибо, что согласились приехать, — обрадовался Платонов. — Поужинаете с нами?

— Не голоден, — отказался Кирилл Валентинович, — вот чаю выпью с пирожными. Грешен, люблю сладкое. Андрей Николаевич, кто ваша спутница?

— Извините, я не представил вас друг другу, — спохватился Платонов. — Виола Ленинидовна Тараканова, под псевдонимом Арина Виолова пишет замечательные детективные романы. Кирилл Валентинович Шмелев, следователь, гениальный сыщик. К сожалению, сейчас на пенсии.

— Скажете тоже, — смутился Шмелев и улыбнулся мне. — Знаком с вашими книгами, увлекательное чтение.

— Спасибо, — кивнула я, прекрасно понимая, что Шмелев никогда не возьмет в руки криминальные романы, главными героями которых являются женщины, частные сыщицы, он просто хорошо воспитан.

— Вас интересует дело Вахметова, — уточнил пенсионер, когда официантка, подав чай и сладкое, отошла от стола.

— Да! — хором завопили мы с Андреем.

Кирилл Валентинович налил чай в чашку.

— Расскажу. Но записывать не надо. Лады? Выключите телефоны, компьютеры, и тогда потолкуем.

Я демонстративно усыпила айфон и показала Кириллу свою открытую сумку.

— Никаких гаджетов нет, мой айпад в машине.

— Вот и славно, — кивнул Шмелев, — открывайте уши, а рты захлопываете. Все вопросы в конце. Не люблю, когда перебивают, мысль теряется.

Мы с Платоновым в унисон кивнули.

Шмелев отломил ложкой кусок чизкейка, сделал глоток чаю и завел рассказ.

Восемнадцатого декабря тысяча девятьсот девяносто второго года в Москве взорвалось маршрутное такси. В то время в столице порядка не было, на улицах стреляли, обнаглевшие братки могли устроить разборки где угодно, а милиция переживала не лучшие времена. Многие опытные сотрудники уволились, им на смену пришли другие люди, подчас связанные с криминальным миром. Простые москвичи стали устанавливать в своих квартирах железные двери, закрывать окна решетками, женщины носили в сумочках газовые баллончики, мужчины покупали оружие. Но взрыв в общественном транспорте был из ряда вон выходящим событием даже для тех бандитских лет.

Погибло семь взрослых и трое детей, сидевших у них на коленях, четверо людей получили ранения разной степени тяжести. Меньше всего досталось молодому мужчине, который сидел в самом последнем ряду, его оглушило и посекло стеклом. Неприятно, конечно, но по сравнению с тем, как досталось остальным, это просто ерунда. «Скорая» и милиция приехали быстро, раненых увезли в больницу. Контуженного взрывной волной и изрезанного осколками парня поместили в палату. К вечеру Кирилл Валентинович узнал от экспертов: в микроавтобусе рвануло самодельное взрывное устройство. Бомба была в спортивной сумке, та стояла в передней части салона неподалеку от входной двери, возле первого ряда пассажирских кресел. Именно поэтому те, кто находился в задней части минивэна, выжили. Опросив выживших, следователь узнал, что сумка принадлежала контуженому парню с порезами. Он сел в маршрутку последним, в «Газели» осталось лишь одно свободное место: на дальнем сиденье слева. Пассажир устроился в кресле, поставил багаж на колени, но находившаяся рядом старуха закатила истерику: «Возят всякую дрянь, — кричала бабка, — пачкают людей, спокойно ехать не дают! Из-за твоей торбы мне тесно!»

Молодой человек не стал затевать свару с пенсионеркой. Он поместил свою сумку около первого ряда. Почему далеко от себя? Автобусик набирал народ возле рынка, среди тех, кто ехал, были две женщины с хозяйственными сумками на колесах, они занимали весь узкий проход. Тетки придерживали каталки за ручки, боялись, что они при поворотах или резком торможении опрокинутся. Спортивный баул пассажиру было негде поставить, кроме как в относительно широкой части «Газели» у входной двери. Получается, что жизнь парню с бомбой спасла вредная старуха, если б не она, молодого человека разнесло бы в клочья. Личность контуженого мужчины установили легко. У него в кармане нашли паспорт на имя Бориса Ивановича Вахметова.

Глава 28

Кириллу Валентиновичу не составило труда узнать, что Вахметов нигде не работает, существует за счет сдачи квартиры покойных родителей и нуждается в деньгах. Борис называл себя музыкантом и поэтом, но никто никогда не слышал написанных им песен и не читал его стихов. В день, когда пострадавшего доставили в больницу, врачи запретили с ним беседовать, поэтому сразу допросить Вахметова следователю не удалось: Борис отходил от наркоза, который ему дали, чтобы зашить глубокие порезы.

На следующие сутки доктора допустили Шмелева к Вахметову. Борис упорно молчал, он не произнес ни одного слова, лежал, отвернувшись к стене. Кирилл Валентинович ушел несолоно хлебавши, но на следующее утро ему позвонила медсестра, которая ухаживала за раненым, и сказала:

— Пожалуйста, приезжайте, больной очень нервничает, мечется, он хочет с вами поговорить.

Кирилл, отложив все дела, поспешил в клинику. На сей раз Вахметов не стал играть в молчанку.

— Я испугался, когда вы вчера приехали, — признался он, — понимал, что мне никогда не поверят. Я пишу песни, сам их исполняю, живу на средства, которые получаю от сдачи квартиры, себе снял комнатушку в коммуналке, но денег мне категорически не хватает. Чтобы зарабатывать творчеством, надо попасть в радио- или телеэфир, но бесплатно тебя никто крутить не станет. Суммы за ротацию требуют огромные, я пытаюсь накопить, экономлю на всем. За день до взрыва я пошел в книжный магазин посмотреть новинки, взял прекрасно изданный том рисунков Леонардо да Винчи, полистал его и поставил на место. В этот момент со мной заговорил мужчина.

— Красивая книга.

Я ответил:

— Да, но очень дорогая.

Мы разговорились, потом зашли в кафе. Новый знакомый назвался Сергеем, он предложил мне заработать, отвезти завтра по указанному адресу сумку с носильными вещами его бывшей тещи. Я удивился.

— Почему сам не оттащишь шмотки?

Сергей объяснил:

— С женой мы расстались врагами. Ее мать меня ненавидит, когда увидит, сразу орать начнет. Боюсь, не сдержусь, дам ей по морде, в милицию за рукоприкладство попаду. А ты человек посторонний, и сто долларов тебе не помешают.

Я согласился. Честное слово, я и предположить не мог, что в кошелке бомба, думал, там одежда, обувь, всякое такое.

— И вы не заглянули внутрь? — удивился следователь.

— Не имел возможности, — заныл Вахметов, — Сергей передал поклажу на остановке маршрутки.

Велел выйти на конечной у торгового центра «Тысяча предметов», встать возле главного входа и ждать бабку.

— Как бы вы ее узнали? — продолжил недоумевать Шмелев.

— Сергей сказал, что она сама подойдет, опознает сумку, та принадлежит старухе, — нашел ответ Борис. — Знаю только, что ее зовут Мария Николаевна. Я ни в чем не виноват. Просто денег надеялся заработать, ни о какой взрывчатке понятия не имел.

Кирилл хотел продолжить допрос, но Борис начал плакать, около кровати запищал какой-то аппарат, прибежали медики и выгнали следователя. Шмелев ехал на работу в задумчивости. С одной стороны, история Вахметова выглядела глупее некуда, но с другой — Кирилл Валентинович знал, что иногда совершенно идиотские, кажущиеся фантастическими рассказы оказываются правдой. Вахметов на самом деле мог быть дураком, который согласился за деньги доставить сумку. Но где теперь искать таинственного парня, вручившего Борису бомбу? И что хотел этот человек? Подорвать ненавистную тещу или совершить теракт в общественном транспорте?

В районе девяти вечера в кабинет к Шмелеву заглянул эксперт и сказал:

— Удалось снять отпечаток пальца с одной из частей бомбы. Есть совпадения.

— И кто у нас победитель? — обрадовался следователь.

— Борис Вахметов, — ответил криминалист, — не могу утверждать, что он собирал взрывное устройство, «пальчик» на внешней стороне бомбы, мужик точно держал ее в руках.

Кирилл поспешил в клинику, вошел в палату, увидел пустую кровать и бросился к дежурному врачу.

— Где больной из десятой палаты?

— Домой ушел, — ответил доктор, — еще в обед.

— Вы его отпустили! — закричал Шмелев.

— Состояние у Вахметова не из лучших, — начал оправдываться эскулап, — и хоть жизни ничего не угрожает, ему следовало еще полежать. Но у парня мать сегодня умерла. Он так плакал, написал расписку, что претензий к нам не имеет, и уехал. Вот бедняга, сначала сам чуть не погиб, а теперь мать скончалась.

Шмелев, знавший, что родительница Бориса давно на кладбище, выругался и поехал на службу. Винил в побеге Бориса Кирилл Валентинович только себя. Медперсонал больницы ничего о ходе следствия не знал и считал Вахметова одним из пострадавших. Да и сам Кирилл, пока не услышал об отпечатке пальцев, допускал возможность непричастности парня к взрыву. У входа в палату Бориса не поставили охрану, его не пристегивали наручниками к кровати, для таких действий не было оснований, а когда они появились, Борис уже сбежал.

Шмелев замолчал.

— И вы его не поймали? — сообразила я.

— Нет, — нехотя признался Кирилл Валентинович, — где-то Вахметов заныкался.

— В ходе следствия не всплывали случайно имена Сергея Пескова, Алены Вербицкой, Михаила Катукова, Андрея Горелова, Полины Хатуновой и Веры Соевой? — не успокаивалась я.

— Вроде нет, но нужно уточнить, — ответил Шмелев. — Много лет прошло, всех фигурантов я не помню, как звали погибших пассажиров и тех, кто выжил, в голове не удержал. Вот Вахметова не забыл, профессиональные ошибки остаются в памяти навсегда. И мы опросили огромное количество народа. Если хотите, можно уточнить, беседовали ли с кем-то из вами упомянутых. А кто они такие?

Платонов рассказал Кириллу Валентиновичу про членов организации «Свобода или смерть» и завершил повествование вопросом:

— Вас не насторожил факт тройного самоубийства сразу после взрыва? Молодые люди не упоминали в записке про терроризм. Они понимали, что, прочитав послание, милиция примется допрашивать их родственников, друзей, не хотели неприятностей для своих семей. Но мне бы показалось странным, что несколько человек добровольно ушли из жизни, написав, что они не могут жить далее, так как совершили нечто ужасное.

— Впервые слышу от вас об этой истории, — ответил собеседник. — А где нашли тела? Территориально?

— На даче Вербицкой, деревня Глуховская, Московская область, — сообщил Андрей.

Кирилл Валентинович побарабанил пальцами по столу.

— Начало девяностых не самое хорошее время для страны в целом и для милиции в частности. Местные парни приехали на вызов, увидели записку и умыли руки: самоубийство! В области свое начальство, в Москве свое, даже из одного столичного отделения в другое не сразу информация дойдет. Понятно?

Я кивнула и внезапно ощутила давящую усталость, захотелось положить голову на стол и заснуть. Огромным усилием воли я заставила себя сидеть прямо, дождалась, пока Кирилл Валентинович уйдет, попрощалась с Андреем, поехала домой и упала в кровать. Не успела вытянуться на матрасе, как раздался звонок телефона, я забыла отключить звук. Встать и взять трубку сил не было, я натянула на макушку одеяло и заснула под неумолчное дребезжание.

* * *

Утром меня разбудило пение сотового. Приоткрыв один глаз, я сползла с кровати, схватила брошенный вчера на диван мобильный и, не посмотрев на экран, простонала:

— Кто там?

— Безобразие! — взвизгнул знакомый голос Альтаир Ноговой-Архангельской. — Почему ты недоступна?

Я опешила от пещерной наглости этой бабы и потеряла дар речи.

— Немедленно позвони Зарецкому, — потребовала сумасшедшая, — объясни ему, что твой поезд ушел, Виолова никому не нужна, но Ваньке-дураку подвалило счастье. Великий писатель Ногов-Архангельский, затмивший Толстого, принес ему свой труд. Мой муж готов продать права на роман. Объясни своему любовнику...

Я нажала на красную кнопку и быстро соединилась с Иваном Николаевичем.

— Виола, дорогая, вы заболели? — испугался тот.

— Нет, почему вы так решили? — удивилась я.

— Ну... сейчас пять утра, — пробормотал Зарецкий, — ранее вы никогда в столь ранний час не вставали.

Я бросила взгляд на часы и извинилась.

— Бога ради простите, не посмотрела на будильник. Спите, поговорим потом.

— Нет, нет, — возразил издатель, — объясните скорей, почему вы так взволнованны?

Я рассказала Ивану Николаевичу про странную госпожу Ногову-Архангельскую. Зарецкий начал изрыгать огонь и плеваться молниями.

— Виола! Дорогая! Я ее в порошок сотру, почему

сразу не сообщили о безобразии? Сия мадам пожалеет, что на свет родилась! Ваше время не истекло, оно только наступает, тиражи растут...

Из трубки полетели частые гудки. Я осталась сидеть с мобильным в руке, сейчас Иван перезвонит, качество связи в последнее время очень ухудшилось, мне теперь редко удается соединиться с кем-то сразу. После набора, как правило, слышу: «Абонент недоступен», побеседовать с нужным человеком удается лишь с третьей-четвертой попытки.

Глаза стали слипаться, я заползла под одеяло, предусмотрительно положив телефон на столик. Куда пропал Зарецкий? И тут трубка ожила. Я, лежа с закрытыми глазами, отозвалась:

— Слушаю.

— Напустила на тебя мощную порчу! — заорала сумасшедшая баба. — Ах ты, дрянь! Нажаловалась своему хахалю! Он моего мужа вон послал! Ну берегись! Кирпич тебе на машину! Тошноту в печень! Будешь жрать только то, что ненавидишь. Ах ты...

Я отключила телефон. Сон в одночасье улетучился. Значит, Иван устроил Царице с большой буквы головомойку, и похоже, это не особенно испугало даму. Скандалистка душевнобольная, надо опять связаться с Зарецким. Вот только подремлю чуток. Я зевнула и свернулась клубочком под одеялом.

Глава 29

— Виолочка, как вы себя чувствуете? — заботливо осведомилась Нина Максимовна, увидев меня на пороге учительской.

— Нормально, спасибо, — ответила я. — А вы?

— Прекрасно, — заверила Федотова и протянула мне тюбик. — Вот, непременно воспользуйтесь.

— Что это? — не поняла я.

— Оксолиновая мазь, — ответила биологичка, — старое, очень хорошее, испытанное антивирусное средство. Помажьте им нос, это ворота для инфекции, авось пронесет. В школе, похоже, эпидемия началась. Дети, правда, пока держатся, а педагогов выкосило. Кокозас слег, позвонил мне с утра, сказал, что взял бюллетень. Виолочка, мойте руки каждые пятнадцать минут, не трогайте ими лицо. Народ считает, что вирус передается, если больной на вас чихнул. Оно верно, воздушно-капельный путь никто не отменял, но от грязных лап беды больше. Схватились за поручень в метро, за который до вас держался человек с гриппом, потом почесали этой рукой нос, и готово, вирус сел на слизистую и начал свою подлую работу. Мыло и оксолиновая мазь! У нас эпидемия!

— Кожзам после операции, — напомнила я, — у него организм ослаблен, и один заболевший еще не беда.

Нина Максимовна подбоченилась.

— Физика зовут Кокозас. Ладно, пусть он после операции не оправился. А Лена? И Мария Геннадьевна сегодня зеленая на занятия заявилась, Ангелина синяя, у нее нос распух, глаза красные. Ненавижу людей, которые, заболев, прутся на работу. Герои! Можно подумать, из-за их отсутствия мир рухнет. Если у тебя температура, сиди дома, не распространяй заразу. Зачем Жорина приперлась? У нее видок, как у привидения! Носом шмыгает! Мария Геннадьевна ей под стать. Только о себе думают! Им надо, вот и приехали, а то, что я могу заболеть и своего сыночка заразить, никому не интересно. Мальчик на новую престижную работу оформляется...

Поток обвинений Федотовой прервал звонок, меня разыскивал Платонов, он начал с вопроса:

— Ты в школе?

Я взглянула на умолкнувшую Нину.

— Да.

— Тогда слушай спокойно, не реагируй, — предупредил Андрей. — У Константина Обозова есть счет в российском банке. Не знаю, где он держит основные средства, в Швейцарии, США, на Кипре или в какой-нибудь еще стране. В Москве, как Обозов объяснил моим людям, у него хранятся лишь мелкие средства на хозяйственные расходы, более двух миллионов долларов он в столице не держит.

— Ага, — пробормотала я, — ну просто медные копейки.

— Запредельная сумма для простого человека, — вздохнул Андрей. — Но Обозов ворочает миллиардами, причем не рублей, а долларов. У него другие точки отсчета. Константин пользуется онлайн-банком. Ты давно в магазин компьютеров заходила?

— Примерно полгода назад, — удивилась я вопросу, — покупала айпад, старый разбила.

— Тогда должна знать, что сейчас во всех салонах есть зона, где выставлены образцы товаров, — продолжал Андрей, — народ тестирует ноутбуки, они подключены к Интернету. Кое-кто зависает там надолго, играет бесплатно, копается в поисковых системах. Хоть целый день сиди, тебя не прогонят, впрочем, и ночь тоже, большинство таких магазинов круглосуточные.

— И что? — не поняла я.

— Вчера в девять вечера в точке на Тверской один посетитель вошел в онлайн-банк «КБДМ»[1] и сделал перевод денег. Уточнить личность человека невозможно, ноутбук в общем доступе, в двадцать

[1] Название банка выдумано, совпадения случайны.

один час в салоне полно народа. Миллион девятьсот девяносто девять тысяч долларов Обозова ушли на другой счет, откуда их моментально перекинули дальше. Что его обворовали, Константин обнаружил в восемь утра, когда его жена зашла в онлайн-банк, чтобы бросить на карточку домработницы деньги на покупку продуктов. За ночь след валюты затерялся, сейчас деньги ищут ребята, понимающие в таких делах. Пока единственное, что удалось узнать: перевод осуществили из магазина компьютеров и человек, который это сделал, знал пароль и личный номер клиента.

— Вот почему придумали историю с усыновлением Эдика, — сказала я, — мальчик владеет информацией, которая открывает доступ к деньгам. Но почему родители доверили ее ребенку?

Платонов кашлянул.

— Константин Эдуардович умный осторожный человек, он регулярно меняет пароли, придумывает более сложные, не использует в качестве кодового слова кличку любимой кошки, имя сына или марку обожаемых конфет и никогда не фиксирует шифр ни на бумаге, ни в электронной памяти. А вот жена Обозова, получив от мужа новый код доступа, всегда записывает его в домашнем телефоне, который находится в ее спальне.

— Вот балда! — воскликнула я.

— Супруга Константина заверила наших компьютерщиков, что тщательно замаскировала информацию, открывающую доступ к деньгам, — продолжал Андрей, — она, упаси Бог, не вносит его в книжку, как «шифр от онлайн» или «вход в банк». Нет, он указан как телефон подруги Евро КБДМ, набор начинается словом «VOS». VOS! Здорово?

— Знакомая по имени Евро КБДМ? — повторила я. — С мобильным номером, в котором присутствуют буквы? Офигеть просто! А приятеля Долларо Сбербанкус у нее нет?

— Дамочка лепетала, что трубка никогда не покидает ее комнату, у Обозовых в доме в каждом помещении есть свой аппарат, они друг друга по внутренней линии ищут, если жене Костя нужен, она звонит в гостиную, в кабинет, в ванную... — продолжал Платонов. — Эдик легко мог в отсутствие матери в ее домашнем телефоне порыться и понять, что Евро КБДМ вовсе не человек. Современные дети очень хорошо разбираются в компьютерах.

Мне стало страшно.

— Вся история задумана, чтобы перевести деньги со счета Константина. Вот почему похититель не требовал выкупа. Преступник обманул наивного ребенка, прикинулся его родным папочкой, ловко сыграл на психологических проблемах третьеклассника, увел его из школы и получил, что хотел. А теперь Эдик негодяю больше не нужен, и он его...

У меня перехватило горло.

— Убьет, — безжалостно договорил Платонов. — К сожалению, не все люди, у которых украли родственника, обращаются в полицию. Кое-кто думает, что отдаст выкуп и ему вернут дорогого человека. Но это самая фатальная ошибка. Как только требуемая сумма оказывается в лапах подлеца, заложник становится обузой, ему подписан смертный приговор.

— Ищите деньги, — зашептала я, — это ниточка, которая приведет к преступнику.

— Делаем все возможное, — вздохнул Андрей. — Я уверен, что в школе у негодяя есть сообщник. В гимназии ничего необычного не происходит? Может, кто-то заболел, не пришел на работу?

— Ангелина Максимовна и Мария Геннадьевна

вроде подцепили грипп, но они сейчас в школе, — ответила я.

— Меня интересует тот, кого нет, — повысил голос Платонов, — кто неожиданно не явился на уроки.

— Кокозас! — подпрыгнула я. — Преподаватель физики. Нина Максимовна сказала, он рано утром сообщил, что свалился с высокой температурой.

— Секундочку, — скомандовал Платонов. — Где же эти документы? Ага. Кокозас Иванович Сергеев, пятьдесят второго года рождения, уроженец города Ленинграда, нынче Санкт-Петербурга, учился там в школе, затем в Военно-морской академии, но не окончил ее, перевелся в пединститут. В семьдесят девятом женился на москвичке, переехал в столицу, развелся, в девяностом стал делить совместно нажитую квартиру в Бибиреве, согласился на комнату в коммуналке, которую ему предложила жена. Жил в Пименовском переулке, дом шесть, это самый центр. До развала семьи служил учителем химии. Где работал начиная с девяностого, неизвестно, сведений нет.

— Голодное, безрадостное время, — вздохнула я, — небось он торговал на рынке или давал частные уроки.

— Ничего дурного в биографии Сергеева нет, — продолжал Платонов, — просто есть большой период, когда он непонятно чем занимался. В зону видимости милиции он не попадал, не привлекался, не судим, срок не мотал. Но это еще не показатель порядочности, может, он просто очень хитер.

— Почему Кокозас академию в Ленинграде не окончил? — заинтересовалась я. — Это престижный вуз, а Сергеев перевелся в педагогический. Вдруг во время учебы он совершил нечто криминальное, а руководство не захотело, чтобы о заведении пошла дурная слава, не вызвало милицию, само решило проблему, студента отчислили и дали ему такую характеристику, что молодого человека взяли потом только в педагогический, где рады любому парню, даже с сомнительной репутацией.

— Витя, ты проверял, почему Кокозаса Сергеева из Военно-морской академии в Питере выперли? — крикнул Андрей.

— Да, — ответил голос издалека, — прикольное у мужика имя, захочешь, а не забудешь! В личном деле студента указано: на третьем курсе он попал в больницу, ему вырезали аппендицит, был перитонит, парень чуть не умер, еле выкарабкался, кучу занятий пропустил, его по состоянию здоровья в академку отправили, ну и затем он в другой институт перевелся, где не требовалось активно заниматься спортом.

— Андрей! — подскочила я. — Кокозас только что вернулся из клиники, где ему удалили аппендицит! Или у него вырос второй отросток, в чем я сильно сомневаюсь, или он...

— Не Кокозас, — ажитировался Платонов. — Так! В городе жуткие пробки, даже с сиреной быстрее чем за час мне до его дома не добраться. А тебе пять минут пешком. Немедленно иди к Сергееву.

— Если он дома, — вздохнула я.

— Вот и проверишь! — воскликнул Платонов. — Придумай что хочешь, но задержи его до моего приезда.

— Отличная идея, — пробормотала я. — Но как ее осуществить? Я бы на его месте насторожилась, увидев на пороге даму, с которой едва знаком. Что я ему скажу? «Здрассти, очень беспокоюсь о вашем здоровье, поэтому, наплевав на возможность подцепить грипп, пришла вас проведать?»

— Где Карелия? — спросил Платонов.

— Наверное, в кабинете директора, — предположила я.

— Быстро дай ей трубку, — приказал Андрей.

Я стрелой понеслась в кабинет, без стука ворвалась туда и сунула удивленной Линьковой свой сотовый со словами:

— С вами хотят поговорить.

— Да, да, ага, поняла, сейчас, сейчас, — забубнила завуч, — так, ничего в голову не лезет, очень неожиданно и... а! Кокозас все у нас чинит, он мастер на любые исправления неисправного оборудования, когда ему надо быть исправленным. Земля! Виола Лапшевовна, вы донесете Землю в руках? Она не очень тяжелая! Правда, круглая, тащить неудобно. Следовало ее сделать квадратной, чтобы сразу все видно было, но Кокозас сказал, что так нельзя! Да, да, поясню! В кабинете астрономии есть модель Земли, шар на подставке. Он крутился, светился, а потом сломался... Да, вы, господин Платонов, все верно поняли, восхищена глубиной вашего ума и толщиной эрудиции. Сейчас.

Карелия положила мой телефон на стол и схватила городской.

— Кокозас Иванович? Вы дома? Ох, извините, не сообразила, что вам на квартиру звоню. Как ваше самочувствие? Ой-ой-ой! Уж извините, что беспокою, к нам завтра нагрянет комиссия... И не говорите!.. Замучили совсем! Делать чиновникам нечего! Собрались наглядные пособия осматривать на предмет отсутствия присутствия в них неверных сведений о природных явлениях. А наша гордость, модель звезды Земля, не работает. Земля — планета? Господи, какая разница, хоть астерикс!

Несмотря на напряженность ситуации, мне стало

смешно. Карелия Алексеевна в своем амплуа. Астерикс — это герой комиксов, мультиков и художественных фильмов, наверное, Линькова имела в виду астероид.

— Сделайте одолжение, почините быстренько, — не терпящим возражений тоном, произнесла временная руководительница гимназии. — К вам уже пошла Виола Лавандовна. Ну и что, скажите ей, она все необходимое купит! Спасибо, вы у нас прямо как крем «Витаминный», от всех проблем помогаете!

Карелия воткнула трубку в держатель.

— Виола Лазуритовна, пойдемте в кабинет астрономии, дам вам модель Земли. Жаль, она круглая, квадратную было бы нести легче. Кажется, разговор с Сергеевым прошел удачно, он мне поверил.

— Вы справились, — похвалила я Линькову, — очень естественно говорили.

Карелия порозовела.

— Старалась. Вы же потом скажете Григорию Алексеевичу, что Линькова вашим органам помогла. Ведь так?

— Конечно, — заверила я, — непременно поставим владельца гимназии в известность о том, как вы оказали помощь моим органам.

Глава 30

— Дотащили? — спросил Кокозас, открывая дверь.

— Еле управилась, — тяжело дыша, ответила я, — глобус вроде небольшой, но тяжелый. Извините, что мешаю вам болеть, но Карелия приказала немедленно макет доставить. Куда его поставить?

— Давайте сюда, — скомандовал хозяин и протянул руку.

— Так устала, — заныла я, вручая Сергееву здоровенный шар на подставке, — замерзла, зуб на зуб не попадает, мороз на улице. Сейчас бы чайку горячненького!

— В соседнем доме есть кафе, там всегда свежие пирожные, — ответил Кокозас, не приглашая меня войти. — Спасибо, Виола Ленинидовна. Передайте Карелии, что я постараюсь до завтра устранить поломку.

— Мне велели вам помочь, — уперлась я.

Сергеев приподнял бровь.

— Умеете обращаться с паяльником?

— Да! — храбро соврала я. — Все детство с ним просидела!

— И я тоже, — ухмыльнулся физик, — поэтому не нуждаюсь в ассистентах. До свидания.

Я предприняла еще одну отчаянную попытку проникнуть в квартиру учителя.

— Вы плохо себя чувствуете, живете один, давайте я сварю куриный супчик.

— Спасибо, Виола Ленинидовна, у меня полный холодильник еды, — отказался Сергеев. — До свидания. Осторожно на лестнице, она очень скользкая.

Услышав последнюю фразу, я обрадовалась. Ну, Сергеев, погоди, тебе придется впустить меня в свои апартаменты.

Я улыбнулась ему.

— Ну, раз вы в полном порядке, я побежала в школу.

— Доброго пути, — напутствовал меня он.

Я резко повернулась, сделала шаг, замахала руками и грохнулась на пол. Не стоит, наверное, объяснять, что я сымитировала падение, постаралась, чтобы оно выглядело натурально, и шлепнулась с размаху. Сначала рухнула на колени, затем сила инерции потянула голову вперед, я тюкнулась лицом в грязную плитку и почувствовала нечеловеческую боль в носу. Из глаз веером посыпались искры, потом померкло зрение.

— Боже! — воскликнул Кокозас. — Виола! О господи!

Крепкие руки подняли меня.

— Вы живы? — с неподдельным испугом спросил Сергеев.

— Ммм, — простонала я, — очень-очень сильно ударилась. Что с моим лицом?

— Идите скорей в ванную, — захлопотал Сергеев. — Можете передвигаться? Голова не кружится?

— Вроде нет, — прошептала я, делая шаг. — Ой! Нос!

— Сюда, налево, — командовал Кокозас, — сейчас воду включу, вот вам ватные диски, мочите их холодной водой и прикладывайте к лицу. В соседней квартире живет Елена Степановна, она хирург, вроде сегодня дома, я слышал, как у нее телевизор работает. Сейчас приведу ее.

Кокозас ушел, я посмотрела в зеркало и испугалась, увидев, что щеки и подбородок залиты кровью.

В девять лет я подралась в школе с девятиклассником, который хотел отнять у меня деньги, сэкономленные на завтраках. Я мечтала купить себе немецкую куклу, накопила на игрушку, после уроков собралась в магазин, а тут здоровенный балбес зажал меня в углу и скомандовал:

— Давай рубли, все, какие есть.

Я начала яростно сражаться за капитал, но подонок ударил меня кулаком в лицо, сломал мне нос и ушел, бросив на прощание:

— Скажешь кому, что я тебя за жадность проучил, придушу.

Я добрела до школьного врача, та кое-как остановила льющуюся кровь и велела мне ехать в травмпункт. Хорошо помню, как больно мне было, когда врач похожим на большие ложки инструментом вправлял мне нос. Я долго ходила похожей на тапира. Неужели опять повредила самую выдающуюся часть лица?

В кармане завибрировал телефон, я вытащила трубку, на том конце провода был Платонов, и, стараясь придать голосу нормальное звучание, сказала:

— Слушаю.

— Ты где? — поинтересовался Андрей.

— В ванной в квартире Кокозаса, руки мою, — слегка соврала я.

— Отлично. Мы будем примерно через полчаса. Сумеешь его задержать? Ни в коем случае не уходи.

— Надеюсь, он меня не выпрет, — вздохнула я, любуясь своим отражением.

— Важная информация. Кокозас после развода вселился в комнату, которая ранее принадлежала его теще. Коммуналка располагалась в доме шесть по Пименовскому переулку.

— Ты мне это уже сообщал, — напомнила я.

— Не перебивай, — рассердился приятель, — в квартире было две комнаты, вторую занимал Сергей Филимонович Песков, тысяча девятьсот шестьдесят второго года рождения, врач-травматолог. Он учился на одном курсе с Полиной Владимировной.

Я забыла про боль.

— Песков! Член группы «Свобода или смерть». Он знал Кокозаса! Толкался с ним на одной кухне! Где сейчас Сергей?

— В девяносто третьем году в январе он скончался от алкогольного отравления, — пояснил Платонов, — замерз на улице, его нашли во дворе на детской площадке.

Из коридора раздался голос хозяина.

— Виола Ленинидовна, можно мы с доктором в ванную войдем?

Я быстро сунула трубку в карман.

— Конечно.

* * *

Через пятнадцать минут я с ватными тампонами в носу сидела на кухне Кокозаса.

— Хорошо, что у вас просто сильный ушиб, могло быть хуже, — вещал хозяин, ставя передо мной чашку. — Эк вы шлепнулись! Прямо звон по лестнице пошел. Говорил же, осторожнее, плитка скользкая. В доме недавно ремонт делали, настелили дешевое покрытие, глянцевое. Руки надо оторвать тому, кто его закупил. Вам сахар класть?

— Спасибо, не надо. Очень неудобно получилось, вы заболели, а вынуждены за мной ухаживать, — изобразила я смущение, — уж извините, пока не могу выйти на улицу. Ваша соседка велела час в тепле посидеть, а потом тампон из носа вытащить. Наверное, я мешаю вам?

— Ничем особенным я не занят, — признался хозяин, — собирался поваляться на диване, почитать книгу, а придется чинить модель. Очередная глупость Карелии Алексеевне в голову пришла.

— Она очень хочет стать полноправным директором, вот и старается изо всех сил, — встала я на защиту Линьковой.

— Гимназия не муниципальная, а частная, — пожал плечами Кокозас, — чиновники могут найти нарушения, устроить неприятности владельцу заведения, но решение о том, кто руководит школой, принимают не они, а Григорий Пенкин. Карелия не перед теми людьми хвостом метет, ей надо подбивать клинья под вдовца.

— Похоже, вам владелец гимназии не по душе, — отметила я.

— С чего вы так решили? — нахмурился физик.

Я обхватила чашку ладонями.

— Не знаю, что-то в вашем голосе этакое прозвучало.

— Вот вам типичная женская логика, — усмехнулся Кокозас, — вы делаете выводы на основании собственных ощущений, а не опираясь на факты. Вам холодно?

— Ужасно, — призналась я, лязгая зубами, — внутри все трясется.

— Вероятно, тоже грипп подцепили, или озноб — последствие падения, — предположил хозяин.

— Просто у вас в квартире пингвинятник, — пожаловалась я, — из окна свищет ветер. Надо бы щели заклеить или стеклопакеты поставить.

Кокозас встал.

— Пластиковые рамы герметично закупориваются, из-за этого в помещении воздух делается излишне сухим, у меня начинается кашель. Пойдемте в комнату, там теплее, надеюсь, не смутитесь холостяцкого беспорядка.

Мы переместились в помещение, служащее одновременно спальней, гостиной и кабинетом. Оно оказалось набито книгами. Издания стояли на полках, занимавших две стены, лежали на диване, письменном столе, высились стопками у батареи. Я начала рассматривать корешки. «История великих революций», «Народные восстания Китая», «Азиатский опыт революционных перемен», «Народ, как мотор социальных изменений», «Будет ли светлое завтра?», «Ошибки Великой Французской революции», «Борьба Ирландии за свободу», «Святой терроризм»...

— У вас нет телевизора, — пробормотала я.

— Не нуждаюсь в нем, — отрубил хозяин. — Смотрю на компьютере лишь то, что мне интересно.

— И любите читать, — подчеркнула я. — Но ни одной художественной книги у вас нет, даже в санузле детектив не валяется.

— Не интересуюсь развлекательной литературой, — поморщился Кокозас.

— В ней нет ничего плохого, — улыбнулась я, — она создана для отдыха.

— Жизнь человеку дана не для пустого времяпрепровождения, — язвительно заметил хозяин.

— Изданий по физике у вас мало, всего пять книг. Это странно, — продолжала я.

— Ничего странного не вижу, — фыркнул Сергеев. — Зачем они мне? Я знаю предмет, который преподаю.

— Вы не хотите совершенствоваться в выбранной профессии? А еще меня удивляет, что у вас не сборники задач по физике, не методические пособия, а своего рода самоучители. «Что такое физика?», «Как быстро понять физику?», «Занимательная физика». Необычно видеть такой набор в библиотеке педагога. Скажите, Кожзам...

— Я Кокозас! — вспыхнул хозяин. — Постарайтесь запомнить! Неприлично перевирать чужое имя!

— Неужели вы до сих пор не привыкли к этому? — засмеялась я. — Давно перестала реагировать на Леопардовну, Кариатидовну, Лавашевну и прочие варианты. И с Виолой было не просто, одноклассники дразнили меня «сырной помазкой». Во времена моего детства в магазинах появился плавленый сыр «Виола». Добрые школьники запихивали в мой портфель пустые баночки из-под сыра. Еще они кричали: «Вилка, пилка, колбаса, сожрала крысу без хвоста». Ух, как я злилась! Лезла в драку! Обижалась! Придумывала в ответ обзывалки для ребят. Но от этого они только заводились, понимали, что здорово ранят меня, и изощрялись, как умели. Лет в двенадцать мне стало ясно, что тактику поведения необходимо менять. Я сделала вид, что мне все равно и обращение «Вилка» даже нравится. Первое время я прикидывалась веселой, всегда отзывалась, когда дети упоминали столовый прибор, но потом мне и впрямь стало по барабану, называйте, как заблагорассудится, хоть Зебра Африкановна, меня это забавляет. И кстати, классе в пятом я стала сама представляться как Вилка. А вы все никак не привыкнете. Как вас дразнили в школе?

— Не помню, — хмуро ответил Сергеев.

— Да ну? — изумилась я. — Детские обиды навсегда врезаются в память. Может, Коко? Отрезали вторую часть имени и обращались, как к курице, — ко-ко-ко-ко?

Собеседник дернул плечом.

— Возможно!

— Или песок? — вкрадчиво спросила я.

— Песок? — повторил Кокозас. — Почему?

— Производное от фамилии Песков, — пояснила я. — Вы же Сергей Песков. Как я догадалась? По книгам! Вы с их помощью изучали физику, когда Полина Владимировна взяла вас, бывшего однокурсника, в свою школу. Наверное, все ставки оказались заняты, осталась вакансия преподавателя предмета, который вы не знали. И вас до зубной боли раздражает имя Кокозас. Но ведь его легко поменять. Отца, который по-дурацки назвал вас, давно в живых нет. Похоронив его, вы могли обратиться в паспортный стол, но не сделали это. Почему? Может, боялись, что в милиции начнут проверять личность Сергеева и выяснится нечто нехорошее?

Выпалив на одном дыхании эту тираду, я поняла, что поступила на редкость глупо, бросилась в прихожую и попыталась открыть замок на входной двери. Но хозяин схватил меня за плечи и поволок назад в комнату.

Я заорала на зависть пожарной сирене.

— Помогите!

— Заткнись! — велел Сергеев и ударил меня по щеке.

Ладонь задела мой несчастный нос. Я издала новый вопль, из глаз полились слезы, но я начала изо всех сил пинать Сергеева ногами, решив дорого отдать свою жизнь.

И тут в прихожей раздался грохот, послышался топот, и грубый голос завопил:

— ...! Лицом к стене! ...!

Глава 31

Кокозас разжал руки, я медленно села на пол, увидела, что хозяин дома обут не в уютные тапочки, а в ботинки на толстой подошве, и вытерла рукавом свитера слезы.

— Где мальчик? — закричал Андрей. — Немедленно отвечай!

— О чем вы? — испугался учитель физики. — Что происходит?

— Куда ты дел Эдуарда Обозова? — надрывался Платонов. — Живо рассказывай, иначе пожалеешь, что на свет родился.

— Не знаю, где ребенок, — захныкал Кокозас.

— Он Сергей Песков, — пропищала я, держась

за нос. — Прямо озверел, когда я это имя вслух произнесла.

— Что у тебя с лицом? — оторопел Платонов, поднимая меня. — Это работа Сергеева?

— Сама ударилась, чтобы он меня в квартиру впустил, — объяснила я, косясь на мрачных парней в черных куртках, окружавших Платонова. — Получилось чуть сильнее, чем рассчитывала.

— Я не трогал ее, — запаниковал хозяин. — Виола, подтвердите, что я оказывал вам помощь, врача вызвал.

— Верно, — сказала я, — Кокозас соседку привел, она мне в ноздри ваты напихала.

Я замерзла, по спине побежали мурашки, руки-ноги затряслись.

Один из омоновцев сдернул с дивана плед и набросил мне на плечи.

— Спасибо, — прошептала я, — очень мило с вашей стороны.

— Знаете, какой срок грозит за похищение ребенка? — напал на Кокозаса Андрей. — В курсе, как заключенные относятся к тому, кто детей обижает? Станешь сидеть под шконками[1], задницу от пола оторвать побоишься, обедать из параши будешь, по кругу тебя пустят, пожалеешь, что на свет родился. Но если правду расскажешь, отправишься не в общую камеру.

— Не знаю я, где Обозов! — взвыл Сергеев. — Честное слово!

— Константин Эдуардович, если с его сыном что-то случится, тебя на том свете достанет, — предупредил Платонов. — Денег у Обозова лом, он их не пожалеет, чтобы убийцу мальчика наказать.

---

[1] Шконки — нары или кровать *(сленг уголовников)*.

Оклады у охраны в СИЗО невелики, кто-нибудь соблазнится, и кирдык тебе, голубок. Повесишься, вены вскроешь, от сердечного приступа загнешься, вариантов масса. В твоих интересах сообщить, куда Эдика упрятал.

— Ей-богу, ничего про него не знаю, — закричал Сергеев.

— Не хочешь сотрудничать? — прищурился Андрей. — Твое право. Мы все равно узнаем. Сейчас эксперты возьмут пробы с подошв твоих ботинок и колес автомобиля. По анализу почвы, которая застряла в протекторе и в обуви, живо сообразим, где ты в последние сутки шлялся, в какой лес мальчика завез. Прикинулся отцом паренька? Ну ты и сволочь! Зачем Соеву и Хатунову убил?

— Господи, я их не трогал, — побледнел Кокозас. — Полина мне помогала, она единственный мой друг. Я в день ее смерти в больнице лежал. Проверьте!

— Уж не сомневайся, все изучим, — пообещал Платонов. — Какое отношение директриса и библиотекарь имели к похищению Эдика? Кто это придумал?

— Нет, нет, вы ошибаетесь, — зачастил Кокозас, — Поля изумительный человек, она детей обожала. Никогда Хатунова ребенку плохо не сделала бы. И Соева на киднеппинг не способна. Мы ничего плохого не задумывали! Вы, допрашивая меня, теряете время. Настоящий преступник может мальчика убить.

Андрей надулся.

— Вы ничего плохого не делали? Только маршрутку взорвали и погубили невинных людей, включая своих же товарищей, которые с собой покончили. Зачем Кокозас, или лучше будем тебя называть Сергей Песков, и Вера Соева в школе у Полины очутились? Если вы не похищение ребенка затеяли, тогда что?

Хозяин квартиры перекрестился.

— Пусть Бог накажет, если я вру. Полина меня на работу взяла.

— Из жалости? — усмехнулся Андрей. — Добрая такая, да?

Песков исподлобья глянул на него.

— Если честно все расскажу, поверите, что я не трогал Обозова?

— Начинай, — приказал Андрей, — там посмотрим. Иди в комнату.

— Мое настоящее имя Сергей Песков, — зачастил Кокозас, очутившись в помещении, — я был членом организации «Свобода или смерть», но ничего плохого не делал. Это все Боб Вахметов и Полина, они самые неистовые были. Миша Катуков и Алена Вербицкая друг друга любили. Андрюшка Горелов в Аленку втюрился, жить без нее не мог. Верка надеялась, что она Боба у Полины отобьет...

— Хотели революцию совершить или романы крутить? — усмехнулся Платонов.

— Юными были, — засипел Песков, — кровь кипела. Можно я сяду? Ноги подламываются.

Андрей кивнул, хозяин плюхнулся на диван. Я, по-прежнему кутаясь в плед, опустилась в кресло и обратилась к Сергею:

— Средний возраст революционеров на момент взрыва микроавтобуса составлял почти тридцать лет. Уже не дети.

Сергей повернулся в мою сторону.

— С одной стороны, это верно. С другой... мы были любимыми отпрысками из обеспеченных профессорских семей. Холода, голода не знали, родители нас от невзгод прикрывали, в институты устроили. Нам не требовалось на кусок хлеба зарабатывать, о младших братьях-сестрах заботиться, мы росли инфантильными. Да, по паспорту всем было двадцать восемь — тридцать, а в реальности четырнадцать. Поэтому нас Вахметов, хотя и был моложе, смог себе подчинить. Он был умным, хитрым, жестким, настоящим лидером. Умел красиво говорить цветистыми фразами, использовал научную лексику, цитировал книги, которых мы не знали, очаровал не только девушек, но и парней. Боб говорил: «Чтобы спасти миллионы, единицы должны погибнуть». И я ему поверил, считал, что Григорий Пенкин всемирное зло, а потом узнал правду. Вам не понять, что я тогда пережил.

— Пенкин? — изумилась я. — Он с какого бока в этой истории?

— Григорий муж Полины, — сказал Сергей.

— Это не секрет. Но Хатунова познакомилась с ним тридцать первого декабря девяносто второго года, когда кто-то напал на него в туалете ресторана. А маршрутка взорвалась восемнадцатого числа того же месяца, — уточнил Платонов. — Полина Владимировна тогда еще не встречалась с Пенкиным.

— Откройте форточку, душно, — прохрипел хозяин, — я задыхаюсь!

Андрей сделал жест рукой, один из омоновцев подошел к окну.

— Фу-у-у, — выдохнул Сергей, — свежий воздух! Сейчас попробую объяснить.

Глава 32

В течение получаса Песков детально описывал, как создавалась организация «Свобода или смерть». Мы с Платоновым не перебивали его, хотя уже знали все от Люси Мусиной. Но потом Песков стал говорить о событиях, которые разыгрались после того, как Люсю из-за болезни исключили из террористической группы.

Оборудовав пещеру, учредив устав организации, затеяв торжественное подписание клятвы на верность делу революции, Боб Вахметов на какое-то время притих, группа не собиралась, но в конце ноября руководитель протрубил общий сбор и объявил соратникам:

— Настало время решительных действий. Необходимо убить Григория Пенкина!

— Это кто такой? — удивилась Алена Вербицкая.

— Не следишь за жизнью страны? — налетел на нее Вахметов. — Не интересуешься политической ситуацией? А тебе, еврейке, следовало бы знать имя главного антисемита и расиста России.

— Пенкин перестал призывать к еврейским погромам, — поправил его Михаил, — нынче у него враги выходцы с Северного Кавказа и Средней Азии, он сживает со свету Арама Асатряна, который владеет некоторыми вещевыми рынками. Представляю, каково приходится его семье. Когда Григорий кричал, что всех евреев надо на кол посадить, моя мама, которая в раннем детстве во время войны с фашистами попала в гетто, прошла там все круги ада и чудом осталась жива, перепугалась до дрожи и уехала к сестре в Израиль. Из-за мерзавца Пенкина наша семья развалилась, отец отказался улетать из Москвы, он уже пожилой, я с ним остался.

— Вспомнила! — закричала Алена. — Григорий — негодяй! Конечно, я о нем знаю, просто фамилия совсем из памяти выпала.

— Идейных врагов нельзя забывать, — заявил Боб. — Мы уничтожим Пенкина и возьмем на себя ответственность за его устранение. Народ услышит об организации «Свобода или смерть» и потянется к нам.

Я молча слушала Пескова. Если ты лишишь жизни убийцу, в мире не станет меньше убийц. Но Вахметов был фанатиком или имел проблемы с психикой, а может, он потомок Герострата, который летом триста пятьдесят шестого года сжег храм Артемиды, чтобы прославиться в веках. И ведь он достиг своей цели, имя Герострата есть в любой энциклопедии. Вот только поджигатель действовал в одиночку, а Вахметов заразил безумными идеями товарищей.

— Как мы будем его убивать? — испуганно спросила Вера Соева.

— Устроим взрыв в сауне, куда Пенкин раз в неделю ходит, — потер руки Боб.

— Там будут и другие люди, — испугалась Хатунова.

— Золотые слова, Поля, ты правильно оцениваешь ситуацию. Но я выбрал особенную баню, — объяснил Борис. — Пенкин посещает ВИП-парную, отдельно стоящий домик. Взрывчатку поместим туда, посторонние не пострадают.

— А секьюрити Григория? — задал вопрос до сих пор молчавший Андрей Горелов. — Они небось неподалеку от хозяина кучкуются.

— Тебе жаль убийц? — зашипел Вахметов. — Кто лишил жизни Николая Костюкова? Охрана Пенкина! Парни его в подъезде железной трубой забили.

— Кто такой Костюков? — спросила Вера.

Боб разозлился.

— Вот вам еще один член организации, который не интересуется жизнью страны! Николай был мужем сестры Арама Асатряна. Кстати, Костюков русский, Григорий Пенкин кричит, что он против выходцев с

Северного Кавказа и Средней Азии, заполонивших Россию, они якобы отнимают работу у русских, но на самом деле Пенкину плевать на простых людей. В свое время он сделал Асатряну предложение: Арам платит ему долю от прибыли, а Григорий сводит его с влиятельными во власти людьми. Асатрян отказался, и Пенкин объявил ему войну, поднял народ на погром рынков. Толпа кинулась на штурм. Николай Костюков был управляющим рынком, он успел вызвать милицию, громил разогнали. А вечером на Николая напали грабители, избили, отняли портмоне. Но всем ясно, что зятю Асатряна отомстили люди Пенкина за то, что он спас рынок от разгрома. Григорий мразь, бандит, таких, как он, во власти большинство! Смерть Пенкину!

— Смерть Пенкину! — подхватили Полина и Вера.

За ними эти слова повторили и другие члены организации.

План взрыва разработали быстро. Где Вахметов раздобыл бомбу, Сергей Песков понятия не имел. Ему следовало прийти на конечную остановку маршрутного такси, туда должен был подъехать Борис и передать ему спортивную сумку с адской машиной, а Сергею надлежало сесть на другой автобус и доставить груз Полине. Она нанялась под вымышленным именем в баню ночной уборщицей. Хатуновой предстояло спрятать взрывной механизм, который бы сработал в полночь, как раз тогда, когда Григорий и охрана расслабляются после рабочего дня.

В назначенный час Вахметов сел в маршрутку, остальное известно.

Не дождавшись Боба, Сергей позвонил Полине и сказал:

— Что-то пошло не так, уходи.

Хатунова выполнила приказ, а Песков вернулся домой и стал ждать вестей от Вахметова. В девять вечера в новостях рассказали про взрыв микроавтобуса, на экране мелькнуло окровавленное лицо Боба. Сергей запаниковал, позвонил Полине, но та не брала трубку. Алена Вербицкая, Миша Катуков, Андрей Горелов, Вера Соева тоже не отзывались.

Весь следующий день Сергей провел у телевизора, и ему делалось только хуже и хуже. Разные каналы, говоря о взрыве, путались в количестве жертв, корреспонденты восклицали:

— Милиция обязана отыскать тех, кто убил невинных людей. Расстрелять террористов.

И только услышав впервые эти слова, Сергей сообразил, во что втравил его Боб. Пескова охватила паника. Ему стало страшно до жути. Вдруг милиция найдет членов организации? Всех же посадят в тюрьму!

В районе обеда к Сергею пришли Полина и Вера.

— Вы живы! Вы на свободе! — обрадовался он. — Слава богу! А я уж подумал...

— Алена, Миша и Андрей покончили с собой, — перебила его Полина.

— Господи! — ахнул Сергей. — Девочки, нам нужно спрятаться, вести себя тихо, авось не узнают, кто и куда вез бомбу. Борис сейчас в больнице! Что, если он нас выдаст?

— Не смей так говорить! — заявила Вера. — Ты предатель.

А Полина заплакала.

— Вера! Мне так плохо! Я знаю, что ты любишь Борю и надеешься на его ответное чувство, на революционные идеи тебе плевать. Я тебя хорошо понимаю, сама не могу жить без Вахметова. Нам нужно его из клиники увезти, спрятать. Давайте подумаем, как это сделать.

— Борис никогда не выдаст членов организации! — заявила Соева. — Полина, если ты боишься, что Вахметов о нас расскажет, то ты сама предательница. Обязательно Боре про твои настроения расскажу. Между прочим, выдать группу может твоя Люся. Дурацкая была идея включить в состав организации школьницу.

Полина вытерла лицо рукой.

— Мусина улетела в Ялту, она там проведет долгое время. Я решила ее на всякий случай спрятать подальше.

— Что? — перепугался Сергей. — Девчонка знает про бомбу? Поэтому она убежала?!

— Конечно, нет, — замахала руками Хатунова. — Люсенька давно наши собрания не посещала, она не в курсе, что готовилось убийство Пенкина. Моя мама сказала ей про плохие анализы и про необходимость лечения в санатории в Ялте. Игорь Леонидович, отец Люси, учился в ординатуре с главврачом больницы в Крыму, он за два часа все устроил, нашел для Люсеньки место.

— Обалдеть! — взвилась Вера. — Ты всем про нас растрепала, и Елизавете Никитичне, и Мусину, и главврач небось в курсе.

— Нет, нет, нет, — затрясла головой Полина. — Я сказала: «Мама, случилось нечто страшное. Не спрашивай, в чем дело, правду открыть не могу, потому что, если меня арестуют, ты тогда окажешься сообщницей, а так ты ничего не знаешь и не пострадаешь. Я не могу скрыться, а вот Люсю надо немедленно увезти из столицы куда-нибудь подальше и как можно скорее. Пожалуйста, не вводи папу в курс дела, наври ему что-нибудь и придумай объяснение для Игоря Леонидовича». Мама замечательная, она все сделала, чтобы меня выручить.

— Думаешь, она не догадалась? — усомнился Сергей.

— Елизавета Никитична совсем не дура, — буркнула Соева, — о взрыве по всем каналам кричат, это главная новость дня. До кретина бы дошло, в чем дело, услышь он твое заявление.

— Мама могила, рта никогда не раскроет, — решительно заявила Хатунова. — Люси в Москве нет. Дальше моей семьи информация не подойдет. Точка.

— Просто бред, — простонал Сергей, — все, что происходит, полный бред! Бред!

И тут в дверь позвонили.

— Милиция пришла! — запаниковала Вера и отвесила Полине пощечину. — Твоя мать настучала! Или Игорь Леонидович донес!

Хатунова заплакала, Вера обняла ее и тоже зарыдала, а Сергей, чувствуя полнейшую безнадежность, пошел в прихожую. Какой смысл не открывать дверь? Все равно ее выломают.

Представьте, какие чувства охватили Пескова, когда в прихожую вошел Боб Вахметов! Пламенный революционер выглядел бледным, но бодрым. Сергей сначала обрадовался, что Борис не арестован. Если Вахметова отпустили из больницы, значит, милиция считает его пострадавшим, не подозревает о причастности Боба к теракту. Но потом Сережу охватил ужас, и он воскликнул:

— Боря, зачем ты пришел?

— Мы обязаны довести дело до конца, — лихорадочно блестя глазами, заявил их лидер. — Необходимо убить Пенкина.

Глава 33

— Ты сошел с ума! — закричала Полина, которая, выбежав из комнаты в прихожую, услышала эти слова. — Алена, Миша и Андрей покончили с собой! Наши друзья не смогли жить, зная, что причастны к гибели людей.

— Слабаки, — поморщился Борис.

— Оставь Пенкина в покое, — попросил Сергей, — нам лучше залечь на дно, затаиться, переждать шум, то, что ты хочешь сделать, невозможно. Нас вычислят и расстреляют.

— Я готова убить Пенкина! — заявила Соева. — Боб! Я с тобой до конца!

— Не слушай дуру, — засуетился Сергей. — Ей плевать на все революции в мире, она хочет к тебе в постель залезть!

— Нельзя оставить Гришку в живых, — отрезал Вахметов, — мы должны отработать деньги. Отступать некуда.

— Деньги? — пролепетала Полина. — Какие деньги?

— Нужны средства для революционной деятельности, — заговорил Вахметов. — Во всем мире партии и организации существуют за счет членских взносов и спонсоров. Суммы, которые вы каждый месяц вносите, смешные. Я нашел человека, который профинансирует нашу организацию. Он купит нам квартиру! Будет помогать!

— Почему мы об этом ничего не знаем? — оторопел Сергей. — Зачем нам жилье?

Борис покраснел.

— Хата нужна под штаб! Моя идея с пещерой прекрасна, но сейчас там зверски холодно. Где нам собираться? В кафе? Где хранить документы? Вы дадите деньги на поездки по стране и организацию ячеек в России? На распечатку листовок? На подрывную деятельность?

— Значит, мы получим квартиру? — уточнил Сергей. — Она на тебя будет оформлена?

— Глупый вопрос, — обозлился Вахметов. — У Ленина была жилплощадь в Париже, однако это не помешало ему совершить революцию!

— А кто наш спонсор? — подала голос Полина. — Мы имеем право знать его имя. Он что, тоже член организации?

Вахметов повернулся к Хатуновой.

— Виктор Костюков, племянник Арама Асатряна, сын его сестры и Николая Костюкова, которого забили насмерть по приказу Григория. Витя владеет успешным бизнесом, он со мной учился в одном классе. Когда я основал террористическую организацию, то пригласил Костюкова к ней примкнуть. Витя отказался, а спустя время предложил: «Убейте мерзавца Пенкина, и я вам материально помогать буду. Не надо говорить, что его смерть — месть за моего отца, представь дело как политическое». Бомбу он мне дал, где Витя взрывчатку взял, не знаю.

— И ты согласился? — не поверил своим ушам Сергей. — Весь этот ужас случился из-за квартиры, которую ты захотел получить?

— Господи! — прошептала Полина. — Боря, как ты мог?

Соева схватила Хатунову за руку и обняла ее.

— Боб! Одно дело убить Пенкина за то, что он гад и сволочь! И совсем другое — получить за смерть человека жилье! Уходи немедленно, — приказал Песков, — я с тобой больше дел иметь не желаю.

Полина бросилась Вахметову на шею.

— Боря, я тебя очень люблю и Вера тоже! Мы

ради тебя готовы на все, но откажись от предложения Костюкова.

— Нет, — отрезал Вахмутов.

— Верни ему квартиру. Ну ее, эту революцию! Столько людей погибло, — всхлипнула Хатунова, — опомнись, Боб!

Вахмутов стукнул кулаком по столу.

— Дураки! Обратной дороги нет! С Виктором шутки плохи, вы не в детском саду. Самое позднее через две недели устраняем Григория, или Костюков на нас донесет, расскажет, кто устроил взрыв.

— Он же сам тебе бомбу дал! — пролепетала Вера.

— Соева! — прошипел Борис. — Знаешь, сколько денег у Витьки? Он от всего открестится, подкупит следователей. В нашем государстве все решают бабки. Костюков останется на свободе, а нас закатают в асфальт. У меня родственников нет, а у Пескова тетка, племянница, у тебя, Верка, мать, у Полины родители. Членов ваших семей тоже непременно под суд отдадут. Забыли, в какой стране живете? В полицейском коррумпированном государстве! Вот почему революция нужна! Мы создадим мир, где воцарятся равенство, братство, свобода!..

Песков замолчал и прикрыл глаза рукой.

— И вы предприняли вторую попытку убрать Пенкина! — воскликнула я.

— Да, — подтвердил Сергей, — испугались за близких, подумали, что Боря во многом прав, революцию без денег не совершить, а Григорий — мерзавец. План опять придумал Вахметов, но я догадался, что сценарий писался под руководством Виктора. Тридцать первого декабря Полина вместе со мной и Верой пришла в дорогой ресторан якобы для встречи Нового года. За несколько дней до праздника там невозможно получить столик, но, думаю, богатый Костюков устроил нам места. У Полины в сумке лежал прибор, который ей передал Вахметов. Хатуновой следовало подловить Григория, когда он, например, пойдет в сортир, и приложить к его телу специальное устройство. На самом деле это был...

Сергей взглянул на Платонова.

— Не знаю, как назвать эту штуку, внешне она похожа на тюбик, который вечно таскают при себе женщины. То ли тушь для ресниц, то ли еще какая-то косметика, размером с шариковую ручку, но более толстая. Вахметову орудие убийства дал Виктор, сказал, что таким спецслужбы пользуются. Полине следовало только нажать на кнопочку, и Григорий — покойник. Не спрашивайте, чем эта дрянь стреляла, понятия не имею.

— Огромный риск подписываться на такое. Неужели Полина не боялась, что ее поймают? — удивилась я.

— Еще больше она опасалась, что Виктор сдаст нас и наших родных как организаторов взрыва, — произнес Сергей. — Не было выбора, она сама вызвалась. Боб спросил: «Кто будет исполнителем?» Верка сразу в кусты: «Не могу, боюсь, что все испорчу». Полина руку подняла: «Я пойду. Сергей не подходит, Григорий увидит его и насторожится, а женщина у Пенкина подозрений не вызовет». Акцию специально запланировали на тридцать первое декабря. В районе часа ночи все в ресторане будут пьяными, внимание у людей притупится. Мужик, упавший на пол в туалете, удивления не вызовет.

— И опять все пошло через пень-колоду? — спросил Платонов

Песков затрясся в ознобе.

— Да. Полина в тот вечер была очень хороша, она

надела декольтированное платье, выглядела сногсшибательно, когда заиграла музыка, пошла танцевать. Пенкин сидел в компании с мужиками, женщин с ними не было, он сразу клюнул на Полю, смотрел на нее масляными глазами. Григорий слегка окосел, публика в зале тоже была никакая, гульба пошла вразнос. Думаю, трезвых там было всего трое, я, Вера и Поля. В какой-то момент оркестр сделал паузу. Григорий, громко сказав: «Отлить надо», — пошел к лестнице, которая вела к туалетам. Полина, быстро пролив на свое платье бокал красного вина, двинулась за ним.

Мы с Верой поняли, что через минут пять Хатунова выполнит задание, и покинули трактир. В машине, которую тоже дал Виктор, нас ждал Боб. Вахметов завел мотор, Вера села около него, а я сзади следил, когда Хатунова выскочит наружу, чтобы открыть ей дверь. Полина залезет в салон, и мы умчимся. Пьяные гости не запомнят, кто куда ходил, официанты тоже. Мы затаились, время шло. Полина не появлялась, Боб занервничал, и тут примчалась «Скорая». Минут через десять из ресторана вынесли носилки, рядом с ними, держа капельницу, шла Полина. Мы вообще ничего не поняли, но ехать за врачами поостереглись.

На следующий день около полудня Поля примчалась ко мне домой и рассказала, что произошло.

Спустившись с лестницы, она пошла к мужскому туалету и остановилась в предбаннике. Спустя короткое время из кабинки вышел Григорий.

— Ой! — прикинулась смущенной Полина. — Это мужской клозет? Боже, я пошла не в ту сторону!

— Здесь легко запутаться, коридоры длинные, извиваются во все стороны, давайте я вас провожу, — слегка заплетающимся языком предложил Григорий, в упор разглядывая девушку и выводя ее в коридор. — Кстати, я Гриша.

Полина глупо захихикала и протянула руку.

— Поля.

Пенкин наклонился, чтобы галантно поцеловать ее пальцы, а она быстро приставила к его затылку прибор и нажала на кнопку. Пенкин рухнул на пол. Полина хотела убежать, и тут... Из двери мужского туалета вышел Дед Мороз. Артист увидел лежавшего на полу мужчину и воскликнул:

— Вам помочь? Не сердитесь на парня, сегодня Новый год, не грех напиться.

Хатунова, которую застали на месте преступления, перепугалась и забормотала:

— Да вот... э... что-то с ним! Иду, вижу... лежит...

Актер наклонился над Григорием.

— Господи, у него голова в крови! — с этими словами он вытащил из кармана рацию и сказал: — Игорь, у вас в туалете раненый, зови «Скорую» и сам сюда топай.

Услышав про «Скорую», Полина поняла, как ей надо действовать, и, воскликнув: «Я врач», — начала оказывать первую помощь Грише, который оказался жив.

Дед Мороз не уходил, вскоре прибежал управляющий, вместе с ним пришел и папарацци Юрий Глотов. Узнав о происшествии, он вызвал фотокорреспондента. Машина с красным крестом примчалась спустя считаные минуты, это явно был день сказочного везения для Григория и тотальной неудачи для Полины. Врач, явившийся по вызову, окинул присутствующих взглядом и воскликнул:

— Поля! Вот так встреча!

Эскулап оказался бывшим однокурсником Хатуновой и ярым фанатом Пенкина, он сразу узнал его и налетел на Полину:

— Тяжелое ранение в голову, нужна операция.

Если я повезу пострадавшего в простую больницу, он там не выживет. Ты по-прежнему работаешь с академиком Разгоновым?

— Да, — подтвердила Хатунова.

— Позвони ему, — распорядился доктор, — скажи, Григорий Алексеевич Пенкин в тяжелом состоянии, он известный человек, крупный политический деятель.

И что оставалось делать Полине, которая до смерти боялась, что ее заподозрят в нападении? Она уехала вместе с Григорием к академику в клинику. Песков, Соева и Вахметов, теряясь в догадках, вернулись на квартиру к Сергею. Шел первый день девяносто третьего года, мобильных ни у кого из них не было, поэтому никто не понимал, что происходит. Когда Полина вошла в коммуналку Сергея, Боб наскочил на нее с вопросами, узнав правду, он потерял самообладание и начал орать:

— Надо было ткнуть в него стрелялкой еще раз! Оружие имеет несколько зарядов.

— Как это сделать при свидетелях? — отбивалась Полина. — Дед Мороз не отходил от раненого, пришел управляющий, с ним прибежал журналист, врач со «Скорой» меня узнал...

У Сергея сильно заболела голова, и он раскрыл окно, чтобы вдохнуть свежий воздух. Вахметов тем временем бегал кругами по комнате, орал, потом, впав в ярость, ударил Полину, у нее пошла носом кровь. Соева бросилась к подруге, Сергей поспешил в ванную за аптечкой, чтобы оказать Поле первую помощь. Когда он вернулся, Полина и Вера, обнявшись, рыдали, сидя на полу. Сергей окинул взглядом помещение и удивился:

— А где Боб? Он ушел?

— Вахметов сел на подоконник, — прошептала

Вера, — хотел закурить. Мы даже моргнуть не успели, как он упал.

Коммуналка, в которой разыгралась трагедия, находилась на пятом этаже. Песков кинулся к окну и понял, что идейный руководитель и организатор террористической группы «Свобода или смерть» угодил прямо в раскрытый мусорный контейнер, стоявший во дворе.

Глава 34

— И как вы поступили? — спросил Платонов у замолчавшего Пескова.

— Полина и Вера впали в истерику, — мрачно пояснил тот, — я схватил два помойных ведра, свое и соседа, и помчался вниз. Мне просто повезло. Первое января. Народ еще спал, а те, кто уже проснулся, квасили по-новому. Бак был полон всякой дряни: битый кафель, кирпичи, бутылки, объедки. Я переворошил весь мусор, бросил тело Бориса на дно, сверху навалил отходов, вернулся домой, велел женщинам уходить, а сам уехал к приятелям на дачу. В Москву вернулся четвертого января, в страхе вошел в квартиру, боялся, вдруг там милиция в засаде, но дома было тихо. Контейнер во дворе был пуст. Наверное, мусорщики, маясь от похмелья, не заметили труп.

— Бак опустошается автоматически, — уточнил Платонов, — его содержимое лопатой не перебрасывают. Короб подцепляют, потом переворачивают над машиной. Даже если рабочий смотрит в этот момент на кузов, он не всегда может увидеть, что в него высыпается. А потом включается пресс, отходы уминаются.

— Тело Вахметова исчезло, — прошептала я. — У Бориса не было родственников, его никто не искал. Испуганная до предела Полина решила, что лучше всего выйти замуж за Пенкина. Она подумала: в этом случае ее никто никогда не заподозрит в покушении на его убийство.

— Наверное, вы правы, — мрачно подтвердил Песков. — Извините, Виола Ленинидовна, можете принести мне попить? Бутылка с водой стоит в кухне, в пенале у окна на третьей полке.

Мне пришлось выполнить его просьбу. Высокий узкий шкаф был почти пуст, я сразу увидела полуторалитровую бутыль, рядом с ней стояло несколько пакетов обычного геркулеса, и лежал батон, упакованный в прозрачный пакет. В мойке стояла тарелка с засохшими остатками еды, похоже, Сергей завтракал овсянкой. Я открыла сушку, нашла чистую кружку и вернулась в комнату.

Напившись, Песков-Сергеев продолжил свой рассказ.

— Несколько лет назад мне пришлось обратиться к Полине за помощью. Мы с ней долго разговаривали. Хатунова тогда призналась, что конец девяносто второго и девяносто третий год явились для нее самым страшным темным временем. Взрыв в маршрутке, гибель невинных людей, второе неудачное покушение на Григория, необходимость лечить его, трагическая кончина Вахметова, смерть отца, а вскоре за ним ушла мать. Поля чувствовала себя мышью, загнанной в угол, она осталась без какой-либо поддержки, абсолютно одна. А рядом оказался Пенкин, который испытывал к ней глубочайшую благодарность за свое спасение, восхищался ею как женщиной, был готов жениться на ней. Григорий Алексеевич пять раз делал Полине предложение, окружил ее заботой, вниманием, упорно добивался ее руки, и она сдалась, поняла, что Пенкин не так уж и плох, его антисемитские выступления, а потом создание движения агрессивных русофилов были не его идеей, это навязали ему консультанты, рассчитывавшие, что, ведя себя подобным образом, он быстро сделает карьеру политика.

Хатунова направила энергию мужа в бизнес, он весьма преуспел на новом поприще, в политику более не лез, экстремистских заявлений никогда не делал, начал заниматься благотворительностью. Полина вышла замуж по расчету, она хотела спокойной жизни за спиной у влиятельного обеспеченного человека. И сначала все шло хорошо, но через пару лет после того, как в паспорте Хатуновой появился штамп о браке, в Москве взорвался рейсовый автобус, и СМИ опять вспомнили о взлетевшей на воздух в декабре девяносто второго маршрутке. Газеты упрекали власти в бездействии, возмущались тем, что мерзавцы, убившие невинных людей, до сих пор не найдены. Милицейское начальство выступило с заявлением, что поиски террористов продолжаются, это вызвало бурю негодования, журналисты соревновались в ехидности заголовков «Сокровище Трои искали веками, наша милиция сродни археологам», «Год, два, три, десять, сто... сколько понадобится, чтобы выяснить правду?», «Средний вес московского мента сто кило, парни пухнут от безделья».

Полина испугалась до крайности, она-то думала, что все давно похоронили то дело и забыли о нем, а оказывается, нет. Хатуновой стало страшно, вдруг все выяснится? Вдруг Григорий узнает, кто его ранил? Целый год Полина вздрагивала, когда звонили в дверь квартиры, но потом устала бояться и успокоилась. Призраки погибших в маршрутке людей и покончивших с собой товарищей Полину Владимировну более не беспокоили. Со временем ей стало казаться, что ничего этого не было, прошлое подернулось туманом и забылось. Хатунова бросила медицину, некоторое время нигде не работала, занималась домом, а потом осуществила свою мечту, стала работать с детьми. Инфантильная Поля, страстно любившая Вахметова и готовая ради него на все, исчезла, вместо нее появилась уверенная в себе богатая дама, жена влиятельного человека, никогда не замешанная ни в каких темных делишках.

А вот у Пескова дела шли совсем не так хорошо. Он не спал, вздрагивал от каждого шороха, ждал, что за ним придут, обвинят в организации взрыва, самоубийстве друзей, нападении на Пенкина, возложат на него ответственность за гибель Боба. Сергей похудел на десять кило, глаза у него ввалились, руки тряслись. На работе ему стали делать замечания и уволили. Правда, Сергею повезло, он быстро пристроился в троллейбусный парк врачом, служба была не пыльной, но с тяжелым графиком. Как-то раз Сергей в районе полуночи шел домой и в садике у пятиэтажки заметил на скамейке своего соседа по коммуналке. Мужчина со смешным именем Кокозас Иванович был алкоголиком, не имел семьи, нигде не работал, собирал бутылки, но при этом сохранил остатки интеллигентности. Налившись по уши дешевой бормотухой, Кокозас никогда не устраивал дебошей, вползал в квартиру и молча укладывался спать. Сергеев беспрекословно мыл ванную, туалет, не притаскивал в коммуналку собутыльников, вел себя тихо, а утром стучал в комнату Пескова и смущенно бубнил:

— Прости, опять нажрался! Честное слово, обязательно завяжу, зашьюсь!

Кокозас мог пропасть на несколько дней, а то и неделю, вернуться с разбитым лицом. Песков не волновался за соседа, но и не злился на него. В принципе,

Сергеев был не самым дурным компаньоном по общей кухне, он отличался полным отсутствием любопытства, его совершенно не интересовала жизнь Пескова.

Сообразив, что на лавочке сидит Кокозас, он подошел поближе и понял: сосед умер. Зима в том году выдалась очень холодная, мороз лютовал, а сосед, как всегда, наклюкавшись, не дошел до квартиры, заснул на улице и замерз.

Сергей сначала занервничал, но потом сообразил: вот он, шанс навсегда избавиться от ужаса быть пойманным. Принес из дома свой паспорт и положил его в карман покойного, предварительно хорошенько смяв у документа обложку. Страницу со своей фотографией Сергей тоже измял, а сам снимок частично замазал черным маркером, оставив чистыми только волосы. Потом он разбил зеркало в ванной и начал ждать развития событий.

Через несколько дней в квартиру позвонил участковый с вопросом:

— Давно соседа видели?

— Он алкоголик, — ответил Песков, — иногда на месяц пропасть может. В последнее время на голову совсем плохой стал, вот, посмотрите, зеркало в ванной расколошматил, кричал, что на него оттуда черт смотрит, паспорт свой испортил, ему на фото в документе дьявол мерещился. А что?

— Допился мужик. Замерз на улице, — вздохнул участковый. — Не в курсе, может, у него родственники есть? По документам он одинокий, но, вероятно, с какой-то бабой жил.

— Нет, ни женщин, ни детей он в квартиру не приводил, — объяснил Песков.

Через пару дней Сергей нашел в газете объявление: «Помогаю быстро восстановить все утерянные документы», поехал по указанному адресу, дал хмурому парню паспорт Кокозаса, свою фотографию, отсчитал нужную сумму и через сутки получил документ назад. Только теперь в удостоверении личности красовался снимок Пескова, который стал Кокозасом Ивановичем.

На том дело и закончилось. Через несколько месяцев лже-Кокозас Иванович поменял свою комнату на аналогичную в другом районе Москвы и начал новую жизнь. Врачом, как понимаете, он наняться не мог, работал в разных местах, не оформляясь официально, жил в коммуналке, семью не завел. Потом у него случился инфаркт, он оказался в больнице, где персонал относился к пациентам с полным пофигизмом. Родственники больных постоянно искали медсестер, которые после ухода врачей домой исчезали из отделения, носили докторам деньги, чтобы те внимательно относились к больному.

Как-то раз жена одного из соседей по палате, бросив на стул гламурный журнал, убежала за лекарством для мужа. Кокозас-Сергей увидел на обложке фото Полины, под которым шла подпись: «Эксклюзивное интервью владелицы гимназии и жены олигарха П. Хатуновой». На следующий день он позвонил в школу и сказал:

— Поля, я умираю, помоги мне.

— Минуточку! — встрепенулся Платонов. — Вы весьма подробно рассказывали о переживаниях Полины, о том, как она боялась разоблачения, бросила медицину, ушла в педагогику, и вдруг говорите, что связались с ней через ее работу? Нестыковка получается. Если вы расстались с Полиной и Верой в день, когда погиб Борис, не поддерживали отношений, то я понимаю, почему вы обратились в учебное заведение, вы не знали домашний и мобильный номера Хатуновой. Но тогда вы не должны ничего знать о психологическом состоянии соратницы по террористической группе. Если вы продолжали общаться, созванивались после того, как погиб Вахметов, то по какой причине упомянули гламурное издание?

Хозяин квартиры приложил руки к груди.

— Несколько лет мы общались, правда, очень редко. Я иногда звонил Полине на старую квартиру, если дома находился муж, она отвечала: «Вы ошиблись номером», — и сама мне через какое-то время перезванивала. Но в конце девяностых Пенкин перебрался жить в другое место. Полина мне ничего не сообщила, я понятия о смене жилплощади не имел, звякнул Хатуновой, а какой-то парень ответил: «Я приобрел апартаменты месяц назад, куда подевались прежние хозяева, понятия не имею». Вот так я и потерял Полину, не знал, что она владеет гимназией. Во время нашего последнего разговора она сказала, что хочет заниматься педагогикой, это ее мечта с детства. Про частную школу речи не было.

Я исподлобья взглянула на Платонова. Похоже, Песков шантажировал Полину, готова спорить, что он просил у нее денег. Вот почему она ничего не сообщала ему о переезде. И не уверена, что сей господин случайно увидел фото. Небось, очутившись в больнице, фальшивый Кокозас спешно занялся поисками Хатуновой и нашел ее. Вероятно, он тоже решил похоронить прошлое, работал в разных местах, тихо жил, не вспоминал о Полине, и вдруг инфаркт, понадобилась помощь.

А он продолжал рассказ.

— Извините, вы ошиблись, — скороговоркой выпалила Хатунова, услышав голос однокашника, и отсоединилась.

Сергей опять набрал тот же номер, но на сей раз отозвалась секретарша, она пропела:

— Полина Владимировна уехала на важное совещание.

Сергея охватило отчаяние, и он вытащил свой единственный козырь.

— Запишите номер моего мобильного и скажите Хатуновой: ее беспокоит господин Сергеев, меня к ней направил Борис Вахметов.

Полина перезвонила через пять минут.

— Что тебе надо?

Он вкратце пересказал, что с ним случилось, и потребовал:

— Устрой мне перевод в хорошую клинику, иначе твой муж узнает, что на самом деле случилось в Новый год в том туалете.

— Ты этого не сделаешь! — воскликнула Хатунова.

— Считаешь? — усмехнулся давнишний приятель.

— Ты сам тогда там находился, — отрезала Полина, — живешь под чужим именем. Откроешь рот, я про тебя правду расскажу.

— Мне терять нечего, — возразил шантажист, — много воды утекло, срок давности прошел, за маршрутку меня не привлекут, и доказательств моей причастности к взрыву у тебя нет. А вот у меня есть фотографии.

— Какие? — испуганно перебила Полина. — О чем ты говоришь?

Вымогатель ухмыльнулся.

— Помнишь наше самое первое собрание в пещере? Твоя Люся увлекалась фотографией, она нас нащелкала, а потом всем снимки раздала. Небось и у тебя такой есть: мы сидим под лозунгом «Свобода или смерть». Для полиции эти кадры интереса не представляют, а вот Григорию Алексеевичу история понравится, увлекательно послушать, как любимая жена тебе в голову стреляла, и это была вторая попытка покушения на его жизнь. В первый раз бомба взорвалась раньше времени.

— Приеду вечером, — мигом заявила Хатунова, — говори куда.

Полина прикатила в районе одиннадцати, благо в той больнице никто за порядком не следил. Большинство больных уже отошло ко сну. Песков-Сергеев и Хатунова вышли на лестничную клетку и обо всем договорились. Хатунова обязалась перевести старого приятеля в хорошую больницу, обеспечить его пусть крохотной, но собственной жилплощадью и устроить на работу со стабильным окладом. Взамен Полина получит фотографию и обещание Кокозаса-Сергея навсегда забыть про организацию «Свобода или смерть».

— И она вам поверила? — с сомнением спросил Платонов.

— Я дал честное слово, — торжественно заявил Песков.

Я отвернулась к окну. Некоторые люди, планируя преступление, тратят много сил, времени и денег, заботясь о том, чтобы их не поймали. Они тщательно готовятся к акции, взвешивают все «за» и «против», учитывают микроскопические риски и... быстро попадаются. А бывает и как у Хатуновой с приятелями. У них не было четкого плана действий, руководителем выбрали взбалмошного истерика, непорядочного Боба, польстившегося на квартиру, бомба взорвалась в маршрутке, и милиция плотно занялась делом, но... Песков, Соева и Хатунова не попали в поле зрения органов. Им фантастически повезло. А история с подменой паспорта? Серьезные организации, отправляя агентов работать под прикрытием, досконально разрабатывают для них легенды, скрупулезно делают документы, и... шпиона сразу разоблачают. А как получилось у Пескова? Сбегал домой, положил свой паспорт в карман замерзшего алкоголика и стал Кокозасом Ивановичем. И никто не усомнился в личности господина Сергеева. Ну как это может быть? Опиши я подобную ситуацию в рукописи, и мой редактор, красавица и умница Оля Рубис, тут же заявит:

— Виола, ваша новая книга замечательна, но вот история превращения врача в его соседа по коммуналке совершенно не похожа на правду.

А теперь я слышу про честное слово, которое шантажист дал Хатуновой, и она ему поверила! Хотя снимки ей отдали, это их Полина спрятала в секретном отделении своего стола. Вот вам еще одна глупость. Такие свидетельства надо уничтожать, хранить их нельзя!

— Не знаю, как Полина все устроила, — вещал дальше Песков, — но, когда меня в хорошей клинике поставили на ноги, я перебрался в эту однушку. Работу Поля мне предложила в своей гимназии, сказала, что больше никуда устроить не может. Настоящий Кокозас был меня старше, пенсионера никто брать в штат не хочет, а в школе она единоличная хозяйка. Единственная засада: в гимназии нужен был учитель физики, я с этим предметом не знаком, но накупил пособий и справился.

Глава 35

— А потом в школе появилась Соева, — сказал Платонов. — Вы с ней не пересекались после гибели Вахметова?

— Да, — подтвердил собеседник, — Вера исчезла, я о ней забыл. Когда я начал работать в гимназии, мы с Хатуновой дружеские отношения поддерживать не стали, общались исключительно на «вы» и по деловым вопросам, и вдруг она мне эсэмэс прислала: «Приходи в кафе «Кряква». Я удивился, но приехал, Полина уже сидела за столиком, очень нервничала, не поздоровалась, сразу сказала:

— В гимназии будет работать библиотекарем Вера Соева.

Я не сдержался.

— Зачем ты ее берешь?

Поля пожала плечами.

— У Верки в жизни полный швах, муж умер, накопленные деньги все потратила, нигде не работает, она мне позвонила, начала плакать: «Полечка, я с голоду умру, возьми хоть полы мыть». Мы с ней договорились о встрече в моем кабинете. Вера приехала в восемь вечера, гимназия была пуста. У Соевой при себе оказались фото, такие же, какими ты меня шантажировал.

Я ее перебил.

— Поля, прости, не хотел ничего дурного тебе сделать, никогда бы снимки Григорию не отдал, от отчаянья тогда подло себя повел, думал, умру в той мерзкой больнице.

Она меня за руку взяла.

— Знаю, нас те страшные дни навсегда связали, но теперь мы взрослые, умные, не будем глупости совершать. Я достигла благополучия, вы с Верой нет, тебе я помогла и ей руку протяну. Мы с ней снимки посмотрели, всплакнули, потом она мне их отдала со словами: «Не очень хорошо себя чувствую, сердце щемит, вдруг умру в одночасье, не хочу, чтобы посторонние это разглядывали». Я фотографии в тайник положила, сказала: стол из моей детской, ты его помнишь, знаешь, как секретное отделение открывается, я его привезла в кабинет, потому что Григория он раздражал, а для меня стол родной, его мне папа на заказ делал. Все под Богом ходим. Вдруг я под машину попаду? Забери в случае моей смерти папку. Сначала я хотела ее в банковскую ячейку спрятать, а потом сообразила: если скончаюсь, тебя в хранилище не пустят, туда только наследники могут войти. Не хочу, чтобы Гриша снимки увидел. Он, конечно, ничего не поймет, про нашу группу муж понятия не имеет, но я все равно не хочу. Точка. А сжечь снимки не могу. Наверное, ты думаешь, что я дура?

Вера всхлипнула.

— Нет, Поля. Сама сто раз собиралась в клочки их порвать, но рука не поднимается. Там же Алена Вербицкая, Миша Катуков, Андрюша Горелов, Борис, их давно в живых нет, но на фото они с нами. Мне кажется, если уничтожу карточки, я ребят окончательно убью. Вот, видишь, фантики от жвачки «Love is». Вахметов ее постоянно покупал, вкладыши бросал, а я их подбирала, прятала и по ночам мечтала, как Боб мне в любви признается. Поля, я не могу фантики выкинуть. Я Бориса обожала, теперь понимаю, что он нехороший человек был, но воспоминания у меня о моем чувстве к нему самые нежные и светлые. Пусть фантики вместе со снимками лежат. Похоже, мы с тобой две идиотки, но мы такие, и ничего с этим не поделать.

У Платонова зазвонил телефон, Андрей, не глядя на экран, сбросил вызов, а хозяин квартиры продолжал:

— Вахметов постоянно со жвачкой ходил, ему нравился сорт «Love is», сладкая до приторности фигня. К каждой прилагалась идиотская картинка с не менее дурацким высказыванием на тему любви. Ну, например: «Любовь это неземное счастье». Боб разворачивал очередную подушечку и, если рядом не было урны, совал фантик Соевой, та в отличие от помойки всегда находилась рядом. Отдаст наш революционер фантик Верке и буркнет:

— День куда-нибудь.

А Соева, оказывается, его не выбрасывала, разглаживала, прятала и думала, что Боб таким образом ей в любви признается. Хранила барахло полжизни! Слов просто нет! Вот только Полине, когда она гору фантиков увидела, Соеву так жалко стало, что она зарыдала. Бабы, конечно, истерички. Уж простите, Виола, к вам мои слова не относятся. Фотографии следовало выбросить! Сжечь!

— Но вы тоже не уничтожили снимки, — не выдержала я, — шантажировали ими Полину.

— У меня они остались случайно, — возразил учитель физики, — сунул их куда-то и позабыл. Когда меня увозили в клинику с инфарктом, прихватил с собой книгу. Открыл ее в палате, в ней конверт, а там снимки. Никогда не вымогал денег у Поли, про фото ей сказал от отчаянья, выжить хотел. И я ей их отдал. Понимаете, это совпадение: книги-фотографии-гламурный журнал, мой звонок в школу, нежелание Хатуновой общаться. Когда она отсоединилась, мне вся кровь в голову от страха скорой смерти бросилась, и я подумал: «Напугаю ее снимками». Просто так подумал! Григорию ничего посылать на самом деле не собирался.

Я молча смотрела на хозяина квартиры, похоже, он мастер спорта по вранью. На что угодно готова спорить, Сергеев шантажировал Полину, чтобы получить жилье и должность.

Кокозас потер шею.

— Первое время Верка тише зайца в гимназии сидела, а потом свой норов начала показывать. Она могла Полину после уроков вызвать на встречу и закатить ей скандал, потребовать повышения зарплаты. И мне звонила, ныла:

— Полина мало денег платит, она богатая, обязана нас обеспечить.

Я ей объяснял:

— Вера! Поля ничего никому не должна, уймись. Даже святой может разозлиться. Выйдет Хатунова из себя и выпрет тебя!

Но Верка мои слова не воспринимала, злилась:

— Если Полина мне нормальную жизнь не обеспечит, я ей намекну, что могу рот раскрыть и много чего рассказать.

Я тут же вспомнила нашу беседу с Ниной Максимовной про походы школьников, про пещеру, о которой ей поведала Соева. Похоже, у Веры Борисовны на самом деле был вздорный характер и она не отличалась большим умом. Библиотекарша отправила Федотову к Хатуновой с сообщением про пещеру на заводе «Юникс» и посоветовала ей упомянуть имя Боба, который якобы был любовником Соевой. Ну кем надо быть, чтобы так поступить с женщиной, которая тебе помогла? И злость на учительницу биологии затмила остатки разума у Веры настолько, что она не побоялась назвать фамилию Вахметова.

— Потом у меня случился приступ аппендицита, — вздохнул Кокозас-Сергей, — когда вернулся на работу, узнал, что Хатунова и Соева почти одновременно умерли, испугался и решил затаиться. Я записался на прием к врачу на четыре часа дня, собирался бюллетень попросить. А тут вы ввалились. Я вам всю правду рассказал: про «Свободу или смерть», взрыв, покушение на Григория, несчастье с Вахметовым. Я бы никогда про это не рассказал. Знаете, почему сейчас стал откровенным? Из-за пропажи ребенка! Его отец меня уничтожить может. Но про похищенного мальчика я ничего не знаю! Честное слово! Не трогал я сына Константина Обозова! Хотел лечь на дно из-за смерти женщин, испугался, что стану следующим. Почему? Не знаю!

У Платонова снова затрезвонил телефон. На сей раз Андрей посмотрел на экран и быстро вышел из комнаты.

— Виола Ленинидовна, вы мне верите? — по-детски спросил хозяин квартиры.

— Мое мнение не имеет значения, — сухо ответила я.

— Ну зачем мне пацана красть! — воскликнул Кокозас-Сергей. — Я большую часть жизни сижу тихо, боюсь привлечь к себе внимания органов.

Платонов вернулся в комнату вместе с двумя незнакомыми парнями.

На лице его было странное выражение, похоже, он находился в недоумении.

— Как к вам лучше обращаться? — спросил он у владельца квартиры.

— За долгие года я привык к Кокозасу, — поморщился тот, — имя дурацкое, раздражает меня, люди не способны его правильно произнести. Виола Ленинидовна, например, упорно называет меня Кожзамом, но я с ним свыкся. Если меня назовут «Сергей», не поверну головы.

— Понял, — кивнул Платонов. — Кокозас Иванович, вам придется проехать с нашими сотрудниками.

— Да, конечно, — пробормотал тот, — но я не завтракал, а у меня диабет, диагноз поставили несколько лет назад, если вовремя не перекушу, могу потерять сознание, впасть в кому, уже голова кружится.

— Они подождут, пока вы перекусите, — согласился Платонов.

— Ем я в небольшом кафе, оно расположено на

соседней улице, — пояснил Кокозас, — дома только чай и сушки. Разрешите зайти в «Розовую кошку»? Я быстро. Естественно, ваши люди отправятся со мной. Вы же понимаете, что я не имею отношения к похищению Эдуарда. За то, что присвоил себе чужой паспорт, наказание готов понести. Будучи Кокозасом Сергеевым, я ничего плохого не совершил. Взрыв в маршрутке — это ужасно, но все произошло более двадцати лет назад, и я непосредственного участия в перевозке бомбы не принимал, ее транспортировал Вахметов. Смерть Бориса — несчастный случай, и ни один суд не примет дело об его убийстве. Вы же знаете, нет тела — нет дела.

— Похоже, вы часто думали о том, что сказать, если вас задержат, — пробормотала я, — подготовили аргументы в свою защиту.

— Постоянно вспоминаю, какого дурака свалял в молодости, — с горечью воскликнул Кокозас. — Все бы отдал, чтобы несчастные люди и дети из той маршрутки остались живы! Извините, но мне срочно надо поесть, ноги дрожать начинают.

— Да, конечно, — кивнул Платонов, — вы можете идти в кафе, заодно и мои ребята кофе попьют.

* * *

— Ему правда ничего не будет? — спросила я у Андрея, когда мы с ним спустились во двор.

— Назначать наказание не моя задача, — неожиданно разозлился тот. — Я должен вычислить преступника и собрать неопровержимые доказательства его вины. Все. Дальше пусть суд разбирается. Мне только что позвонили компьютерщики, они нашли человека, которому отправлялись деньги Константина Эдуардовича.

— Мы знаем имя похитителя! — обрадовалась я.

— Или его доверенного лица, — пробормотал Андрей. — Не верится мне, что сия дама в одиночку все провернула. Поехали, ее уже везут в офис.

— Женщина? — удивилась я.

— Где баба, там и мужик, — буркнул Андрей, садясь в машину, — погнали!

Я пошла к малолитражке, устроилась за рулем и только тогда сообразила, что не спросила у Платонова имя дамы, которая получила миллионы Обозова. Но звонить Андрею и задавать ему вопрос про имя преступницы не стала. Я уже еду в офис Платонова, там и узнаю все подробности, надеюсь, проведу в дороге не более часа, поток машин бойко несется по шоссе.

Увы, мои надежды не оправдались, свернув на Бульварное кольцо, я угодила в плотную пробку и поползла по центру города со скоростью гусеницы. Слева от меня тащился красный «Мини-Купер», сидевшая в нем симпатичная шатенка, решив не терять время зря, делала маникюр. Справа полз минивэн с надписью «Наши креветки — это быстро и вкусно». Я прочитала рекламный слоган, внезапно до спазмов в желудке захотела морских гадов, выхватила из держателя бутылку минералки и начала заливать голод водой, задаваясь вопросом, почему вдруг полюбила то, на что еще недавно даже смотреть не могла. Неожиданно в памяти всплыли слова Ноговой-Архангельской: «Будешь жрать всякую гадость! Кирпич на твою машину упадет». Что она мне еще хорошего пожелала? Может, из-за проклятья противной бабы меня теперь тянет на жуткую еду? Да нет, это полная чушь!

— Девушка! — раздался справа мужской голос. — Девушка!

Я повернула голову, увидела, что меня окликает водитель минивэна, и приоткрыла окно.

— Слушаю вас.

— Бутылочки воды лишней не найдется? — спросил он. — Жажда мучает.

Я взяла с пассажирского сиденья запечатанную пластиковую емкость и протянула шоферу.

— Держите.

— Вот спасибо! — обрадовался тот. — Сколько с меня?

— Бесплатно, — улыбнулась я, — все, стоящие в пробке, становятся родственниками.

Шофер засмеялся.

— Ага! Пока до места дотащишься, можно познакомиться с девушкой, жениться на ней и родить ребенка. За воду огромное спасибо. Мне неделю назад диагноз диабет поставили, жена заметила, что я все время пью, прямо как лошадь стал, дай три ведра — выхлебаю. И откуда у меня эта зараза взялась? Одно хорошо, уколы делать не надо, велели худеть, не нервничать, заниматься спортом, диету прописали. Геркулес на завтрак! Вот же дрянь! Ни сахарку, ни варенья в него положить нельзя! Склизкая гадость. Брр! И...

Поток машин неожиданно резво покатил вперед, наша беседа с водителем минивэна прервалась, я взяла левее и включила поворотник. Многие люди не любят овсянку, а большинство из тех, кто ее употребляет, сдабривает кашу фруктами, изюмом, корицей, медом. А вот мне геркулес нравится в натуральном виде, но только он должен быть обычным, не быстрого приготовления. Овсянку в пакетиках я никогда не покупаю, она... Пакетик! Геркулесовая каша! «Я еще не завтракал, а у меня диабет...»

От пришедшей в голову мысли мне стало жарко, и я схватилась за телефон.

— Неужели ты уже приехала? — удивился Платонов.

Я проигнорировала вопрос приятеля.

— Немедленно звони своим людям, которые сопровождают лже-Кокозаса. Ни в коем случае нельзя идти в кафе! И пусть ни на шаг не отходят от подопечного, он что-то нехорошее задумал.

Андрей не стал ничего уточнять.

— Хорошо.

Минут через десять Платонов соединился со мной.

— Как ты поняла, что мужик решил сбежать?

— Его задержали? — задала я вопрос.

— Нет, — мрачно пояснил приятель. — Парни пришли в кафе, Сергеев не соврал, он там действительно постоянный клиент, с ним все здоровались: официанты, бармен. Кокозас пошел помыть руки.

— Его одного отпустили в туалет! — воскликнула я. — Вот молодцы!

Андрей стал защищать подчиненных:

— Они не дураки. Николай остался за столиком, Вадим отправился с Сергеевым в сортир, встал у двери.

— Но он не заглянул в клозет, а там было незарешеченное окно, — снова влезла я с предположением.

Андрей чуть повысил голос.

— Нет. Вадим осмотрел санузел, там три глухие стены, одна за унитазом, две по бокам. Никаких стеклопакетов, форточек, занавесок, шкафов. И к Кокозасу отношение было не такое, как к обычному задержанному, их никогда перекусить в кафе не поведут. Вадим оставил подопечного одного, из-за двери послышался шорох, скрип, потом журчание. Сопровождающего эти звуки не насторожили, было понятно, что Кокозас справляет естественную нужду. Но прошла минута, две, три, пять, а журчание не прекращалось. В конце концов Вадим забеспокоился, подергал за ручку, постучал в дверь, попытался ее открыть, изнутри оказалось заперто. Парень выбил створку... пусто! В первое мгновение Вадим обалдел: куда из помещения без окон мог деться Кокозас? Охранник побежал к управляющему, и выяснилось, что стена справа от унитаза на самом деле дверь, она выходит в крохотный коридорчик, который ведет к черному ходу. Ею никогда не пользуются, ручки в ней нет, она оклеена, закрыта на примитивный замок. В углу, который образуют две стены, есть небольшая щель, если взять тонкий предмет и поддеть язычок, который входит в паз, то... Сезам откроется.

— Перочинный ножик «Фридрих»! — ахнула я. — С кучей лезвий, ножницами и шилом! Видела его у Сергеева. Он мне сказал, что всегда его при себе носит, мало ли что случится, а инструмент в кармане.

— Мерзавец частый гость в кафе, — продолжал Андрей, — он знал про эту дверь. Гаденыш снял с бачка крышку, сделал так, чтобы в унитаз постоянно медленно лилась вода и полицейский под дверью не нервничал. Потом отжал защелку и ушел. Двух минут хватило на все.

Я изумилась.

— Лже-Кокозас был удивительно откровенен, рассказал, как группа готовила взрыв, как Полина ранила Григория, как погиб Вахметов. Тогда почему он удрал? Сергеев-Песков понимал, что большое наказание ему не грозит, более двадцати лет прошло со дня взрыва. Из участников группы «Свобода или смерть» никого не осталось, свидетелей нет. Разговаривал он с нами без протокола, это была частная беседа. После доставки Кокозаса в твой офис и начала официального допроса он мог потребовать адвоката, отказаться от прежних показаний... Чего он испугался?

— Мы пришли к мужику, заподозрив его в похищении Эдика, — остановил меня Андрей. — С Константином Эдуардовичем лучше не связываться. Если с мальчиком случится беда, он велит убить учителя физики и плевать ему на то, что для обвинения улик не хватает. Кокозас это понял, потому и выложил правду, объяснил: почему прикинулся больным и решил спешно смыться из школы. Он хотел взять бюллетень, так как боялся: следователь начнет копать, искать убийцу Хатуновой и Соевой, и правда о том, что Кокозас на самом деле Сергей Песков, может открыться. До появления в его квартире полиции он понятия не имел о похищении Эдика. Но когда я стал задавать вопросы про Эдуарда и наш пламенный революционер сообразил, в чем его подозревают, он быстро прикинул, что страшнее? Разбор полетов, связанный со взрывом и жизнью по чужому паспорту? Или подозрение в киднеппинге? Я бы на его месте тоже про ту маршрутку рассказал. Песков-Сергеев не Борис Вахметов, он не организовывал террористическую группу, бомбу не трогал. Вот поймай мы главаря, тому бы плохо пришлось. Для Бориса срока давности нет, его можно привлечь к ответственности за смерть невинных людей, за терроризм. Вахметову, будь он жив и арестован, грозит пожизненное заключение.

— Но почему лже-Кокозас сбежал? — повторила

я. — Ну, помотали бы ему нервы, ну, потерял бы он работу в гимназии, но это же все!

— Понятия не имею, что у идиота в голове! — вскипел Андрей. — Я уже приехал! Ты где?

— Не такой уж он идиот, раз смог от сопровождающих уйти, — вздохнула я.

— Это ты виновата. Почему никому про то, что мужик с перочинным ножом в кармане ходит, не сказала? — разозлился Платонов и бросил трубку.

Мне стало обидно. Вот здорово! Андрей нашел того, кто ответственен за побег мерзавца, и это не он сам и не его сотрудники, а я. Но уже через секунду мне стало неуютно. Платонов прав, я должна была вспомнить про ножик со множеством лезвий и предупредить сопровождающих. Но почему же все-таки лже-Кокозас сбежал? Чего он испугался?

Я въехала на парковку и увидела Платонова.

— Извини, — сказал он, помогая мне вылезти из малолитражки, — ты тут ни при чем.

Я возразила.

— Нет, я не упомянула про нож, элементарно забыла про него.

Платонов взял меня под руку.

— Пошли, небось пособница похитителя заждалась.

Я не смогла сдержать любопытство.

— Кто она?

Платонов молча вошел в небольшую комнату и показал на прозрачную стену.

— Любуйся!

Я взглянула сквозь стекло в соседний кабинет, увидела женщину, сидевшую лицом к нам, и ахнула.

— Ангелина Максимовна!

Глава 36

Следующие несколько часов я провела в маленьком душном помещении, наблюдая и слушая, как учительница труда и рисования признается во всех грехах.

Едва Андрей вошел в допросную, как Ангелина залилась горючими слезами.

— Ничего плохого я не хотела! Степушке нужны деньги! Он прекрасный человек! Эдик в полном порядке!

— Где мальчик? — настолько тихим и спокойным голосом, что у меня по спине побежали мурашки, поинтересовался Андрей.

— Он вместе со Степаном на даче, на Ленинградском шоссе, — зачастила Жорина. — Там тепло, уютно, есть еда, телевизор.

— Адрес, — коротко потребовал Платонов.

— Деревня Мишкино, — простонала преподавательница, — от нее пять километров до поселка «Ясный клен».

Андрей вышел, Жорина уронила голову на вытянутые на столе руки. Через пятнадцать минут Платонов вернулся, поставил на стол пластиковый стаканчик с водой, положил пакетик с салфетками и предложил:

— Давайте поговорим.

Жорина выдернула из пакета сразу несколько носовых платков, начала утирать лицо и одновременно отвечать на вопросы.

Я села на стул и, не сводя глаз с Ангелины, слушала допрос. Ну почему я не догадалась, что Жорина замешана в деле? Ее странное поведение должно было вызвать у меня подозрения. А учительница труда продолжала каяться, и я в конце концов все узнала.

Жорина никогда не отличалась особой красотой, не имела богатого приданого и была не замужем. Многие женщины обычной внешности не могут похвастаться состоятельными родителями или собственным бизнесом, но это совершенно не мешает им стать счастливыми женами, родить детей. Не в деньгах счастье. Но Ангелина считала иначе, все неудачи на личном фронте она объясняла отсутствием жирного счета в банке. Время шло, все знакомые не по одному разу сбегали в загс, а Жорина оставалась старой девой. Но в конце концов счастье улыбнулось ей, в жизни Ангелины появился Степан Рукавишников. Симпатичный, фигуристый, моложе ее мужчина легко вскружил голову Ангелине, не приученной к знакам внимания со стороны сильного пола. Она влюбилась, как девочка-подросток, Степа показался ей самым умным, самым добрым, самым прекрасным, самым-самым-самым...

Ослепленная чувством преподавательница не задавала парню никаких вопросов, ее не удивило, почему Степан сразу перебрался жить к ней, по какой причине он нигде не работает, а целые дни проводит дома, отчего не дает денег на хозяйство, не покупает продукты, не делает ей подарки, не зовет ее в кино-кафе-театр. Жорину не смущало, что Степан, не стесняясь, тратит ее зарплату, покупает себе одежду, приобрел дорогой телефон. Ангелина не удивлялась отсутствию у него знакомых, друзей, родителей. Наоборот, она очень жалела одинокого, никем не понятого Степоньку, возмущалась, что его не хотят снимать в кино тупые режиссеры, не замечающие таланта Рукавишникова.

Каждый день, вернувшись с работы, Ангелина спрашивала у Степана, лежавшего на диване:

— Ну как? Сходил на кастинг?

— Да, — цедил сквозь зубы любимый. — И очень понравился создателям нового сериала, со мной собрались подписать контракт, но потом отказались, потому что один олигарх пристроил на мою роль своего бездарного сынка, заплатил много денег, чтобы снимали бесталанного дурака. Все решает бабло, а его у меня нет.

Чтобы доставить Степе радость, Ангелина взяла кредит и купила ему часы. Они стоили, на взгляд учительницы, бешено дорого, сто тысяч рублей, она очень гордилась, что смогла преподнести столь весомый презент. Рукавишников взял его и с разочарованием протянул:

— А-а-а, ничего!

— Тебе не нравится? — расстроилась Жорина.

— Да нет, нормальные тикалки, — протянул Степан, — простые, без турбийона.

Что за зверь турбийон, Жорина понятия не имела. Она полезла в поисковик, узнала про механизм, компенсирующий притяжение Земли, и про то, что часы, оснащенные, в общем-то, не очень нужным приспособлением, стоят таких денег, о которых она даже мечтать не смеет, и заплакала от разочарования. Ну почему она так бедна?

Восьмого марта этого года Полина Владимировна решила сделать подарок педсоставу. Она приобрела билеты в театр и объявила:

— Идем на премьеру. Если хотите взять с собой мужа, мать, ребенка, пожалуйста. Каждый сотрудник гимназии получит два приглашения.

Ангелина не была официально расписана со Степаном, но наврала всем, что вышла замуж, и пела коллегам оды о своем великолепном супруге. Естественно, все хотели увидеть принца.

— Ты, конечно, придешь со Степаном? — поинтересовалась Нина Максимовна.

— Да, — гордо заявила Жорина, — я же не жалмерка-одиночка, а женщина в браке.

Милый Степушка сначала наотрез отказался посетить театр, мотивировал он это просто:

— У меня нет нового костюма и ботинок, не желаю выглядеть оборванцем.

Ангелина взяла еще один кредит и купила Рукавишникову одежду и обувь. Правда, к пиджачной паре от Бриони, о которой мечтал сожитель, было не подойти, но удалось найти вполне приличный костюм. Степан, недовольно морщась, оделся, как он сказал «В убогие обновки», но поехал в театр.

Появление Ангелины в компании с молодым красавцем вызвало шок у ее коллег.

— Это мой муж, — гордо представила сожителя Жорина, опустив слово «гражданский».

Степан поздоровался, сел в кресло, и тут учительницы испытали настоящее потрясение. В зале появилась Мария Геннадьевна, кавалера у Шитовой не было. Но как она выглядела!

Учительница химии была в модном платье, меховом жилете, волосы ей явно уложили в дорогом салоне и там же нанесли профессиональный макияж. Но это еще не все! Уши Марии оттягивали серьги с бриллиантами, на пальце сверкало кольцо с большим сверкающим в лучах люстр камнем. Помахивая сумочкой от известного бренда, Шитова встала в проходе и демонстративно громко сказала:

— Всем привет!

— Маша! — ахнула Нина Максимовна. — Ты шикарна! Никак клад отрыла?

— Получила наследство от родственника в Америке, — широко улыбаясь, пояснила Мария. —

Основную сумму положила под большой процент в банк, а кое-что решила потратить на себя.

Коллеги принялись охать-ахать, рассматривать клатч и драгоценности. А Жорину затопила зависть. Ну почему Машке повезло? Отчего ей, Ангелине, никогда не перепадают дармовые денежки? Неужели ей всегда влачить жалкое существование, не имея возможности порадовать Степушку покупкой столь желанных ему часов с турбийоном?

Ангелина сникла и чуть не заплакала. Степан, поняв, какие чувства обуревают любовницу, шепнул ей на ухо:

— Разоделась ваша Маша, как на свадьбу, а где жених? У нее бабло, а у тебя я. Не расстраивайся, сейчас они все от зависти к тебе подохнут.

И Рукавишников включил обаяшку. Он начал сыпать комплиментами, рассказывать не пошлые смешные анекдоты, в антракте пригласил всех в буфет и угостил шампанским с конфетами. Учительницы пришли в восторг, на разряженную Марию Геннадьевну никто более внимания не обращал, все слушали Степана. После спектакля Рукавишников позвал учителей в кафе, и началась спонтанная веселая вечеринка. Степа был душой компании, из него лавиной лились шутки, хохотала не только школьная компания во главе с Хатуновой, но и другие посетители, даже официанты. Завершился вечер игрой в «Ручеек», в которой приняли участие все присутствующие в зале, включая управляющего.

— Степа! Ты такой классный! — крикнула раскрасневшаяся Мария Геннадьевна. — Откуда столько интересного знаешь?

— Я профессиональный актер, — пояснил Степан. — Меня учили развлекать людей.

На следующий день в учительской говорили только о Рукавишникове.

— Какой у тебя замечательный муж, — восхищались коллеги Жориной.

Правда, восхищение Степаном не мешало им судачить за спиной Жориной о молодости ее спутника жизни. О полученном Марией Геннадьевной наследстве местная тусовка не забыла, но эта новость оказалась на втором месте.

Что было дальше, мы уже знаем. Степан написал сценарий, хотел снимать фильм, начал бегать по продюсерам, режиссерам, домой возвращался за полночь и осенью бросил гражданскую жену.

Куда подевался возлюбленный, где он жил, Жорина понятия не имела, она впала в депрессию, попыталась избавиться от навалившегося горя, растаптывая вылепленных детьми козлов. Свое состояние учительница труда тщательно скрывала от коллег. Она не хотела, чтобы они узнали об уходе Степы. Ангелина продолжала изображать счастливую супругу, и от этого ей делалось только хуже и хуже. А потом произошло невероятное!

Любимый неожиданно вернулся и упал на колени.

— Черт меня попутал, — плакал Рукавишников, — на меня приворот одна дура сделала! Сердцем тебя одну всегда любил, но сопротивляться колдовству невозможно. Вчера наконец-то избавился от сетей ведьмы. Милая! Хочу жить с тобой до могилы! Выходи за меня замуж.

Конечно, Ангелина с радостью простила его и дала согласие на брак.

— Закатим такой пир, что твои змеи в учительской сдохнут, — пообещал Степушка. — Позовем всех в лучший ресторан, а потом улетим навсегда жить на Карибы. Там тепло, океан, солнце, будем целыми днями лежать на пляже и любить друг друга.

Жорина ненавидела холод, плохо переносила пасмурную московскую осень и слякотную зиму, поэтому, услышав слова любимого, пришла в полный восторг, но потом разум взял верх над эйфорией, и она сникла.

— Степонька, где взять деньги на переезд, покупку жилья, на что мы будем жить за границей?

Рукавишников обнял ее.

— Я гений, все продумал. Сдадим московскую квартиру, суммы, получаемой от арендаторов, хватит на бытовые расходы, еда на Карибах копеечная, коммунальные услуги ерундовые, отапливать дом не надо, зимняя одежда не потребуется. И мой клуб быстро начнет...

— Клуб? — не поняла Ангелина. — Какой?

Степан хлопнул себя ладонью по лбу и включил ноутбук.

— Ну я дурак! Забыл самое главное сказать! Смотри! Вот это наш особняк со своим пляжем, сад, бассейн. Я открою увеселительное заведение, куда толпой пойдут и местные жители, и туристы.

Фотографии, мелькавшие на экране, загипнотизировали Жорину, больше всего на свете ей захотелось в райское место, о котором рассказывал любовник.

— Не надо вставать утром в шесть, бежать в любую погоду в школу, думать, как разумно потратить заработанные деньги, — пел Степушка, — зависеть от капризов директрисы и противных родителей, сидеть в учительской среди идиоток, которые только и умеют, что сплетничать. Будем жить счастливо, в свое удовольствие.

— Деньги, — пробормотала Ангелина, — клуб небось немало стоит.

Степан неожиданно перевел разговор на другую тему.

— Без детей нет семьи, но у нас с тобой не может их быть.

— Да, — горько вздохнула Жорина, — зря я в юности аборт сделала, сейчас многие и после сорока рожают, но у меня не получится забеременеть.

— Солнышко, — проворковал Степа, — я знаю, как нам осуществить все мечты сразу, получим и деньги, и сына. Ты мне часто рассказываешь про Эдика, грустного одинокого ребенка.

— Обозов, — кивнула учительница, — бедный богатый мальчик. Родителям до него дела нет, откупаются от него подарками, с детьми в школе он не дружит. Мне его очень жаль, Эдик частенько в кабинет труда забегает, чай со мной пьет, ему необходимо общение со взрослым человеком.

— Вроде он считает себя брошенным ребенком? — продолжал Степан.

Ангелина поморщилась.

— Вечно парнишечка дома один сидит у компьютера. Отец с матерью постоянно отсутствуют, у него бизнес, у нее съемки и тусовки. Эдик, как манны небесной, летние каникулы ждет, на пару недель родители про свои дела забывают и с сыном общаются. В остальное время он с шофером или нянькой. Получается, что я его единственный друг, он со мной своими переживаниями делится. Да только чем я ему помочь могу? Ну разве что выслушать да чаем с пирожками угостить. В третьем «А» учится девочка-мулатка Катя, ее удочерили богатые люди, они не скрывают, что взяли ребенка из детдома. Катюша знает: родители ей не родные. Так вот с ней мать постоянно рядом. Парадокс. Приемная родительница более заботлива и внимательна, чем кровная.

— Да, да, — закивал Степан, — ты мне все это уже много раз рассказывала. И еще упоминала, что Эдик знает пароль от онлайн-банка отца, где лежит немало денег.

— Верно, он мне признался, что в отсутствие матери любит заходить в ее спальню, перебирает безделушки, роется в трюмо, в столе. Это обычное детское любопытство, — улыбнулась Жорина. — Некоторые дети крадут из дома деньги, но Эдик не такой. Он сказал, что может зайти через Интернет в банк и напугать маму, перебросить средства с ее карты на другой счет, и Светлане будет нечем заплатить в магазине, но он никогда этого делать не станет. Я прямо растерялась, не знала, как поступить. Может, следовало предупредить мать, что сын на такое способен? Но вовремя вспомнила, как наш психолог Авдотья Громушкина, протестировав Эдика, решила родителям о тяжелом моральном состоянии ребенка сообщить и попыталась мамашу в школу пригласить. Такой скандал получился! Вот я и решила не вмешиваться. Не мое это дело, в конце концов, и Эдик ничего дурного не совершает, он просто знает, как счетами манипулировать, но ведь не пользуется этим!

— Очень хорошо, что ты заняла такую умную позицию, — потер руки Степан, — мы уедем на Карибы втроем! Вместе с Эдиком, он станет нашим сыном.

— Это как? — оторопела Жорина.

— Сейчас объясню, — засуетился Рукавишников, — я составил гениальный план!

На следующий день, тщательно обсудив детали

аферы, парочка начала действовать. Ангелина аккуратно заводила с Эдиком беседы на тему усыновления и посеяла в его голове мысль, что он не родной ребенок. Она же посоветовала зайти на форум, где приемные дети ищут родных родителей. А Степан, отлично разбирающийся в компьютерах, зарегистрировался в этом сообществе и вывесил объявление: «Ищу сына. Эдуарду восемь с половиной лет, волосы светлые, глаза серые. Особая примета: родинка на правой щеке. Мальчик в пять месяцев был отнят у меня бывшей женой Светланой Кореневой при разводе. Эдика усыновил новый муж супруги Константин Обозов. Помогите найти ребенка». Ну и, конечно, Эдик сразу «нашелся». «Папа» начал общаться с ребенком в Интернете. «Родителя» интересовало все, связанное с жизнью мальчика: как он учится, с кем дружит, что читает, где проводит досуг, о чем печалится-радуется. Каждый день Степан в районе десяти вечера обращался в компьютере к Эдику с вопросом: «Как у тебя прошел день, сынок?» И каждое утро около семи он спрашивал: «Хорошо выспался? Все в портфель положил? Удачной учебы, не переживай, отлично напишешь контрольную». В отличие от старших Обозовых, «родной папочка» был в курсе всех дел Эдика, знал, когда ему предстоит проверочная работа, жалел его, если мальчик жаловался на усталость, ласково журил за тройки, радовался хорошим отметкам, подсказывал, какую книгу лучше прочитать. В любое время Эдик мог связаться со Степаном по телефону, тот всегда отвечал, ни разу не произнес: «Я занят, потом поговорим». Нет, Рукавишников был свободен для мальчика, правда, иногда он говорил в трубку: «Секундочку», — потом Эдик слышал, как «папочка» приказывает: «Перерыв в совещании, у меня важный разговор, все покиньте кабинет» и снова обращается к мальчику: «Да, дорогой, что случилось?» Став впервые свидетелем беседы с подчиненными, ребенок смутился: «Я не вовремя, лучше позднее перезвоню». «Нет, — отрезал Степан, — это остальные не вовремя, они все не главное в моей жизни. Главный — ты». Стоит ли упоминать, что Константин и Светлана вели себя совершенно иначе? И, надеюсь, вы понимаете: слова Степана о совещании были игрой. Эдик, не приученный к такому вниманию со стороны взрослых, с восторгом окунулся в новые отношения, он делился с «отцом» абсолютно всем, поверил, что тот его родной папа, и спустя некоторое время после знакомства разболтал Степану, что умеет пользоваться онлайн-банком старшего Обозова.

Общение Эдика и Рукавишникова проходило не на форуме, туда, где собираются приемные дети, младший Обозов теперь не заглядывал. Но в начале декабря администрация сообщества разослала всем, кто хоть раз входил на их сайт, письмо с предупреждением: в Интернете появился преступник, он вступает в общение с подростками, которые ищут родных, прикидывается их отцом, сначала ведет беседы в Сети, затем предлагает встречу в реале, приглашает ребенка к себе в гости, и все заканчивается плохо, «папочка» оказывается педофилом.

Эдик тоже получил послание и насторожился. На тот момент мальчик и Степан уже договорились о том, как Обозов осуществит побег. Рукавишников нарисовал перед ребенком ту же картину незамутненного счастья, что и перед Ангелиной: ласковый океан, жизнь вместе с любящим отцом и никакой ненавистной школы, он сам станет обучать сына. Был намечен день, когда в гимназию якобы по ошибке придет Дед Мороз, и вдруг Эдик испугался. Он переслал письмо от администрации форума Рукавишникову и задал вопрос: «Ты на самом деле мой папа или бандит?» Давайте вспомним, что ребенку еще нет девяти лет, и не будем удивляться его наивности. Послание Степан получил в районе полуночи и сразу отвечать не стал, начал судорожно думать, как поступить.

Глава 37

Надо отдать должное Рукавишникову, фантазия у него работала на зависть многим писателям. В семь утра Эдик получил письмо от «папы». Тот извинялся, что сразу не ответил, потому что вчера поскользнулся на улице, упал и просидел долго в травмпункте, чтобы сделать рентген. Далее Степан хвалил ребенка за предусмотрительность, радовался его уму и сообщал, что в личном деле Эдика есть документ, подтверждающий, что Рукавишников его отец. «Я мог бы прислать тебе на почту метрику, выданную мне, когда тебе исполнилось десять дней от роду, — писал Степан. — Но ты разумный взрослый человек, поэтому понимаешь, что с помощью компьютера можно создать любой документ. А вот в твои бумаги, хранящиеся в школе, я ничего подсунуть не могу. Ну как мне попасть в кабинет директора, где их хранят? Подойди на перемене к Ангелине Максимовне, она тебе поможет проникнуть в кабинет. Извини, Эдик, что сразу не сообщил, но Ангелина моя жена, она специально устроилась на работу в школу, чтобы быть поближе к тебе и помогать моему сыну по мере сил и возможностей».

Сколько ребят плясало под дудку хитрого взрослого мерзавца, который, польстив их самолюбию, называл детей «взрослыми и умными»? Ведь от родителей, нянек и мамок они, как правило, слышат иные слова: «Ты еще маленький, неразумный, слушай меня, не своевольничай». Тот, кто считает третьеклассника равным себе, вмиг станет для него авторитетом, ему безоговорочно поверят.

Эдик примчался к Ангелине, а та уже успела положить в его личное дело «документ», который ночью состряпал на компьютере Степан. Жорина пришла на работу за час до коллег, без всяких проблем попала в незапертый кабинет Хатуновой, взяла в шкафу у секретаря желтый конверт, положила в него листок и сунула его в дело Обозова.

Услышав последние слова Ангелины, я вздохнула. Когда я увидела, что фото из тайника директрисы и сообщение об усыновлении Эдуарда лежат в идентичных конвертах, я сделала неправильный вывод о том, что смерть Полины Владимировны и похищение мальчика звенья одной цепи. Нет, это оказались два разных преступления.

На большой перемене Эдик прибежал в кабинет труда к Ангелине, она искренне верила в то, что очень скоро вместе со Степушкой и мальчиком очутится в райском уголке, обняла ребенка и сказала:

— Эдичка, сегодня нельзя даже близко подходить к кабинету Полины Владимировны. К сожалению, у директрисы случился инфаркт, она умерла на рабочем месте, в гимназии полиция, но на следующий день посторонних не будет. К тому же завтра большинство учащихся и учителей уедут на футбольный матч, в школе останется мало народа, и наудачу секретарь Лена заболела гриппом, никто не помешает тебе изучить твое личное дело.

Через сутки Эдик влез в кабинет Хатуновой. Жорина осталась в холле, чтобы прикрыть ребенка, если кто-то из учителей захочет заглянуть в офис.

Сказав последнюю фразу, Ангелина закашлялась, Платонов подал ей стакан. Я смотрела, как Жорина жадными глотками пьет воду, и думала, что некоторое время удача сопутствовала учительнице труда и ее сожителю. Маленький одинокий мальчик поверил нечестным взрослым людям, правда, он проявил бдительность, но его снова обвели вокруг пальца. Казалось, что Фортуна улыбается Жориной и Рукавишникову. Секретарша очень вовремя подцепила вирус, и даже смерть Полины оказалась им на руку, никто не помешал Эдику шарить в кабинете. Но когда Обозов вошел в офис, богиня удачи, весьма легкомысленная дама, отвернулась от Ангелины и Степана. В кабинете находилась я. Неожиданный звонок моего телефона привел Эдика в панику, и мальчик выскочил в холл.

Словно подслушав мои мысли, Ангелина продолжила рассказ:

— Эдик внезапно вылетел из кабинета Хатуновой, сказал мне на ходу: «Там кто-то есть, у него сотовый работает», — и спрятался в мужском туалете. Очень глупо хорониться в сортире, следовало быстро убежать по коридору или нестись на второй этаж, благо лестница рядом. Но что взять с третьеклассника? Ему санузел показался наиболее безопасным убежищем. А я не успела его оттуда вытащить, потому что из кабинета директрисы вышла Тараканова и пристала ко мне с глупыми вопросами.

Я заерзала на жестком стуле. Все правильно, я хотела задержать ребенка, но мои ноги затекли от сидения на корточках, сразу стартовать не получилось. Я очутилась в вестибюле через минуту-другую и наткнулась на Ангелину, которая попыталась увести меня в учительскую, но я не уходила, и тут из сортира с вопросом «Она ушла?» высунулся Эдик.

Конечно же, я начала расспрашивать мальчика, но Жорина сама отвечала на заданные ему вопросы, а потом отправила его в класс. Я рассердилась и сделала ей замечание:

— Вы не дали ребенку слова вымолвить!

Ангелина закатила истерику и убежала, я тоже потеряла самообладание и крикнула ей в спину что-то вроде: «А вы умеете только давать детям задания лепить козлов в очках». Через секунду мне стало стыдно.

Спустя короткое время Жорина извиняется, рассказывает, что у нее совсем сдали нервы из-за того, что муж ушел из дома. Мне стало жаль брошенную тетку, к тому же мне было крайне неудобно за глупые слова про козлов, я понимала, как больно ранила Ангелину, попросила прощения, и мир был установлен. Нет бы мне тогда же понять, что Жорина неспроста оказалась в холле, а ее истерика — это спектакль, чтобы отвлечь меня от Обозова. Но я, переполнившись сочувствием к Ангелине, совершаю большую ошибку, не связывая Жорину с появлением Эдика в кабинете Хатуновой.

Теперь вспомним визит Деда Мороза. Незадолго до него Ангелина ни с того ни с сего хамит в учительской Нине Максимовне. Сейчас я понимаю, что учительница труда нервничала в ожидании Степана, украшенного бородой из ваты, но в тот момент я подумала, что Жорина дурно воспитанная особа. И что происходит, когда сказочный персонаж возникает в учительской? Дед Мороз пытается избавиться от меня и Федотовой, он просит сообщить о своем приходе начальству, надеясь, что мы уйдем.

Я опять посмотрела в стекло. Ангелина как раз сообщала о том, что сбросила Степану, который парковал около школы машину, эсэмэску: «Повезло. Карелию вызвали внезапно на какое-то совещание. Все ок». Значит, желая увидеть местное начальство, Дед Мороз ничем не рисковал, он знал, что завуча в гимназии нет. Нина Максимовна убегает, но я-то остаюсь и пытаюсь вести с артистом светскую беседу. Он вежливо поддерживает разговор, в процессе общения отправляет сообщение, адресованное фирме, в которой он служит. Сейчас я внимательно слушаю показания Жориной, она говорит, что Степан связался с ней, написал: «Одна дура никак не уходит».

Ангелина мигом приносится в учительскую и уводит меня украшать окна в своем кабинете. По дороге мы сталкиваемся с Федотовой, которая идет назад в учительскую. Нина Максимовна не нашла Карелию. Жорина живо отсылает ее на чердак, врет, что завуч поднялась туда, чтобы посмотреть, в каком состоянии гирлянды для украшения фасада гимназии. Нина удивляется, но бежит на третий этаж. Никто не мешает Эдику залезть в мешок к Деду Морозу. Когда мы с Жориной возвращаемся в учительскую, именно Ангелине приходит в голову посмотреть на бланк заказа, который имеет при себе лицедей. Выясняется, что он перепутал школу, и актер уходит, увозя Обозова в сумке. Вообще-то дурацкий план побега, он не должен был осуществиться, но... капризная Фортуна опять улыбается преступникам. И ведь Эдик, которому я велела написать сто раз глагол «нашел», в сердцах сказал, что скоро он с папой уедет далеко-далеко, в другую страну, где не говорят по-русски, поэтому ему незачем заниматься грамматикой. Я не удивилась, в гимназии учатся дети богатых родителей, они постоянно летают за границу, живут там в собственных домах.

Мне следовало быть внимательной, собрать все подсказки, а я пробежала мимо них!

Рассказав, как Эдику удалось незаметно покинуть школу, Жорина закрыла лицо руками и разрыдалась, а у Андрея заработал мобильный.

— Да, да, да, понял, — произнес Платонов, потом отложил телефон. — Ангелина Максимовна, перестаньте плакать, слезы не помогут. Мои люди только что нашли в указанном вами дачном поселке Эдика, мальчик в тяжелом состоянии, находится под воздействием каких-то сильных лекарств. Рукавишников одурманил ребенка, бросил его и уехал.

— Не может быть! — взвизгнула учительница. — Мы должны были...

Жорина замолчала.

— Продолжайте, — велел Андрей, — что вы собирались сделать сегодня утром, когда деньги упадут на открытый вами счет? Куда вы хотели перебросить валюту?

— Не знаю, — зашептала Ангелина, — я не сильна в компьютерах, вот Степан ас. Он сам все проделывал, я только на свое имя счет в банке открыла.

— И где сейчас ваш сожитель? — не отставал Платонов.

— Не знаю, — повторила Жорина, — они с Эдиком жили на даче. Понятия не имею, чья она. Степа сказал, они временно там поселятся. Сегодня он мне позвонил в одиннадцать, сказал: «Деньги получил, отправил их на Карибы, иди на занятия, веди себя как обычно, потом возвращайся домой, бери сумку с вещами, садись на аэроэкспресс, в полночь мы с Эдиком ждем тебя в Шереметьево. Не забудь паспорт, виза не нужна, мы летим на остров, куда россиян пускают без нее.

Наш рейс в три утра, не опаздывай. Больше созваниваться не будем.

— Отлично, — усмехнулся Андрей, — путешествие могло стать приятным, если б не некоторые нюансы. Специалисты вышли на след украденных денег ранним утром и заблокировали их получение. Кроме того, они нашли кассиршу, любовницу Рукавишникова, которая должна была выдать ему наличные с вашего счета. Девушке Степан тоже клялся в любви, обещал счастье на Карибах. Ее арестовали, но она успела тайком сбросить мерзавцу эсэмэс: «Все пропало. Спрячься». Степан сообразил, что весь его хитроумный план провалился, и решил спасать свою шкуру. Эдуард мошеннику более не нужен, мальчик требовался лишь для перевода денег. Вам же я не собираюсь объяснять, что ни на какие Карибы Рукавишников ни вас, ни «сына» брать не собирался. Чтобы Эдик не плакал, не испугался, что остался один на даче, не поднял шум, Степан сделал ему укол. Несмотря на подлый характер, Степан не убийца, поэтому он просто усыпил ребенка и уехал. Вам дорогой Степушка отвел роль козла отпущения, вы ответите за организацию похищения мальчика. Думаю, истинный план Рукавишникова был таков: он получает пришедшие на ваше имя деньги, делает Эдику инъекцию какого-то лекарства или наркотика, оставляет его, посылает вам эсэмэс: «Все в порядке, ждем в Шереметьево в полночь» — и смывается. У мерзавца есть более двенадцати часов на побег, пока вы будете искать его в зоне отлета, Степа уже усвистит в дальние края. Да он почти до Австралии успеет добраться. Вероятно, у подонка есть фальшивые документы. Кстати, вы уверены, что Степан Рукавишников его настоящие имя и фамилия? Паспорт парня видели?

— Один раз, — прошептала Ангелина.

— А личность сожителя проверяли? — наседал на Жорину Платонов. — Не подумали, что альфонс мог воспользоваться чужим удостоверением личности? На самом деле он Ваня Сидоров и по своему загранпаспорту сейчас отправился за рубеж.

Ангелина зарыдала.

— Нет, нет, вы ошибаетесь, Степан меня любит. Деньги мы не крали, их нам Эдик сам отдал, мы его не принуждали. У нас все было хорошо, пока вы не влезли.

Платонов вскинул брови.

— Вам нужно молиться, чтобы Эдик выжил, иначе дело о похищении превратится в дело об убийстве в составе преступной группы. И просите Бога еще о том, чтобы мы нашли Рукавишникова.

Ангелина взвизгнула, Платонов с брезгливостью посмотрел на нее и ушел.

Глава 38

Около одиннадцати вечера я наконец поехала домой и, конечно же, застряла в пробке. До Нового года осталось всего ничего, и москвичи, спохватившись, кинулись после работы за подарками. Ну почему люди заранее не приобретают сувениры? И по какой причине я сама до сих пор не подумала о презентах для друзей?

Я посмотрела в окно и увидела, что стою напротив молла, разукрашенного гирляндами. Настроение у меня было отвратительное. Я чувствовала недовольство собой из-за истории с Эдиком, не обратила внимания на некоторые детали. Может, будь я поумнее, Обозов бы сейчас не лежал в коме в реанимации, а Степан Рукавишников сидел бы там, где ему самое место: в камере следственного изолятора. Кроме того, мы с Платоновым до сих пор не знаем, кто и почему убил Полину Владимировну и Веру Соеву. Не ясно, как яд попал в их организм, в печенье-пастиле-чае отравы не было. Определенно, мне сейчас лучше пошляться по магазину и выбрать сувениры, все равно не засну, приехав домой.

На парковке едва нашлось свободное место, но внутри торгового центра толчеи не наблюдалось. Я стала ходить по рядам, разглядывая товары и удивляясь ценам. Плюшевая коза, символ наступающего года, за пять тысяч рублей? А вот до жути уродливая статуэтка, и кого она изображает? Вроде это осел, но почему у него на спине два горба? А если это верблюд, то по какой причине его голову украшают заячьи уши синего цвета? Кто купит такой шедевр? И ценник у него «радует», за помесь ишака с дромадером и инопланетным кроликом хотят всего-то девять тысяч девятьсот девяносто девять рублей.

— Сладкие кружки берем по три сотни! — закричал охрипший голос. — Лучший подарок для всех, подходите, количество товара ограничено.

Фраза про товар, который заканчивается, магическим образом действует на бывшую советскую девушку. Я порысила на зов и уткнулась в небольшой прилавок, за которым стояла тетка, размера этак пятьдесят шестого, изображавшая Снегурочку.

— Хотите сладкую кружечку? — просипела она, поправляя парик с косами. — Суперсувенир, кто его получит, в восторге закорчится.

На секунду я представила скрюченных друзей и сотрудников издательства «Элефант», но быстро прогнала видение.

— Что это такое?

— Космические нанотехнологии, — заверещала продавщица, — наливаете в посуду чаек, а он без сахара делается сладким.

— Да ну? — удивилась я.

— Ща попробуете, — пообещала тетка, включила стоявший перед ней чайник, затем наплескала кипяток в одну из чашек и подала мне. — Глотай!

Я пригубила жидкость.

— Очень сладко! Но чашка была пустой, сахар вы не клали. Как это получается?

— Секрет фирмы, — объявила торговка, — бери!

— Объясните, откуда сахар? — не успокаивалась я.

Тут к прилавку подошла пожилая пара, тучная Снегурочка, сразу потеряв ко мне интерес, переключилась на пенсионеров, а я переместилась к соседнему лотку, где хозяйничала девушка в карнавальном костюме козы.

— Хорошо, что барахло брать не стали, — тихо сказала она, — сплошная химия. Я тоже хотела медовой посудой торговать, пошла на фирму, поговорила с менеджером и поняла: нет, лучше другой товар народу впаривать, еще помрет кто от хрен знает какого покрытия.

— Покрытие? — повторила я и посмотрела на бейджик «козы». — Вы о чем, Галя?

Та взяла один из белых стоящих перед ней фарфоровых бокалов.

— Чего они делают? Изнутри посуда обмазывается какой-то дрянью, она не имеет запаха. Когда наливаете внутрь горячую воду, покрытие выделяет вещество, придающее жидкости сладкий вкус. Производители клялись, что вреда для здоровья нет, эту дрянь делают за границей, есть сертификат качества. Так я им и поверила! Ой, вот прямо трудно бумагу на компе сделать! За чудо-чашку с покупателя просят три сотни. Да у меня простая белая кружка, на которую любое фото поместить можно за те же рубли. Это в какую же цену фирме «сахар» обходится? Получается, дерьмо идет за копейки? И эта дрянь очень въедливая! Нинка в одну кружку весь день кипяток плещет, и вкус не исчез. Ну что можно подумать? За гроши качественной химии не бывает. Попьешь из такой кружки несколько раз, и рога с копытами отрастут. А вы-то! По виду интеллигентная женщина, а не побрезговали, попробовали то, что вам Нинка подсунула.

— Устала на работе, — начала оправдываться я, — соображать перестала.

— Когда под праздник по магазину шляешься, голову активировать надо, а то так облапошат, что мало не покажется. Нашли что-нибудь хорошее? — поинтересовалась Галя.

— Кругом ужас за нереальные деньги, — вздохнула я. — Могу заплатить большую сумму, но за качественную вещь, не готова отсчитывать длинные рубли за барахло.

— Гляньте на мои бокалы, — предложила Галя, — недорого и забавно. Берете белую кружку, честно предупреждаю, их в Китае делают, а я на нее наношу любую надпись по вашему выбору или фото, какое хотите. И... Эй! А ну стой!

Галина, метнувшись из-за прилавка, схватила за плечо женщину в синем пуховике.

— Отстаньте, — начала отбиваться та, — не смейте ко мне прикасаться.

Голос тетки почему-то показался мне знакомым.

— Ах ты, мерзость, — злилась Галя, — много вас тут таких нечистых на руку разгуливает, но и я не зайка слепая. Обратила внимание, что ты мимо моей точки пять раз круги нарезала. Открывай сумку.

— Не имеете права обыск устраивать, — хорохорилась покупательница.

— Верно, — вдруг согласилась Галя, — сейчас охрану позову.

Тетка обхватила свой ридикюль и прижала его к груди.

— Не дам.

Галя устало вздохнула.

— Слушай, ты сперла вон с того стеллажа кружку с изображением кошки. Она сделана под заказ, скоро за ней придут. Давай разойдемся по-хорошему. Ты отдаешь товар, я сделаю вид, что ничего не случилось. Охота тебе из-за хреновины, которая триста рублей стоит, большие неприятности огрести? Женщина, которая у прилавка сейчас стоит, ничего не видела, и вообще ее тут не было.

Галя посмотрела на меня.

— Так?

— Да, — кивнула я, — кроме того, я с детства близорука, ничего дальше своего носа не вижу. И...

Мой взгляд упал на значок со словами «Щедрое сердце», украшавший куртку покупательницы, утащившей чашку, потом я заметила завязанный на ее шее темно-синий шарф с принтом в виде красных кошек и воскликнула:

— Татьяна Сергеевна! Вы?

Тетка прищурилась.

— Виола! О господи! Нет, вы ошиблись! Это не я! Совсем не я. Никогда не хожу сюда! Меня здесь нет! Я не работаю в клинике, где вам иммунитет профессор Краснов повышал! Вы обознались. Вот! Возьмите чашку! Не понимаю, как она в моей сумке оказалась, наверное, упала, когда я мимо шла.

Татьяна Сергеевна дрожащими руками раскрыла ридикюль, достала белую кружку, украшенную снимком рыжего перса, поставила ее на прилавок и убежала.

— Вы с ней знакомы? — захихикала Галя. — Прикольно получилось! Сперла в магазине товар, а рядом подруга стоит и все видит.

— Мы встречались с Татьяной Сергеевной один раз, — пояснила я, — я пришла в медцентр, а она там на рецепшен работает. Думаю, зарплата у нее невелика, но отсутствие денег не оправдывает воровство.

Галина махнула рукой.

— А, куча народа вещи без оплаты из магазина вынести пытается. И в основном это хорошо одетые люди, бабы в золоте, мужики не в рванье.

— Вы добрый человек, — улыбнулась я, — не стали звать охрану.

Галя засмеялась.

— Так они сюда через весь молл из-за моих чашек не попрутся. Вот сопри она кошелек у кого или дорогой товар, вроде вазы за двадцать тысяч, тогда придут. Не спеша. Но тетка не грабительница, я людей насквозь вижу, она из сумасшедших, у которых лапы к чепухе тянутся. Салфетки с кошками, полотенце с зайчиками, заколки с ежиками... Любители животных, блин! Некоторые косорукие, схватят посуду, начнут прятать, уронят, разобьют.

— Сахарно-медовая кружка, — заорала торговка, — наливаем воду, а она сладкая!

— Фу, — поморщилась Галя, — отрава ее товар! Выхлебаешь чаек, загнешься, ни один врач не сообразит, от чего ты тапки откинула, на кружку не подумают!

Я уставилась на Галину. «На кружку не подумают». Лена, секретарь Полины, весьма неаккуратна... Соева обожала животных... у Ангелины пропала чашка с собачками... стол Хатуновой... Как яд попал к женщинам? В пастиле и чае отравы нет... чашки вне подозрений... куда-то пропала из шкафа в учительской моя кружка...

Издалека донесся голос Гали:

— Вам плохо?

— Хорошо, очень хорошо, — пробормотала я, отходя от торговки и пытаясь привести мысли в порядок.

Мария Геннадьевна вывела всех тараканов... наследство... поход в театр... кружка на столе Полины... вспоминай, Вилка... ну... давай, напряги мозг... Вера была очень аккуратна...

Я вытащила из кармана телефон, набрала номер Платонова и, едва услышав его голос, спросила:

— Быстро прочитай мне, что находилось на столах Полины и Веры, когда кабинеты осматривали эксперты. Меня интересует посуда.

Получив ответ, я воскликнула:

— Еду к тебе, в голову пришла безумная идея, но она, похоже, объясняет, кто убил Хатунову и Соеву.

Глава 39

— Только не перебивай, — велела я, вбегая в кабинет Платонова. — Слушай и попытайся понять ход моих мыслей. У Полины Владимировны есть секретарша Лена. По словам Нины Максимовны, у девицы убойная сила в руках, она постоянно бьет посуду. Хатунова несколько раз просила Елену быть аккуратнее, но не в коня корм.

Недавно в гимназию приезжал очень богатый человек, Полина велела подать чай. Елена же второпях расколошматила весь сервиз и, зная, что Хатунова с гостем ждут чай, кинулась в учительскую, схватила первые попавшиеся разномастные кружки и принесла их в кабинет директрисы. Хатунова чуть со стыда не сгорела. После ухода олигарха она отчихвостила Елену, пообещала:

— Если еще что-нибудь расквасишь, я тебя уволю.

Федотова, рассказавшая мне эту историю, упомянула, что секретарша сильно перепугалась. Понятно, о чем я говорю?

— Пока да, продолжай, — велел Андрей.

Я понеслась дальше.

— Теперь еще одна история. На следующий день после смерти Хатуновой я не смогла найти в шкафу в учительской свою кружку. Ничего особенного в ней нет, она недорогая, белого цвета, я специально купила ее, чтобы в школе чай пить. Но у чашки была примета, на ее дне кто-то написал, как мне показалось, темным фломастером цифру сто. В магазине я отметину не заметила, дома же несколько раз потерла покупку мочалкой, но не отскребла цифру. Сначала расстроилась, но потом решила, что для чайной церемонии в гимназии и так сойдет. Недоумение по поводу испарившейся кружки я высказала вслух в присутствии Нины Максимовны, а та спросила:

— Что на ней было нарисовано?

И узнав, что ничего, сказала:

— Кабы было изображение собак-кошек, то ее точно Вера Борисовна сперла, а раз чисто-белая, значит, Лена опять кружку Полины грохнула, испугалась, что ее выгонят, и утащила из учительской вашу, чтобы директриса ее очередного безобразия не заметила. Федотова рассказала мне, что утром

Хатунова плохо себя чувствовала, то ли она простудилась, то ли на нее плохо подействовали уколы ботокса. Полину Владимировну знобило, Федотова посоветовала ей выпить горячего чаю. Директриса в ее присутствии открыла шкаф, а там! Новых чашек, купленных недавно взамен разбитого Леной сервиза, нет, на полках беспорядок, рассыпаны крошки, стоит одинокая кружка, разрисованная котятами-щенятами. Полина и Нина Максимовна сообразили, что Елена скорей всего расколошматила в очередной раз сервиз и поставила в шкаф одну кружку на случай, если начальница пожелает побаловаться чайком. Взбешенная Полина позвонила не вышедшей на работу секретарше, та, рыдая, призналась:

— Вчера вечером я понесла в туалет мыть новые чашки, уронила поднос. Простите, у вас там есть одна кружечка. Я куплю новый сервиз на свои деньги. Вот только выздоровлю, у меня грипп, температура высокая.

— Ты уволена! — перебивает девушку начальница, берет с полки одинокую кружку и идет заваривать себе чай.

Когда мы с Ниной Максимовной вошли в кабинет Хатуновой, я увидела на письменном столе чашку с изображением собачек, из которого директриса пила чай. Когда стало понятно, что Хатунова умерла, Федотова чуть не упала в обморок, ей стало дурно, я увела Нину Максимовну в холл, там мы наткнулись на Соеву, она спросила:

— Что случилось?

Я знала, что кабинет Полины не заперт, ключ от него Лена потеряла, поэтому шепнула библиотекарше:

— Вера Борисовна, Полина Владимировна скончалась на рабочем месте, похоже, у нее инфаркт. Очень вас прошу, не кричите, подежурьте у двери кабинета, никого туда не пускайте, я быстро вернусь, а полиция уже едет.

Произнеся просьбу, я в ту же секунду поняла, что совершила глупость. Библиотекарша сейчас впадет в истерику, как Нина Максимовна. Но Вера неожиданно спокойно кивнула, чем вызвала мое удивление. В тот момент я еще не знала, что Соева училась вместе с Хатуновой в медвузе и некоторое время работала патологоанатомом, Вера Борисовна не боится трупов.

Я посмотрела на Андрея.

— То, что до сих пор я рассказывала, это факты, а теперь изложу свои домыслы. Полагаю, Соева заглянула в кабинет Хатуновой, она небось хотела достать из стола папку с фотографиями, но поостереглась, побоялась, что кто-нибудь ее заметит с ней, увидела кружку с собачками, пришла в восторг и схватила ее. Давай вспомним, что у Веры в юности был опыт сотрудничества со следователями, она же служила патологоанатомом в судебном морге. Соева понимала, что полиция удивится, если на столе с чайником и пастилой не будет кружки, полезла в шкаф, чтобы поставить вместо украденной другую чашку, но на полках было пусто. Наплевав на осторожность, Вера бежит в учительскую, хватает первую попавшуюся под руку емкость, это оказывается моя белая чашка. В гимназии идет урок, дети и педагоги сидят в классах. Я умываю в туалете рыдающую Федотову, Соеву никто не видит. В качестве последнего штриха она наплескала в мою кружку немного заварки из чайника и засунула вожделенную чашку с собачками в карман своего платья, выдохнула, и тут в кабинет вошел вызванный мной охранник.

— Не логично получается, — не выдержал Платонов, — Соева сообразила, что нельзя брать папку с дорогими сердцу снимками, которые могли навести внимательного человека на мысль об организации «Свобода или смерть», и... схватила ерунду? Прошлась туда-сюда, не боясь, что ее увидят, поймают за руку?

— Очень даже логично, — заспорила я. — Этот поступок вытекает из характера библиотекарши. Стол, не зная секрета, не открыть. Вера небось решила вытащить папку, когда шум уляжется. В этой ситуации она действовала как умный человек. Но Соева не способна себя контролировать при виде вещи с изображением животных. Давай вспомним, что она украла у одной школьницы пенал. У Веры Борисовны срывает крышу при одном взгляде на рисунок или фото щеночка, котенка, птенчика. Ей сразу хочется зацапать «красоту», и весь ее ум нацеливается на получение желаемого.

Позвони экспертам и спроси: у белой чашки, из которой Хатунова пила чай, есть на донышке цифра «сто»? Если да, то ход моих рассуждений верен. И пусть кто-то свяжется с Еленой и спросит у нее, брала ли она в учительской чашку с принтом в виде собачек-кошек.

Платонов молча схватил телефон, а я пробормотала:

— Лучше подождать, пока твои сотрудники ответят. Если я не права, дальнейший мой рассказ бессмысленен. И, чуть не забыла, узнай заодно, какая посуда была в библиотеке!

Где-то через полчаса в кабинет Андрея вошел его сотрудник и молча посмотрел на шефа.

— Говори, Виктор, — приказал Платонов.

— Вы правы, — начал парень, — на чашке есть

цифра сто. Елена вечером, когда Хатунова ушла, начала наводить порядок и кокнула в туалете сервиз. Полина Владимировна утром, придя на работу, всегда пила чай, заваривали его в чайнике, никаких пакетиков. Чайник остался цел, остальное погибло. В шкафу были еще тарелка и блюдечко, а вот чашка отсутствовала. Лена испугалась, что утром ей влетит, сбегала в учительскую, схватила первую попавшуюся под руку кружку и поставила на полку. Только она меня уверяла, что на ней был какой-то рисунок, связанный с животными, козы, бараны, кошки, собаки — секретарша не помнит. Но принт точно был. Оттуда в кабинете Хатуновой белая кружка, Елена даже предположить не может.

— Ага! — воскликнула я. — В школе две женщины обожают вещи с песиками-кисоньками: Вера Соева и Ангелина Максимовна. Что интересно, у Жориной тоже пропала кружка, но в отличие от моей скучной, без рисунка, чашка учительницы труда была разукрашена собачками-кошками.

Я сделала паузу и посмотрела на молчащего Андрея и притихшего Виктора.

— В крови покойных Хатуновой и Соевой нашли яд. Но как он туда попал? В еде-чае отравы не было, кружки-тарелки, которые использовали покойные, вне подозрений. Думаю, дело было так. Отравить хотели Ангелину Максимовну. В гимназии у всех учителей свои чашки, они стоят в шкафу, никто чужую посуду не возьмет, это не принято. Преступник решил использовать привычку педагогов пить чай-кофе только из собственных кружек и покрыл чашку Жориной изнутри самодельным ядом, сделанным по старинному рецепту. Мы знаем, что отрава не имеет ни запаха, ни вкуса, сохраняет свои свойства веками и активируется, соприкоснувшись с жидкостью. Чашку намазали ядом вечером накануне дня гибели Хатуновой. Ангелина в тот день была дежурной, она сидела в учительской до шести. И, кстати, жалуясь на пропажу чашки, Жорина говорила: «Куда она могла подеваться? Вечером, перед тем как домой унестись, я чайку попила, помыла кружечку, на полочку поставила, а на следующий день не нашла ее на месте». Отравитель должен был уйти после Жориной, но до секретарши Лены. Охрана фиксирует, когда педагоги покидают здание.

— Витя, — воскликнул Андрей, — быстро выясни...

— Уже понял, бегу, — кивнул парень и исчез.

Платонов посмотрел на меня.

— Чашка с ядом ждала Жорину, только у нее она была с анималистическим рисунком.

— Да, — кивнула я. — Косорукая Лена, напуганная обещанием директрисы ее уволить, схватила чашку Жориной и поставила в приемной в шкаф. Хатунова выпила из нее чай и скончалась. Соева вошла в кабинет, увидела прелестную кружечку, заменила ее на мою белую и унесла в библиотеку. Вера была аккуратным человеком, она, конечно же, помыла чашку, но мы знаем, что яд не исчезает даже после тщательной обработки отравленного предмета. Судя по тому, что Соева в тот день не умерла, попить чаю Вере не удалось. Соева здорово нервничала из-за снимков в письменном столе, не знала, как их добыть, чтобы не вызвать подозрений. На следующий день я зашла в библиотеку, и Вере Борисовне пришла в голову мысль отправить за снимками меня.

— Не самая умная идея, — вздохнул Андрей.

— Ну да, — кивнула я, — и красть чашку тоже было глупо. За доставку папки Вера пообещала сказать мне, кто убил Полину. Теперь я понимаю, что Хатунова погибла случайно, библиотекарша мне соврала, чтобы получить фото. Но я в тот день поверила ей, мне показалось, что она кого-то боится. Я поспешила в кабинет директрисы, остальное известно. Мы с Ангелиной стояли в холле, когда психолог Авдотья Громушкина заорала: «Вера Борисовна умерла!» Я хотела бежать в библиотеку, но поскользнулась и упала, присутствующие кинулись ко мне. А человек, задумавший убить Ангелину, еще в день смерти Хатуновой понял, что его замысел не удался. Жорина-то распрекрасно себя чувствовала. Погибла Полина Владимировна. Небось отравитель терялся в догадках, что случилось? Потом преступник услышал стенания учительницы труда по поводу пропавшей чашки и сообразил: обработанная им кружка неведомым образом попала к директрисе. Конечно же, убийца занервничал, скорей всего, он решил унести чашку с собачками и разбить ее. Но полиция увезла всю посуду. А на следующий день раздается вопль Громушкиной: «Вера Борисовна умерла!» Все растерялись, а злодей скумекал: обработанная им чашка продолжает путешествовать по гимназии, теперь она попала к Соевой, и, воспользовавшись суматохой, вызванной моим падением, он поспешил в библиотеку, чтобы проверить свою версию и, если она верна, стащить улику.

Преступнику повезло, он опередил меня и полицейских. Я, войдя в библиотеку, отметила, что на столе конфеты и чайник, чашки там не было. Нет бы мне удивиться, а из чего Вера пила? Не из носика же? Но я была шокирована неожиданной кончиной недавно бодро беседовавшей женщины и не могла трезво мыслить. Преступник совершил ошибку, которую не допустила Вера. Она догадалась поставить на место украденного бокала мою чашку, а отравитель убежал с уликой, не заменив ее. И, кстати, эксперт тоже поинтересовался, где чашка покойной. Я же вспомнила про ее отсутствие лишь в тот момент, когда в моей голове стала формироваться цепочка: разбитая Леной посуда — бокал с собачками в шкафу, потом на столе директрисы — пропажа моей чашки — исчезновение кружки Ангелины — любовь Веры к котам-собачкам... стоп! А где же чашка, из которой Соева пила перед смертью чай? Вот почему следов яда не было нигде, отраву нанесли на посуду. Если бы не торговка со сладкими кружками и не вороватая администратор из клиники, я бы никогда не догадалась, в чем дело.

— Можешь вспомнить, кто из учителей стоял около тебя в момент падения? — остановил меня Андрей.

Я призадумалась.

— Психолог Громушкина сначала орала, потом зарыдала. Из учительской выскочили Жорина, Линькова, Шитова, Федотова. Я упала, они засуетились. Карелия и Нина Максимовна задавали глупые вопросы, Жорина причитала, а вот что делала Мария Геннадьевна... Когда я наконец поднялась, то учительницы химии не было.

В кабинет без стука вошел Виктор.

— По поводу вашего вопроса об уходе учителей. Охрана отдала свои записи. Основная часть ушла в период с четырех до пяти. В семнадцать пятьдесят пять из школы вышла Ангелина Максимовна Жорина.

— Она дежурила, — прокомментировала я слова парня, — и должна была сидеть до шести.

— В восемнадцать тридцать гимназию покинула Мария Геннадьевна Шитова, и самой последней ускакала в девятнадцать пятнадцать секретарь Лена.

— Шитова! — подпрыгнула я. — Учительница химии придумала какой-то лак для стариной мебели, она о нем все уши ученикам прожужжала. Мария вечно роется в древних книгах, выискивает в них способы реставрировать столы-стулья-буфеты. А еще она смешала отраву для тараканов. Прусаки отведали зелья и все разом передохли. Шитова могла сварить яд!

— Немедленно доставь сюда эту талантливую особу, — распорядился Андрей. — Вежливо, аккуратно, под предлогом беседы о Кокозасе.

Виктор ушел.

— У тебя нос похож на помидор, — отметил Платонов. — Сильно болит?

Я осторожно его потрогала.

— Терпеть можно.

— Надо ехать к врачу, — покачал головой Платонов, — вдруг там перелом.

Я отмахнулась.

— Соседка Сергеева-Пескова врач, она...

— Эй, чего замолчала? — спросил приятель.

— Странно, однако, — протянула я, — когда я долбанулась об пол на лестнице, Кокозас-Сергей совершенно искренне перепугался и кинулся к соседке.

— Что в этом удивительного? — пожал плечами Платонов. — Вполне естественная реакция человека на женское лицо, залитое кровью.

— Сергей Песков по образованию врач-травматолог, до того как стал Кокозасом, он работал по специальности, — продолжила я, — профессионал, даже много лет не практикующий, не станет нервничать при виде ушибленного или сломанного носа, он просто окажет пострадавшей первую помощь. Но Песков поступил иначе. Почему? И по какой причине он соврал про диабет, чтобы попасть в кафе и удрать от охраны. Ему же ничего не грозило!

Платонов встал.

— Фиг его знает, что у мужика в мозгах творилось. Надеюсь, мы его поймаем и узнаем ответы на твои вопросы. Шитову привезут не раньше чем через час, пошли пока поедим, потом навряд ли удастся. Беседа с Марией Геннадьевной будет долгой.

Я посмотрела на часы. Андрей прав, перекусить не мешает, и, похоже, поспать мне сегодня не удастся, большую часть ночи я проведу в небольшой комнатке, глядя через стекло на учительницу химии.

Мы на лифте спустились на первый этаж.

— Советую взять бефстроганов, — сказал Андрей, открывая дверь, — здесь его очень вкусно готовят.

— Нет! Хочу креветок! — воскликнула я, выходя на улицу. — Две порции... Боже!

— Что такое? — остановился Платонов.

— Моя машина, — прошептала я, — вернее, малолитражка, на которой я езжу в школу! У нее на крыше лежит кирпич.

— Совсем хулиганье обнаглело, — пришел в негодование Платонов. — Каменюка не могла сверху упасть, неоткуда ей сваливаться, кто-то из прохожих постарался! Поймать бы шутников, да руки оторвать. Не переживай, тачка не твоя, Иван ее починит. Потопали ужинать.

Я молча шла рядом с Андреем. Альтаир, жена писателя Ногова-Архангельского, пообещала, что я стану обжорой, буду поглощать всякую дрянь, к которой ранее даже щипцами не притрагивалась.

Пожалуйста, я теперь постоянно лопаю еще несколько дней назад ненавистные креветки. И про кирпич на крыше машины Царица с большой буквы тоже упоминала. Вот только я не верю ни в сглаз, ни в порчу, ни в магию. Ну, Ногова-Архангельская, погоди, тебе придется пожалеть, что бросила кирпич на крышу несчастной малолитражки. Правда, я не знаю, как ей удалось внушить мне страсть к ракообразным, может быть, внезапный всплеск любви к морским гадам случился сам собой, просто моему организму не хватает белка, и мозг решил стимулировать меня на его получение. Но кирпич точно дело рук сумасшедшей дамы. Ну ничего, я с ней разберусь.

Глава 40

Мария Геннадьевна сначала сидела в допросной молча, потом расплакалась и призналась в содеянном. Все оказалось настолько просто, что я не поверила своим ушам.

Степан Рукавишников во время посещения театра познакомился с Шитовой и втайне от Ангелины Максимовны завел с ней роман. Учительница химии, женщина одинокая, не избалованная мужским вниманием, мгновенно влюбилась в симпатичного молодого парня и стала тратить на него полученное наследство. Степан бросил Жорину и переселился к новой любовнице. Вера Борисовна, бесцеремонно сказавшая при всех в учительской, что у Шитовой появился сожитель-альфонс, оказалась права. Рукавишников велел Марии помалкивать об их отношениях, она выполнила приказ. Ангелина Максимовна не знала, что видит каждый день в учительской злую разлучницу. А Шитова испытывала мучительные приливы ревности и закатывала любовнику истерики, спрашивая:

— Почему нам нельзя открыто сказать о своей любви?

— Устраиваюсь на телевидение, на должность генерального продюсера Первого канала, — врал Степан, — кандидатура утверждается президентом. Малейший скандал мне повредит. Подожди, дорогая, вот начну работать и разведусь с Ангелиной.

На самом деле брак между Степаном и Жориной никогда не заключался, Рукавишников самозабвенно лгал Марии. Наследство, полученное учительницей химии, было не очень велико, оно быстро растаяло, Шитова перестала баловать жигало, и тот удрал от обнищавшей любовницы со скандальным характером, не оставив записки, ничего не объяснив, зато не забыл прихватить все полученные подарки. Новая богатая дама Степану пока не попалась, поэтому он решил вернуться к Ангелине. Мария догадалась, куда переметнулся Степа, подстерегла его у дома Жориной и закатила истерику.

— Почему ты снова с ней? — визжала Шитова. — Почему?

Рукавишников встряхнул тетку.

— Из-за твоего гадкого характера. Каждый день сцены устраиваешь! Ангелина тихая, я от нее ни упрека, ни замечаний не слышу. Она все мои просьбы молча выполняет, а ты с вопросами приматываешься. Надоела!

Думаю, это был редкий случай, когда альфонс сказал правду. Он мог терпеть истерики от сожительницы с деньгами, а вот из двух необеспеченных особ выбрал ту, с которой комфортнее жить.

— Стану другой, — пообещала Шитова, — исправлюсь, больше никаких скандалов. Никогда. Честное слово. Только вернись.

Рукавишников, у которого в голове уже сформировался план похищения денег Константина Обозова, скривился.

— Когда Ангелина умрет, я твой. Подожди лет двадцать.

Я, наблюдавшая за беседой Платонова и Марии, испытывала разнообразные чувства. Ну почему некоторые женщины совершенно не уважают себя? Отчего думают, что их можно любить, только если они будут баловать мужчину, кормить его деликатесами, преподносить дорогие презенты? И как жигало безошибочно вычисляют таких?

Услышав слова Рукавишникова про смерть Ангелины, Шитова решила отравить Жорину.

— Почему ее? — удивился Платонов. — Логичнее было лишить жизни мерзавца Рукавишникова.

— Ангелина умрет, а Степа мне достанется, — бесхитростно пояснила Шитова. — Но чашка почему-то очутилась у Полины, а затем у Соевой. Не знаю, как это получилось. Я не хотела Хатуновой вредить, я к ней хорошо относилась. Вера мне не нравилась, очень вредная, но смерти ей я тоже не желала. Я сообразила, что кружка пропутешествовала от Полины Владимировны к Вере. Забрать ее из кабинета Хатуновой у меня не получилось, а вот в библиотеку я попала первой. В общем, чашечки нет! Вот так!

— И вы бы опять стали жить с мужчиной, который уже один раз от вас ушел? — неодобрительно осведомился Платонов.

Мария Геннадьевна легла грудью на стол.

— Одной очень плохо! Тоскливо! Невыносимо! Придешь домой, и как в могиле. В гости пойти стыдно, все парами. Бабы смотрят на тебя, глаза отводят. Одни безмужнюю жалеют, другие боятся, что она на их супруга польстится, отобьет. И где мне мужа найти? На работе женский коллектив, не с Кокозасом же, недомерком, отношения строить!

— Почему недомерком? — удивился Андрей. — Учителя физики нельзя назвать высоким, но у него, на мой взгляд, вполне нормальный рост, где-то метр семьдесят. Отнюдь не коротышка.

Шитова визгливо рассмеялась.

— Вы ему на ноги смотрели? Кокозас даже летом носит кожаные ботинки на толстой подошве, с немаленькими каблуками. Да в нем не больше метра шестидесяти пяти! И он урод! А Степочка красавец!

Мария перестала хохотать и заплакала.

— Найдите его, верните мне! Почему не хотите отыскать Рукавишникова? Почему?

Рыдания Шитовой опять перешли в смех.

— Не передать словами, как мне хочется отыскать альфонса! — в сердцах воскликнул Андрей. — Надеюсь, скоро он окажется на том стуле, где сидите вы.

— Нет, — завопила Мария Геннадьевна. — Ну нет же! Сюда его приводить не надо. Здесь плохо!

Платонов вышел из комнаты, я услышала в коридоре его голос.

— Позовите врача, у допрашиваемой истерика.

Потом раздался звук шагов, Платонов вошел в каморку, где сидела я.

— Ты как?

— Отвратительно, — честно ответила я, — очень обидно, что мы упустили Степана, боюсь за Эдика Обозова, который до сих пор не вышел из комы. Испытываю странную смесь жалости, брезгливости и негодования в отношении Соевой и Хатуновой, которые, попав под влияние Боба Вахметова, способствовали гибели невинных людей, а потом всю жизнь боялись, что это выплывет наружу. Не понимаю, как относиться к Григорию Пенкину. С одной стороны, он любил жену, восхищался ею и будет шокирован, узнав, что Хатунова собиралась его убить. С другой стороны, он в прошлом мерзавец, на котором негде пробы поставить. Я расстроена, что Песков-Сергеев ухитрился сбежать, не понимаю, почему он это сделал и по какой причине, будучи врачом по образованию, испугался моего ушибленного носа и рванул к соседке за помощью. У меня руки чешутся надавать пощечин Ангелине Максимовне и Марии Геннадьевне, тошнит при одном воспоминании о них, но в глубине души я чувствую жалость к одиноким женщинам, которым очень хотелось любви. Я не могу сообразить, как на крыше машины очутился кирпич и почему все время хочу креветок. Как я себя чувствую? На редкость хреново.

Платонов взял меня за руку.

— Ты молодец. Догадалась, кто и каким образом отравил Хатунову и Соеву. Пошли, отвезу тебя домой, на все вопросы рано или поздно найдутся ответы, негодяи будут пойманы. Тебе надо лечь в кровать, выглядишь не лучшим образом.

ЭПИЛОГ

Очутившись в своей квартире, я нырнула под одеяло, безуспешно попыталась заснуть, потом решила посмотреть любимый канал «Детектив плюс» и щелкнула пультом. На экране телевизора возникла надпись: «Нет видеосигнала».

Вне себя от злости я схватила телефон.

— Круглосуточная справочная «Обзор ТВ», Дмитрий! — застрекотал хриплый тенорок. — Какие проблемы?

— Проблемы не у меня, — зашипела я, — они будут у вас, когда я подам на вашу фирму в суд. Почему до сих пор мне не включили вещание?

— Назовите имя-фамилию, — попросил Дмитрий и, узнав их, вскоре затрещал: — Уважаемая Виола... э... Лемуровна, у вас непорядок с оплатой.

— Что? Я уже носилась по кабинетам в вашем офисе, оплатила штраф, — взвыла я.

— Спокойствие, только спокойствие, — зачирикал Дмитрий, — все правильно. Долга нет.

— Что тогда не так? — заорала я.

— Поскольку сумма оплаченного взыска уже не является тайной клиента, имею право озвучить ее, — торжественно объявил собеседник. — Вы внесли в кассу семь рублей! А требовалось шесть сорок восемь.

— И что? — не поняла я.

— По правилам фирмы «Обзор ТВ», штраф должен быть получен без сдачи и полностью соответствовать квитанции, — загудел Дмитрий. — Вы превысили платеж.

— Всего на пятьдесят две копейки, — оторопела я, — и отсчитала больше, а не меньше. Перекиньте эти громадные деньги на мой абонентский счет. Непонятно, почему не включено вещание.

— Никак нельзя перевести пятьдесят две копейки, — испугался Дмитрий. — Это же разные счета! Плату за трансляцию взимает отдел трансляции, а за штраф департамент штрафов, у них разные офисы и бухгалтерия. «Детектив плюс» предоставить вам услугу до урегулирования проблем не имеет права! Это же деньги!

— Пятьдесят две копейки, — процедила я.

— В этом случае немного, — согласился администратор, — но у нас сотни таких клиентов, умножьте-ка копейки на миллион, и сколько получите?

Я набрала полную грудь воздуха.

— И как мне теперь поступить?

— Очень просто, — обрадовался Дмитрий, — есть инструкция для случаев некорректного платежа штрафа. Вам надо приехать в центральный офис фирмы, написать заявление в семи экземплярах, заверить его и отослать по почте в наш офис.

— Погодите, — растерялась я, — но я же буду находиться в вашей конторе!

— Конечно, но только в департаменте разбора некорректного платежа штрафов, — зазудел парень, — после регистрации заявления его надо передать в отдел исполнения исправления некорректного платежа штрафа, поэтому нужно по почте отослать.

— И где находится контора? Может, быстрее отвезти заявление туда самой? — осведомилась я.

— Отдел расположен на пятом этаже центрального офиса.

— А место, где заполняют бланк заявления? — протянула я.

— На четвертом этаже центрального офиса.

— Так какого черта примешивать сюда почтовиков? — закричала я. — Поднимусь на лифте, и конец истории.

— Нет, нет, — испугался Дмитрий, — так нельзя.

— Почему? — недоумевала я. — Мне вернут несчастные копейки и наконец-то включат «Детектив плюс».

— Наличкой? — ужаснулся парень. — Да вы что! Существует специально разработанная процедура, есть инструкция, необходимо, чтобы...

Я нажала на экран телефона, голос Дмитрия исчез. Все! Даже за включение любимого канала я не готова провести полжизни в офисе «Обзор ТВ». Мне лучше лечь спать. Я закуталась в одеяло и закрыла глаза.

* * *

— Вилка! Ау! — сказал мужской голос.

Я рывком села, ощутила головокружение и, увидев Платонова, поразилась:

— Как ты попал в мою квартиру?

— Вошел через дверь, которую ты забыла запереть, — сердито ответил Андрей. — И почему не подходишь к телефону? Я звонил на мобильный — он отключен, попытался соединиться по домашнему, ты трубку не берешь. Я забеспокоился, приехал на квартиру, и вижу... дверь не закрыта. Знаешь, какие мысли появляются у полицейского, если человек недоступен по всем номерам, а дверь в его апартаменты распахнута? Больше никогда так не делай!

— Крепко заснула, — начала я оправдываться. — Иди в столовую, я оденусь и сварю кофе. А который час?

— Тринадцать ноль-ноль натикало, — бросил приятель, уходя из спальни.

— Что?! Я проспала уроки, — подпрыгнула я.

— Сегодня выходной, — отозвался из коридора Андрей, — ну и ну, вот это гламур!

— Что ты имеешь в виду? — зевнула я.

— Платье на вешалке висит, — ответила Андрей, — я его только сейчас заметил. Красотища! Аж жуть! Розовое, длинное, на юбке снежинки нашиты. Ты куда в нем собралась?

— На новогодний бал в гимназию, — пояснила я, — это костюм госпожи Метелицы, я получила такую роль на празднике.

— Значит, картонная трубка, завернутая в фольгу, — волшебная палочка, — засмеялся Платонов, — а где хрустальные туфли?

— Смейся-смейся, — фыркнула я, — теперь как госпожа Метелица я владею магией и могу превратить того, кто надо мной потешается, в козленочка. И ты перепутал все сказки, хрустальные туфельки принадлежали Золушке.

— Незачем мне сказки помнить, — неожиданно разозлился Платонов, — я живу в ужастике, там другие герои, и они в отличие от твоей госпожи Метелицы вполне себе живые люди.

* * *

— Зачем ты меня разыскивал? — спросила я, ставя на стол чашки с капучино.

— У меня три новости, — объявил Платонов, — одна хорошая, вторая, на мой взгляд, тоже, а третья тебе совсем не понравится, но она тесно связана со второй. С какой начать?

— С любой по твоему выбору. — Я милостиво предоставила приятелю право выбора.

— Эдик Обозов вышел из комы, вызванной наркотическими препаратами, которые ему ввел Степан Рукавишников. Мальчику предстоит лечиться, но его жизни ничего не угрожает, — объявил Андрей. — Константин сегодня увозит сына в Швейцарию, там есть клиника, специализирующаяся на реабилитации детей после передоза.

— Рукавишников мерзавец, надеюсь, его поймают, — вскипела я.

— Вторая приятная новость: съемок шоу, посвященных тому, как в гимназии искали убийцу, не будет, — потер руки Платонов. — Шеф моего шефа категорически против реанимирования той давней истории со взрывом в маршрутке. Тебя объявят победителем программы «Чужой среди своих», и на этом делу конец.

— А третье, плохое известие? — спросила я.

— Почему шеф моего шефа запретил съемку? — вздохнул Платонов. — Потому что... Помнишь, во время допроса Мария Геннадьевна обронила фразу, что Кокозас коротышка, который носит ботинки на платформе и высоких каблуках?

— Да. Ну и что? — не поняла я.

— Люся Мусина во время беседы с тобой произнесла ту же фразу, — продолжал Андрей.

Я порылась в памяти.

— Верно, да я и сама видела на ногах у него такую обувь. А что?

— Рост Пескова был метр восемьдесят два, — сказал приятель.

— Постой! Ты хочешь сказать, что учитель физики Кокозас Иванович не Сергей Песков? — оторопела я. — А кто?

— Боб Вахметов, — сказал приятель. — Роковой мужик, пламенный революционер и просто мерзавец, убежав много лет назад из больницы, заставил Полину напасть на Пенкина. Вахметову, чтобы спрятаться от милиции, искавшей его, нужны были деньги, а покушение на Григория опять не удалось. Думаю, все, что нам рассказывал в своей квартире учитель физики, правда, только из окна тогда выпал не Боб, а Сергей, и, вероятно, Вахметов помог ему в этом. Что случилось потом? Понятия не имею. Допускаю, что настоящий Кокозас Иванович действительно замерз, и Вахметов, сунув ему в карман паспорт Пенкина, стал Сергеевым. Свой документ он ему подложить не мог, Борис был объявлен в розыск, в морг бы приехал следователь Шмелев и сразу понял бы: покойный не Вахметов. Боб залег на дно с чужими документами, жил тихо. Ну а потом инфаркт, жуткая больница...

— Вот почему Соева казалась испуганной, отсылая меня за фото! — ахнула я. — Она знала, что в школе работает Вахметов! Может, она даже хотела рассказать мне правду.

— Сомневаюсь, — поморщился Андрей, — Вера была той еще штучкой. Из них с Борисом могла получиться достойная пара. Соева ведь тоже заставила Полину взять ее на работу в гимназию. Та Веру пожалела, как и Вахметова. Наверное, она боялась Боба, а тот шантажировал Хатунову, потребовал взять его на работу, купить квартиру. Борис хотел спокойно жить, не думая о том, где взять денег на комфортное существование. Вот почему он удрал, прикинулся испуганным, чтобы мы расслабились и считали его глубоко раскаивающимся Сергеем Песковым. Он рассказал правду про попытки убить Пенкина и про то, что Вахметова нанял для этой цели член семьи Арама Асатряна. Он все рассчитал верно: Пескову ничто не грозило, улик против него не было, бомбу он не вез. А вот Боб Вахметов сел с сумкой в микроавтобус, и на взрывном устройстве остались его пальчики. Борису до сих пор грозит пожизненный срок. А то, что Кокозас на самом деле Вахметов, выяснилось быстро. Прикинь, как он перепугался, услышав, что его подозревают в похищении Эдика. Оставался один путь: «честно» все рассказать, усыпить нашу бдительность и удрать. Вот он и обманул меня, я велел отвезти лже-Кокозаса, как свидетеля, а не как подозреваемого, разрешил ему позавтракать в кафе. Сглупил по полной программе.

— Может, ты ошибаешься? — пробормотала я. — Подумаешь, ботинки на платформе, их многие носят.

— Обувь была лишь поводом насторожиться, — поморщился Платонов. — Когда Вахметова в начале девяностых, как жертву теракта, привезли в больницу, ему сделали массу анализов. После побега преступника из клиники его историю болезни забрал следователь, она до сих пор хранится в архиве. Дела о терроризме не имеют срока давности, улики по ним не уничтожаются. Дома у Кокозаса полно отпечатков, они совпали с «пальчиками» на взрывном устройстве, которые есть в деле. Так что дактилоскопическая экспертиза подтвердила: учитель физики на самом деле Борис Вахметов.

— Вот почему он испугался при виде моего разбитого носа и позвал соседку, — воскликнула я. — Сергей Песков в прошлой жизни был врачом, а Вахметов-то нет!

— Я его обязательно найду! — стукнул кулаком по столу Платонов. — Он у меня еще попляшет! Ответит за все. И Рукавишникова неприменно поймаю, даже если он на другой конец земного шара улетел, я его там отыщу.

Я отвела глаза в сторону. Дед Мороз оказался хитер и коварен, он ушел от полиции, а госпожа Метелица, пытавшаяся его поймать, оказалась не особо проворной. Ну не сработала магия госпожи Метелицы! Ушел от нее дедуля, улетел Степан Рукавишников за тридевять земель в тридесятое царство.

— Он у меня попляшет, он ответит за все! — повторил Андрей.

— Конечно, — без особой уверенности согласилась я, — конечно, рано или поздно ты поймаешь этих двух мерзавцев. Но, понимаешь, иногда не на все вопросы удается получить ответы. Вот я, например, не знаю, почему спонтанно полюбила креветки, и навряд ли выясню это. Кое с чем надо просто примириться.

Платонов прищурился.

— Это ты меня утешить хочешь?

— Пытаюсь, — улыбнулась я, — изо всех сил.

Андрей вскинул голову.

— Не надо. Меня невозможно вышибить из седла, меня не напугает ни голод, ни холод, ни война, я всегда упорно иду к цели и побеждаю, я не подвержен депрессии, отчаянию, я бесстрашен, мне не нужна твоя жалость, я мужик, и этим все сказано.

Я молча кивнула. Ну конечно, Платонов настоящий мужчина, он готов сразиться с врагом, совершить подвиг, босиком дойти до Северного полюса. Настоящего мужчину ничто не может сломить, только насморк и температура тридцать семь градусов превращают его в несчастного, капризного, совершенно беспомощного младенца.

Литературно-художественное издание

ИРОНИЧЕСКИЙ ДЕТЕКТИВ

Донцова Дарья Аркадьевна

МАГИЯ ГОСПОЖИ МЕТЕЛИЦЫ

Ответственный редактор *О. Рубис*
Редактор *Т. Семенова*
Художественный редактор *В. Щербаков*
Технический редактор *О. Лёвкин*
Компьютерная верстка *М. Лазуткина*
Корректор *М. Козлова*

ООО «Издательство «Эксмо»
123308, Москва, ул. Зорге, д. 1. Тел. 8 (495) 411-68-86, 8 (495) 956-39-21.
Home page: **www.eksmo.ru** E-mail: **info@eksmo.ru**
Өндіруші: «ЭКСМО» АҚБ Баспасы, 123308, Мәскеу, Ресей, Зорге көшесі, 1 үй.
Тел. 8 (495) 411-68-86, 8 (495) 956-39-21
Home page: www.eksmo.ru E-mail: info@eksmo.ru.
Тауар белгісі: «Эксмо»
Қазақстан Республикасында дистрибьютор және өнім бойынша
арыз-талаптарды қабылдаушының
өкілі «РДЦ-Алматы» ЖШС, Алматы қ., Домбровский көш., 3«а», литер Б, офис 1.
Тел.: 8 (727) 2 51 59 89,90,91,92, факс: 8 (727) 251 58 12 вн. 107; E-mail: RDC-Almaty@eksmo.kz
Өнімнің жарамдылық мерзімі шектелмеген.
Сертификация туралы ақпарат сайтта: www.eksmo.ru/certification

Сведения о подтверждении соответствия издания
согласно законодательству РФ о техническом регулировании
можно получить по адресу: http://eksmo.ru/certification/

Өндірген мемлекет: Ресей
Сертификация қарастырылмаған

Подписано в печать 23.12.2014. Формат 80x100 1/32.
Гарнитура «Newton». Печать офсетная. Усл. печ. л. 14,81.
Тираж 28 000 экз. Заказ 4819.

Отпечатано с электронных носителей издательства.
ОАО "Тверской полиграфический комбинат". 170024, г. Тверь, пр-т Ленина, 5.
Телефон: (4822) 44-52-03, 44-50-34, Телефон/факс: (4822)44-42-15
Home page - www.tverpk.ru Электронная почта (E-mail) - sales@tverpk.ru

ISBN 978-5-699-77529-3

Оптовая торговля книгами «Эксмо»:
ООО «ТД «Эксмо». 142700, Московская обл., Ленинский р-н, г. Видное,
Белокаменное ш., д. 1, многоканальный тел. 411-50-74.
E-mail: **reception@eksmo-sale.ru**

По вопросам приобретения книг «Эксмо» зарубежными оптовыми покупателями *обращаться в отдел зарубежных продаж ТД «Эксмо»*
E-mail: **international@eksmo-sale.ru**
International Sales: International wholesale customers should contact Foreign Sales Department of Trading House «Eksmo» for their orders.
international@eksmo-sale.ru

По вопросам заказа книг корпоративным клиентам, в том числе в специальном оформлении, *обращаться по тел. +7 (495) 411-68-59, доб. 2261, 1257.*
E-mail: **ivanova.ey@eksmo.ru**

Оптовая торговля бумажно-беловыми и канцелярскими товарами для школы и офиса «Канц-Эксмо»: Компания «Канц-Эксмо»: 142702, Московская обл., Ленинский р-н, г. Видное-2, Белокаменное ш., д. 1, а/я 5. Тел./факс +7 (495) 745-28-87 (многоканальный).
e-mail: **kanc@eksmo-sale.ru**, сайт: www.**kanc-eksmo.ru**

В Санкт-Петербурге: в магазине «Парк Культуры и Чтения БУКВОЕД», Невский пр-т, д.46.
Тел.: +7(812)601-0-601, www.bookvoed.ru/

Полный ассортимент книг издательства «Эксмо» для оптовых покупателей:
В Санкт-Петербурге: ООО СЗКО, пр-т Обуховской Обороны, д. 84Е. Тел. (812) 365-46-03/04.
В Нижнем Новгороде: Филиал ООО ТД «Эксмо» в г. Н. Новгороде, 603094, г. Нижний Новгород, ул. Карпинского, д. 29, бизнес-парк «Грин Плаза». Тел. (831) 216-15-91 (92, 93, 94).
В Ростове-на-Дону: Филиал ООО «Издательство «Эксмо», пр. Стачки, 243А. Тел. (863) 305-09-13/14.
В Самаре: ООО «РДЦ-Самара», пр-т Кирова, д. 75/1, литера «Е». Тел. (846) 207-55-56.
В Екатеринбурге: Филиал ООО «Издательство «Эксмо» в г. Екатеринбурге, ул. Прибалтийская, д. 24а.
Тел. +7 (343) 272-72-01/02/03/04/05/06/07/08.
В Новосибирске: ООО «РДЦ-Новосибирск», Комбинатский пер., д. 3.
Тел. +7 (383) 289-91-42. E-mail: **eksmo-nsk@yandex.ru**
В Киеве: ООО «РДЦ Эксмо-Украина», Московский пр-т, д. 9. Тел./факс: (044) 500-88-23.
В Донецке: ул. Складская, 5В, оф. 107. Тел. +38 (032) 381-81-05/06.
В Харькове: ул. Гвардейцев Железнодорожников, д. 8. Тел. +38 (057) 724-11-56.
Во Львове: ТП ООО «Эксмо-Запад», ул. Бузкова, д. 2. Тел./факс (032) 245-01-71.
В Симферополе: ООО «Эксмо-Крым», ул. Киевская, д. 153. Тел./факс (0652) 22-90-03, 54-32-99.
В Казахстане: ТОО «РДЦ-Алматы», ул. Домбровского, д. 3а.
Тел./факс (727) 251-59-90/91. **rdc-almaty@mail.ru**
Интернет-магазин ООО «Издательство «Эксмо»
www.fiction.eksmo.ru
Розничная продажа книг с доставкой по всему миру.
Тел.: +7 (495) 745-89-14. E-mail: **imarket@eksmo-sale.ru**